Jahrbuch des Vereins für niederdeutsche Sprachforschung

Band 140

Jahrbuch

des Vereins für niederdeutsche Sprachforschung

Jahrgang 2017

140

WACHHOLTZ
MURMANN PUBLISHERS

Gedruckt mit Unterstützung
der Kulturbehörde Hamburg,
des Ministeriums für Justiz, Kultur und Europa
des Landes Schleswig-Holstein,
des Landschaftsverbandes Rheinland,
des Landschaftsverbandes Westfalen-Lippe

Schriftleitung: Dr. Friedel Helga Roolfs
Kommission für
Mundart- und Namenforschung Westfalens
Schlossplatz 34
D – 48143 Münster

ISSN 0083-5617
ISBN 978-3-529-04240-9

Wachholtz Verlag – Murmann Publishers, Kiel/Hamburg
2017

INHALT

Buchbesprechungen

Niederdeutsche Etymologie: Neuere Forschungsansätze

Martin Kümmel, Jena

Zum Forschungsstand

Beinahe könnte man sagen, dass die systematische Beschäftigung mit der Etymologie niederdeutscher Wörter schon an sich ein neuer Forschungsansatz wäre – verfügen wir doch, da Niederdeutsch keine moderne große Standardsprache ist, über keine etymologischen Wörterbücher, wie sie für europäische Standardsprachen üblich sind. Und selbst für das Mittelniederdeutsche und Altsächsische gibt es keine wirklich vollwertigen etymologischen Wörterbücher.[1] Tatsächlich ist die Situation aber doch etwas besser, als man nun denken könnte, denn als einer der wichtigen Sprachen des Germanischen insgesamt wurde jedenfalls das ältere Niederdeutsch in allen etymologischen Werken anderer germanischer Sprachen in der Regel berücksichtigt,[2] ebenso in gesamtgermanischen Etymologika;[3] auch die Mundartwörterbücher haben immer etymologische Angaben gemacht. Zudem liegen z. B. auch für das Altenglische, Mittelhochdeutsche und Friesische keine vollständigen etymologischen Wörterbücher vor, und auch beim Althochdeutschen ist das einschlägige Wörterbuch (EWA) noch in Arbeit[4] – d. h. im Vergleich geht es der niederdeutschen Etymologieforschung zwar nicht gut, aber doch nicht so viel schlechter als in Nachbargebieten.

Zunächst möchte ich nun ein paar Neuigkeiten zur niederdeutschen Etymologie vorstellen, die sich sozusagen in traditionelleren Bahnen bewegen. Danach sollen neuere Trends von allgemeinerer Bedeutung besprochen werden, die für die künftige Forschung und eventuelle Projekte Bedeutung haben.

---

1 Berr 1971 berücksichtigt nicht das gesamte Altsächsische.
2 Zum Beispiel de Vries 1962; 1971; Lehmann 1986; Bjorvand/Lindeman 2000; Boutkan/Siebinga 2005; EWA.
3 Seebold 1970; Heidermanns 1993; Orel 2003; Kroonen 2013.
4 Zur Zeit befindet sich Band 6 (M–P) im Druck.

1   Neuere Etymologien und Neues zu alten Etymologien

Aus der etymologischen Arbeit

a) Im Rahmen der Arbeit an den Addenda und Corrigenda zum „Lexikon der Indo-germanischen Verben" (LIV) ergab sich die folgende neue Zusammenstellung: Alt-sächs. *derian*, mnd. *dēren* 'schaden' etc. führt mit altengl. *derian*, ahd. *terien* zurück auf urgerm. **darja-*. In den älteren Etymologika wird dieses Verb meist unerklärt gelassen. Kroonen (2013: 89) s. v. **darjan-* rekonstruiert idg. **dʰerh₃-* und vergleicht litauisch *dùrti* 'stechen, schmerzen'; dieses wird allerdings meist mit **der-* 'reißen' verknüpft (vgl. germ. **tera-* 'ziehen, reißen'), und der Ansatz mit **h₃* beruht nur auf der unsicheren Annahme, dass lit. *ur* auf **ṛh₃* weise; nach ALEW s. v. ist lit. *dùrti* etc. jedoch besser zu **dʰwer(H)-* 'schädigen, verletzen' zu stellen. Nun gibt es aber im Keilschriftluwischen ein Verb *tatarh-* 'zerbrechen' (3. Pl. Ipv. *ta-ta-ar-ha-an-du*), das möglicherweise auch hieroglyphenluwisch als *tà-tara/i-ha-* bezeugt ist und von Kloekhorst (2008: 838f.) mit **terh₃-* in griech. *trō-* 'verletzten' verbunden worden ist. Wegen des nichtgeminierten *-t-* (und nicht *-tt-* < **-t-*) ist aber ein Wurzelansatz mit < **dʰ-* oder **d-* wahrscheinlicher, und das passt zu germ. **d-* < **dʰ-*. Das *h* im luwischen Verbum ist am leichtesten aus **h₂* ableitbar (Bewahrung von **h₃* in die-sem Kontext ist unsicher), und das lässt sich unterstützen, wenn man altgr. **thrā-* in Ableitungen wie *thraúō* 'zerbreche' hierherstellt, das aus **dʰṛh₂-* entstanden sein müsste. So ergibt sich ein Wurzelansatz **dʰerh₂-* 'zerstören, zerbrechen', ein dazu gebildetes Iterativ **dʰorh₂-éjo-* entwickelte sich zu germ. **darja-*. Teilweise könnten dazu auch baltische, slavische und iranische Verben gehören, die mit Reflexen von **der-* vermischt sein können (in diesen Sprachen fielen **d* und **dʰ* zusammen), vgl. Kümmel 2017a, s. v. **dʰerh₂-*.

b) Wie in anderen germanischen Sprachen sind auch im Niederdeutschen bis-weilen Alternationen von *nk ~ ng, mp ~ mb* bei anscheinend verwandten Wörtern belegt, vgl. z. B.:

Mnd. *dunk, dung-* 'unterirdisches Gemach' ~ *dunker* 'dunkel'
Mnd. *kinke* 'Schnecke' ~ altnord. *kengr* 'Biegung'
Mnd. *brink*, altnord. *brekka* 'steiler Hügel', altdän. *brank* 'steil' ~ altnord. *bringr* 'Hügel'[5]
Mnd. *henken* 'aufhängen', *hanke* 'Haken, Henkel' ~ *hangen, hengen* 'hängen'
Mnd. *sprenken* ~ *sprengen* 'sprengen'
Mnd. *swank, swenken* ~ *swingen, swengen* 'schwingen, schwenken'
Mnd. *damp* 'Dampf' ~ aschwed. *damb* 'Dampf, Staub'

Für diese Fälle gab es bisher nur die Erklärung als Varianten durch Kluges Gesetz (vgl. Lühr 1988; Kroonen 2011: 80–82; 2012: 191; 2013: xxxiv f.), also Geminati-on durch Nasalassimilation mit nachfolgender postkonsonantischer Degemination, z. B. **hang-n-* > **hankk-* > **hank-*, was demnach einen älteren *n*-Stamm oder ein

---

5   Bei der Besprechung von *Brink* in Neri/Sturm/Ziegler (2016: 18–20) wird das altnordi-sche Wort mit *g* nicht berücksichtigt.

n-Suffix voraussetzt, mit späterer analogischer Ausbreitung des neuen Konsonanten. Dabei bleibt allerdings unklar, warum das Phänomen besonders bei Kausativa (wie *henken, sprenken, swenken*) häufig ist, denn diese haben ja keine *n*-Suffixe. Nun ist jüngst eine neue Erklärung vorgeschlagen worden (Kümmel 2017b), nämlich reguläre germanische Variation nach Nasal nach vorheriger Neutralisierung, ursprünglich akzentabhängig. Dieser neue Ansatz würde es auch erlauben, einige Wörter mit *nk, mp* anders zu erklären als bisher. So könnte die Sippe von mnd. *denken, dünken; dank* etc. < urgerm. **þank-, þunk-* zu **teng^{h}-* 'ziehen, wiegen' gehören, wie schon von Seebold (1989: 134, 160), vorgeschlagen, doch aus lautlichen Gründen abgelehnt in EWA: 580f., 854; zur semantischen Entwicklung vgl. *erwägen*, lat. *pensare* 'wiegen > denken'. Bei mnd. *dempen* 'ersticken' wäre zu erwägen, ob nicht eine Verbindung mit altind. *dambháya-* 'töten' möglich wäre.[6] Die rein lautlich naheliegende Zusammenstellung mit *damp* 'Dampf' usw. ist semantisch nicht klar.

c) Eine sehr ungewöhnliche Wortbildung liegt offenbar bei mnd. *väde* 'Vaterschwester' vor. Dieses führt mit altengl. *faðe*, altfries. *fethe* auf urgerm. **faþōn-*, das man als < **pátā-* zu **fader-* 'Vater' < **patér-* stellen kann. Bemerkenswert dabei ist die Ableitung unter Tilgung des Suffixes, für die es kaum Parallelen gibt. Eine Parallelbildung scheint nun indirekt durch ein wahrscheinliches frühgermanisches Lehnwort im Saamischen bezeugt zu sein, nämlich germ. **mōþō-* < **mátā-* zu **mōder-* < **mātér-* 'Mutter', entlehnt in gemeinsaamisch **mōθā* oder *mōhðā* 'Mutterschwester' (s. Kümmel 2015). Dieses Wort ist im Germanischen selbst anscheinend nicht belegt, doch könnte altsächs. *mōna*, mnd. *mône* neben altsächs. *mōma*, ahd. *muoma* auf eine kindersprachliche Bildung dafür zurückgehen.[7]

2 Digitale Vernetzung von Wörterbüchern und Datenbanken

Eine wichtige Tendenz betrifft die Entwicklung der sogenannten Digital Humanities, also die vermehrte Verwendung computergestützter Methoden zur Auswertung großer Datenmengen: Auch für das Niederdeutsche bietet die etymologische Vernetzung von historischen und Mundartwörterbüchern bzw. entsprechenden Datenbanken interessante Möglichkeiten, gerade im Rahmen größerer Vorhaben der digitalen Vernetzung, z. B. im „European network of electronic Lexicography" (EneL) im Rahmen des digitalen Infrastrukturkonsortiums CLARIN. Durch Teilnahme an diesen könnte sich die Sichtbarkeit des Niederdeutschen deutlich erhöhen. Hier sollen nur wenige Beispiele genannt werden:

- Das „Digitale Wörterbuch Niederdeutsch" (DWN) bietet eine Suchfunktion mit Zugriff auf zahlreiche Wörterbücher.
- Hochdeutsche Wörterbücher auch westlicher Mundarten sind verbunden im Wörterbuchnetz des Trier Center for Digital Humanities.

---

6   Sturm in Neri/Sturm/Ziegler (2016: 41) verbindet *dambháya-* mit mhd. *tummern* 'klopfen, schlagen' und Fortsetzern von germ. **dump-*.

7   Ahd. *basa* 'Vaterschwester' könnte vielleicht auch kindersprachlich für **faþa* stehen, s. Kümmel 2015.

- Diachrone Textkorpora sollen im Dachprojekt „Deutsch Diachron Digital" (DDD) zusammengeführt werden. Wichtig sind z. B. das „Referenzkorpus Altdeutsch" mit Texten bis ca. 1050 in Berlin, Frankfurt und Jena und das „Digitale Referenzkorpus Mittelniederdeutsch/Niederrheinisch" (ReN) in Hamburg und Münster.
- Im Bereich der Dialektologie z. B. die „Datenbank der bairischen Mundarten in Österreich".

Relevant ist auch das Projekt der Sächsischen Akademie der Wissenschaften „Deutsche Wortfeldetymologie in europäischem Kontext" (DWEE, Jena), das ein etymologisches Wörterbuch des (Hoch-)Deutschen mit neuartigem Konzept erarbeitet. Dabei soll eine isolierte Betrachtung vermieden und vielmehr eine Einbettung in den gesamteuropäischen Rahmen angestrebt werden – relevant gerade für das Niederdeutsche, das ja auch außerhalb seines Sprachgebiets besonders für Nordeuropa eine sehr große Rolle gespielt hat.

Sehr nützlich und vorbildlich ist die etymologische Datenbank „Etymologiebank.nl" der niederländischen Akademie, die das „Etymologisch Woordenboek van het Nederlands" fortsetzt und Informationen aus 25 Wörterbüchern verknüpft.

3 Etymologische Dialektwörterbücher

Leider ist es nach wie vor so, dass traditionell nur der Wortschatz der großen Standardsprachen in vollem Umfang etymologisch und wortgeschichtlich erforscht wird, und hier hat das Niederdeutsche (trotz seiner historisch großen Bedeutung besonders im Ostseeraum) einen klaren Nachteil. In jüngster Zeit gibt es nun aber Bestrebungen, die Vernachlässigung der gesprochenen Nichtstandardvarietäten zu korrigieren und auch sie mehr in die etymologische Forschung einzubeziehen. Als Pionierarbeit wurde unter Leitung von Rosemarie Lühr in Jena mit einem „Etymologischen Wörterbuch der deutschen Dialekte" begonnen, das eine bessere Erforschung auch des nichtstandardsprachlichen Wortschatzes der deutschen Varietäten einleiten soll. Mit DFG-Förderung (von 2004 bis 2006) wurde von Thüringen ausgehend begonnen, nach solchen Wörtern zu suchen, und da ein kleines Gebiet Thüringens zum niederdeutschen Sprachgebiet gehört, ist damit unmittelbar auch das Niederdeutsche betroffen. Ein erstes Ergebnis wurde vor fünf Jahren publiziert (Neri/Ziegler 2012). Das Projekt wurde unter dem Namen „Thüringisches etymologisches Wörterbuch" von 2012 bis 2015 fortgesetzt, und inzwischen ist auch der 2. Band erschienen (Neri/Sturm/Ziegler 2016).

Drei Beispiele sollen zeigen, was hier an neuen Erkenntnismöglichkeiten vorhanden ist:

Mnd. *vlôme* (*$\hat{o}_1$*), nnd. *Flōme(n)/Fleome(n)/Flaume(n)* < *$fl\bar{o}man$-* 'Schmer, Fett' neben nhd. dial. *flame* < *$fl\bar{a}man$-* 'Rahmhaut' < urgerm. *$fl\bar{e}man$-*; besser nicht zu *$pelh_2$-/$pleh_2$-* 'ausbreiten', sondern zu litauisch *plėnė̃* 'Häutchen', russ. *plená* zu *$pleh_1$-/$pel(h_1)$-* 'einhüllen', vgl. *Fell* (2012: 71–76, S. Neri).

Mnd. *lê(i)k*, nnd. *leik* 'Laich', *lê(i)ken* 'laichen', vgl. mhd. *leich*, nhd. *Laich*, südhess. *Schleich* nicht zu *lêken* 'springen', sondern besser zu *slīm* 'Schleim', *slīken* 'schmieren' (2012: 105–110, S. Ziegler).

Thür. rhein. schwäb. *lock* 'Haufen (Gras), Handvoll', nnd. wf. *lock*, Pl. *löcke* 'Büschel' < germ. **lukka-* 'Abgerupftes' zu **leuka-/lūka-* 'abrupfen, herausziehen'. Die Wortbildung kann direkt ein idg. **lug-nó-* zu **leug-* 'lösen, brechen, reißen' fortsetzen, somit liegt eine genaue Gleichung mit altind. *rugṇá-* 'zerbrochen, gerissen' vor (2012: 149f.; 2016: 138–143, S. Ziegler).

Generell muss angemerkt werden, dass die Berücksichtigung moderner Mundarten für die etymologische Forschung wesentliche Vorteile hat. Mundartbelege erlauben eine klarere lokale Zuordnung und oft präzisere Informationen über die ursprüngliche Lautgestalt, vor allem beim Vokalismus, als das geschriebene Belege tun können. Zwei Beispiele sollen das demonstrieren.

a) Mnd. *dōke* 'Nebel'

Im MndHW 1: 390/440 „dāk(e), *dōk(e)*". Das ist ein wesentlicher Fortschritt gegenüber der älteren, irreführenden Lemmatisierung als „dâk, dake" (MndW: 476) „dâk (dake)" (Lübben/Walther 1888: 73a). Wenn man nämlich relevante Mundartbelege überprüft, so zeigt sich, dass nur *dōke* der eigentlich richtige Ansatz sein kann. Deutlich wird dies besonders in münsterl. *duok*, Pl. *düöke* f. 'Nebelwolke' (Kahl 2009: 321), dessen *uo* nur aus ehemals kurzem **o* erklärt werden kann. Damit führt es zurück auf mnd. *dōke*, altsächs. **thoka* und passt damit zu altnord. *þoka* etc. (s. Kroonen 2013: 549, s. v. *þuka/ōn-*); ein **dāke* hingegen wäre etymologisch nicht gut anschließbar.

b) *Dröge* 'trocken'

Das übliche niederdeutsche Wort für 'trocken', das in einer Spezialbedeutung auch in das Neuhochdeutsche übernommen wurde, ist in den mnd. Wörterbüchern folgendermaßen gebucht: MndHW 1, 482f. *dröge (drüge, dryge)* mit Abstraktum *drögede, drügede, dröchte* und dem zugehörigen Verbum *drögen, °drügen, °drôgen*; Lübben/Walther 1888 hat nur „*droge, drogen*". Wenn man genauer hinsieht, zeigt sich, dass die Lage relativ kompliziert ist.

Ein mnd. *dröge* ‹droge› (mit sekundärer Dehnung) könnte auf **drugi-* zurückgehen (nicht erkannt bei Kroonen 2013), das genau zu altengl. *drȳge* etc. stimmen würde (zu dessen Vokalquantität s. u.), doch scheint es keine sicheren Belege für diese Vorform in modernen Mundarten zu geben (Sarauw 1921: 222). Sehr gut belegt sind in den nd. Mundarten nämlich vor allem zwei andere Formen mit ursprünglichem Langvokal.

Mnd. **drôge* (mit *ô²*, also **draugi-*) wird vorausgesetzt z. B. von den folgenden Fortsetzern: Twents *dreug*; westmünst. *dröög(e)* (Piirainen/Elling 1982); sauerl. (zentral) *droige, dröüge, drōege* (Pilkmann-Pohl 1988); Dortmund *droege* (Schleef 1967); lippisch *dreuje* (Schierholz/Platenau 2003); götting. *dröge, dræge* (Scham-

bach 1858, s. v.); Hamburg (Meier/Hennig 2006), Dithmarschen *dreug* [drɔyç] (laut
DWN); meckl. *drööch* (Herrmann-Winter 1985). Hierher gehört teilweise auch mnl.
droge, nnl. *droog*, bei dem dialektal auch *ȫ* vorkommt; teilweise kann hier aber wohl
auch **drugi-* fortgesetzt sein.

Vor allem in anderen Teilen des Westfälischen herrscht dagegen offenbar mnd.
*drûge, vgl. münsterl. *drüüg, drüge* 'trocken'; Abstr. *drüügte*; Verb *drügen, drüügt*
'trocknen' (Kahl 2009);[8] ebenso sauerl. NO *druige*, SW *drūge* < **drûge* (Pilkmann-
Pohl 1988, s. v. *droige*); owf. Brockhagen *druüge, druügen* (Stolte 1931); götting.
drûge (Schambach 1858). Auch im Niederländischen gibt es offenbar Fortsetzer,
nämlich mnl. *dru(e)ghe*, nnl. *druig*, wozu auch anl. *drug-* gestellt worden ist, das
jedoch auch alte Kürze haben könnte. Nach de Vries (1971) ist diese Variante vor
allem östlich und wurde im Westen zurückgedrängt; sie schließt sich also an das
westfälische Verbreitungsgebiet an, und ebenso passt dazu die Verbreitung am Nord-
rand des Hochdeutschen: vgl. mhd. ‹*truge, trugen*›,[9] nhd. *treuge, treugen* (DWB 22:
Sp. 347–351; 356), niederrheinisch und ripuarisch *drŭch, drüch, drü* etc. (RhWB 1:
1516–1519) und omd. (erzg. os. schles.) *treuge*, Verb *treugen*. Da dort offenbar nir-
gendwo „traug°/draug°" erscheint, sind **driugi-* oder **drūgi-* möglich, nur **drūga-*
ist ausgeschlossen.

Wir müssen also offenbar mit drei Varianten rechnen: mnd. *drûge* neben *drȫge*
und *drôge*, wie schon von Lasch (1914: 33 als Beispiel für Ablaut) dargestellt:
„*drôge, drûge, drȫge* (Wisby Stadtr. *dryghe, drøghe*)", vgl. auch Sarauw 1921: 222.
Bei der Form mit *û* ist nun aber unklar, ob sie **drūgi-/drūgja-* (so DWB 22: 349,
728; Heidermanns 1993: 162; Kroonen 2013: 100) oder **driugi-/driugja-* fortsetzt,
denn diese fallen ja mittelniederdeutsch zusammen, und altsächsische Belege scheinen ganz zu fehlen; das Gleiche gilt für das Niederländische[10] und Hochdeutsche.
Wegen ae. *dryge* usw., das man als *drȳge* ansetzte, wurde generell die erste Alternative vorgezogen, aber für das Altenglische ist Vokallänge keineswegs sicher und eher
problematisch, wie Vijūnas (2015) gezeigt hat.

Hier könnte nun ein Blick ins Friesische helfen, wo dieses Wort ebenfalls vorkommt, aber wohl erst relativ spät,[11] vgl. inselnordfr. *drüg/drüch/driig*, festnordfr.
drüch/dröög/drüüg, nofr. (wang. sat.) *druuch*, nwfr. *droech* (dial. *drûch*). Altes kur-

---

8   Nur *û* ergibt dort *üü*, während sekundär gedehntes *ü* als Diphthong *üë* erscheint, vgl.
    büegel, flüegel, küek, küening; gedehntes *ö* ergab *üö*, und für altes *ō₂* wäre *ai* zu erwarten,
    vgl. *baigen*.

9   Von den Wörterbüchern werden diese teilweise als Nebenformen von *trucke(n), trucke-*
    nen behandelt.

10   Zu mnl. *û* < **iu* vgl. *du(e)re* 'teuer', nnl. *duur* neben mnl. *diere*; *nuw(e)* 'neu' neben
    nie(w), niwe. Auch der alte Beleg mit <u> bei Williram schließt diese Herkunft nicht aus,
    vgl. *durlikin* in den „Wachtendonckschen Psalmen" schon im 10. Jh.

11   Kroonen (2013: 100) nennt „OFri. *drūch*", aber es gibt nur relativ junge Belege von
    drüch-, drōch- aus dem älteren Westfriesischen; diese entsprechen modernem *droech*,
    dial. *drûch* und können wie dieses auf **driuch* zurückführen.

zes *u hätte zu infr. *ö/e*, fnfr. *öö* geführt, vgl. *söch/sög, sööch/söög* 'Sau',[12] und umgelautetes *$\bar{u}$* wäre schon altfriesisch entrundet worden. Daher kommt für das Nordfriesische also nur *$\bar{u}$* ohne Umlaut oder *iu* (mit Umlaut) in Frage, zu letzterem vgl. *diure* > insnfr. *jüür/djiir* 'teuer', *hiura* > infr. *hüür/hiir* 'Heuer'; *tiuga* > infr. *tjüüg/tjüü/tschiig*; fnfr. *tjööge/tüüge* 'Zeuge'. Aus *driuge* entstanden sein kann vielleicht auch nwfr. *droech* (über *drjōch*), vgl. nwfr. *stjoer* < *stjōre* < *stiure*, *djoer* < *djōre* < *diure*; für altes *$\bar{u}$* ist eine Vertretung als *oe* fraglich. Nicht so gut aus *driug-* erklärbar ist aber der Anlaut von sat. *druuch*, denn *iu* führt dort sonst immer zu *ju(u)*, und *drj, trj* blieben erhalten oder wurden zu *dj, tj* vereinfacht, vgl. *d(r)jooge* < *driāga* 'trügen' mit 3. Sg. Präs. *d(r)jucht* < *driucht* und *d(r)jooch* 'ergiebig' < *driāch*; ähnlich ist es wohl im Wangeroogischen (vgl. *bidríuug* 'betrügen'). Allerdings könnten sat. wang. *druuch* auf umlautloses *drugu-* zurückgehen (vgl. sat. *múuge* 'mögen' < *muga*) wie wohl auch nwfr. *droech, drûch* (vgl. *sûch* 'Sau' < *suge/sugu*); letzteres könnte auch noch von nl. *droog* beeinflusst sein. Wir haben also drei Alternativen: Entweder gesamtfriesisch *drūga-* oder *driugi-* mit irregulärer Fortsetzung im Saterfriesischen oder (west- und) nordfriesisch *driugi-* neben (west- und) ostfriesisch *drugu-*. Da ersteres nicht so gut zum restlichen Westgermanischen passt, ist wohl der letzteren Alternative der Vorzug zu geben. Ein Stamm *driug-i-* < *dreug-i-* lässt sich auch besser durch gewöhnlichen Ablaut mit den Varianten *draugi-* und *drug-i-* (und *drug-u-*?) verknüpfen. Wie letzteres mit kurzvokalischer Nullstufe gebildet ist auch *drug-n-* > *drukk-* ⇒ *druk(k)ana-* 'trocken' in altsächs. *drukn-*, ahd. *truckan* usw., das im größten Teil des Hochdeutschen herrscht.

Stärkere Ablautvariation bei einem Adjektiv ist auch sonst ab und zu dokumentiert, vgl. die folgenden Fälle:

– *gelwa-* > altsächs. *gelo*, mnd. *gēl (gelf)* usw. neben *gulu-* > altnord. *gulr* 'gelb';
– *$h^w\bar{\imath}ta$-* > altnord. *hvítr*, altengl. *hwīt* usw. neben *h^witta-* > mnd. *wit, witte* 'weiß', dazu auch *$h^waitija$-* 'Weizen' > altnord. *hveiti*, altengl. *hwǣte*, altsächs. *hwêti*;
– *reuda-* > altnord. *rióðr*, altengl. *rēod* neben *rauda-* 'rot' > altnord. *rauðr*, altengl. *rēad*, altsächs. *rôd*, nnd. münst. *raud.*

Die Gründe für solche Varationen sind nicht immer klar, aber es kann mehrere geben: a) Ausgleich eines ablautenden Paradigmas, wie wohl bei *gelw-* ~ *gulu-* < *$g^h\acute{e}lh_3$-u-* ~ *$g^h\underbar{l}h_3$-u-*; b) parallele Wortbildung wie bei *hwīta-* ~ *hwitta-* für älteres *hwīda-* ~ *hwitta-* < *$\hat{k}wejtó$-* ~ *$\hat{k}witnó$-*, vgl. altind. *śvetá-* neben *śvítna-*; entsprechend auch *reuda-* neben *rauda-*. Für unseren Fall ist wohl beides anzunehmen: So könnte neben einem *u*-Adjektiv *dreug-u-* ~ *drug-u-* ein Kausativ *draug-ja-*[13] gestanden haben; aus ersterem ergaben sich mit den üblichen germanischen Umbildungen *dreug-i/ja-* und *drug-u-* neben sekundärem *drug-ja-*; die Form

---

12 Vijūnas' (2015: 274) Versuch, alle langvokalischen Belege im Friesischen durch sekundäre Dehnung zu erklären, geht daher fehl.
13 Daraus ae. *drigan, drygan*, s. Vijūnas 2015: 275, aber wohl auch mnd. *drôgen*, vgl. die Erläuterung im Folgenden.

dreug-i/ja- und/oder *drug-i/ja-* wurde dann in großen Teilen des Niederdeutschen und wohl auch Niederländischen nach dem Kausativ durch **draug-i/ja-* ersetzt bzw. im Vokalismus ausgeglichen. Ursprünglich wären demnach beim Adjektiv mnd. *drûge* und vielleicht auch *drôge*, beim Verbum *drôgen*.

Da somit eine ganz normale Wurzelform **dreug-* vorliegen dürfte, erhebt sich die Frage nach einem Zusammenhang mit **dreuga-* 'dauerhaft' in altnord. *driúgr*, aschwed. *drȳgher*, infr. *drech*, fnfr. *driich*, saterfr. *drjooch*, wozu vielleicht auch altnord. *draugr* 'Baumstamm' zu stellen ist. Dazu gehört das starke Verb **dreug-a-* 'durchhalten, Gefolgschaft leisten' > got. *driugan*, altengl. *drēogan*, vgl. germ. **druhti-* 'Gefolgschaft' und lit. *draũgas*, russ. *drug* 'Gefährte, Freund', aruss. *družina* 'Gefolgschaft'. Das starke Verb hat wohl auch im Niederdeutschen über-lebt, was bisher kaum beachtet worden ist: mnd. *sik drêgen up* 'sich verlassen (kön-nen) auf' (ebenso nnd. wf. münst. sauerl. *draigen*, owf. Brockhagen *droegen*, gött. *dreigen*, märk. *draigen*) ist nämlich semantisch nur schwer vom Homonym 'trügen' altsächs. *driogan*, mnd. *drêgen* ableitbar.[14] Zwar kommt das Verb häufig in negativen Kontexten vor, so dass 'sich fälschlich verlassen' eine Brücke zu 'sich täuschen' bil-den würde, aber das ist keineswegs die Regel, und es könnte auch eine jüngere Rein-terpretation wegen der vorliegenden Homonymie sein. Von einer Grundbedeutung 'hart, fest' aus wären sowohl diese Bedeutungen als auch 'trocken' verständlich. Andererseits gibt es für 'trocken' auch die alternative Ableitung von **dʰrewgʰ-* 'zit-tern' (lit. *drugȳs* 'Fieber') über eine Entwicklung 'schütteln' > 'trocknen' (so nach Vijūnas 2015: 268–270 mit Lit.). Dafür würde auch die mögliche Verbindung mit gemeinfriesisch **drāga* 'Haarsieb, Milchseihe'[15] sprechen, das offenbar ein **drau-gan-* voraussetzt.[16] Nur eine genauere Gesamtuntersuchung könnte eine besser be-gründete Entscheidung ermöglichen. Es bleibt noch sehr viel zu tun in der nieder-deutschen Etymologie.

Literatur

ALEW = Wolfgang Hock u. a. (2015): Altlitauisches etymologisches Wörterbuch (Studien zur historisch-vergleichenden Sprachwissenschaft 7). 3 Bde. Hamburg.
Berr, Samuel (1971): An etymological glossary to the Old Saxon Heliand. Bern.
Bjorvand, Harald und Fredrik Otto Lindeman (2000): Våre arveord. Etymologisk ordbok. Oslo.
Boutkan, Dirk und Sjoerd Michiel Siebinga (2005): Old Frisian etymological dic-tionary. Leiden.

---

14   Die Homonymie ist schon urgermanisch, beide Verben unterscheiden sich formal über-haupt nicht.

15   In infr. *druug/droog*, fnfr. *druug/druuch*, nwfr. *dreach-*; Verbum infr. *druuge/droogi*, fnfr. *druuge*, nofr. sat. *droogje*, wang. *droog*, nwfr. *dreagje* 'seihen, abgießen'.

16   Vgl. EWvhN, s.v. *droog*; dort wird auch „mnd. *drōg* 'fijne zeef', *drōgen* 'zeven'" er-wähnt, das ich aber nicht verifizieren konnte.

Datenbank der bairischen Mundarten in Österreich electronically mapped: URL: https://wboe.oeaw.ac.at [Stand: 03.11.2017].

DDD = Deutsch diachron digital, Referenzkorpus Altdeutsch. URL: http://www. deutschdiachrondigital.de [Stand: 03.11.2017], https://referenzkorpusaltdeut sch.wordpress.com/ [Stand: 03.11.2017].

DWB = Deutsches Wörterbuch von Jacob und Wilhelm Grimm. 16 Bde. in 32 Teilbdn. Leipzig 1854–1960. Quellenverzeichnis. Leipzig 1971.

DWEE = Deutsche Wortfeldetymologie in europäischem Kontext. URL: http://dwee. eu [Stand: 03.11.2017], URL: http://www.dwee.uni-jena.de [Stand: 03.11. 2017].

DWN = Digitales Wörterbuch Niederdeutsch. URL: http://www.dwn.plattbiblio.de [Stand: 03.11.2017].

EneL = European network of electronic Lexicography. URL: http://www.elexico graphy.eu [Stand: 03.11.2017].

Etymologiebank.nl. URL: http://www.etymologiebank.nl [Stand: 03.11.2017].

EWA = Etymologisches Wörterbuch des Althochdeutschen. Hg. von Albert Larry Lloyd, Otto Springer und Rosemarie Lühr. Göttingen/Zürich 1988ff.

EWvhN = Marlies Philippa, Frans Debrabandere, Arend Quak, Tanneke Schoonheim en Nicoline van der Sijs, Etymologisch Woordenboek van het Nederlands. 4 Bde. Amsterdam 2003-2009. Etymologiebank.nl ? [kommt in Anm. 16 vor]

Heidermanns, Frank (1993): Etymologisches Wörterbuch der germanischen Primäradjektive. Berlin/New York.

Herrmann-Winter, Renate (1985): Plattdeutsch-hochdeutsches Wörterbuch für den mecklenburgisch-vorpommerschen Sprachraum. Rostock.

Kahl, Klaus-Werner (2009): Wörterbuch des Münsterländer Platt. 3. Aufl. Münster.

Kloekhorst, Alwin (2008): Etymological dictionary of the Hittite inherited lexicon (Leiden Indo-European Etymological Dictionary Series 5). Leiden/Boston.

Kroonen, Guus (2011): The Proto-Germanic n-stems (Leiden Studies in Indo-European 18). Amsterdam/New York.

Kroonen, Guus (2012): Consonant gradation in the Germanic iterative verbs. In: Benedicte Nielsen Whitehead u.a. (Hgg.): The sound of Indo-European: Phonetics, phonemics and morphophonemics (Copenhagen Studies in Indo-European 4). Copenhagen, S. 263–290.

Kroonen, Guus (2013): Etymological Dictionary of Proto-Germanic (Leiden Indo-European Etymological Dictionary Series 11). Leiden/Boston.

Kümmel, Martin (2015): Die Schwestern der Eltern: Samische Evidenz für germanische Wortbildung? In: Thomas Krisch und Stefan Niederreiter (Hgg.): Diachronie und Sprachvergleich. Beiträge aus der Arbeitsgruppe „historisch-vergleichende Sprachwissenschaft" bei der 40. Österreichischen Linguistiktagung 2013 in Salzburg. Innsbruck, S. 121–129.

Kümmel, Martin (2017a): LIV²Add = Addenda und Corrigenda zu LIV². URL: http://www.oriindufa.uni-jena.de/iskvomedia/indogermanistik/Kümmel_liv2_ add.pdf.

Kümmel, Martin (2017b): Das dünkt mich dunkel: Germanische etymologische Probleme. In: Bjarne Simmelkjær Sandgaard Hansen u.a. (Hgg.): Etymology and the European lexicon. Proceedings of the 14th Fachtagung of the Indo-germanische Gesellschaft, Copenhagen 17–22 September 2012. Wiesbaden, S. 169–183.

Lasch, Agathe (1914): Mittelniederdeutsche Grammatik. Halle.

Lehmann, Winfred P. (1986): A Gothic Etymological Dictionary. Based on the third editon of Vergleichendes Wörterbuch der Gotischen Sprache by S. Feist. Leiden.

LIV² = Lexikon der indogermanischen Verben. Hg. von Helmut Rix. 2. Aufl. von Helmut Rix und Martin Kümmel. Wiesbaden 2001.

Lübben, August und Christoph Walther (1888): Mittelniederdeutsches Handwörter-buch. Norden/Leipzig. ND Darmstadt 1989.

Lühr, Rosemarie (1988): Expressivität und Lautgesetz im Germanischen. Heidel-berg.

Meier, Jürgen und Beate Hennig (2006): Kleines Hamburgisches Wörterbuch: Platt-deutsch-hochdeutsch. 2. Aufl. Neumünster.

MndHW = Mittelniederdeutsches Handwörterbuch. Begründet von Agathe Lasch und Conrad Borchling, hg. nach Gerhard Cordes und Annemarie Hübner von Dieter Möhn und Ingrid Schröder. Hamburg/Neumünster 1934/1956ff.

MndW = Karl Schiller und August Lübben: Mittelniederdeutsches Wörterbuch. Bre-men 1875–1881.

Neri, Sergio und Sabine Ziegler (2012): „Horde Nöss". Etymologische Studien zu den Thüringer Dialekten (Münchener Forschungen zur historischen Sprachwis-senschaft 13). Bremen.

Neri, Sergio, Laura Sturm und Sabine Ziegler (2016): Von Hammeln, Leichen und Unken. Etymologische Studien zu den thüringischen Dialekten, Teil 2 (Münche-ner Forschungen zur historischen Sprachwissenschaft 17). Bremen.

Orel, Vladimir (2003): A handbook of Germanic etymology. Leiden/Boston.

Piirainen, Elisabeth und Wilhelm Elling (1982): Wörterbuch der westmünsterländi-schen Mundart (Beiträge des Heimatvereins Vreden zur Landes- und Volkskun-de 40). Vreden.

Pilkmann-Pohl, Reinhard (1988): Plattdeutsches Wörterbuch des kurkölnischen Sauerlandes. Arnsberg.

ReN = Digitales Referenzkorpus Mittelniederdeutsch/Niederrheinisch. URL: https://vs1.corpora.uni-hamburg.de/ren/.

RhWB = Josef Müller u. a.: Rheinisches Wörterbuch. 9 Bde. Bonn/Berlin 1928–1971.

Sarauw, Christian (1921): Niederdeutsche Forschungen. 1. Vergleichende Lautlehre der niederdeutschen Mundarten im Stammlande (Det Kgl. Danske Videnskaber-nes Selskab, Historisk-filologiske Meddelelser 5, 1). Kopenhagen.

Schambach, Georg (1858): Wörterbuch der niederdeutschen Mundart der Fürsten-thümer Göttingen und Grubenhagen oder Göttingisch-Grubenhagen'sches Idi-otikon. Hannover.

Schierholz, Sabine und Fritz Platenau (2003): Wörterbuch hochdeutsch-lippisches Platt. Detmold.

Schleef, Wilhelm (1967): Dortmunder Wörterbuch. Köln/Graz.

Seebold, Elmar (1970): Vergleichendes und etymologisches Wörterbuch der germanischen starken Verben. Den Haag/Paris.

Seebold, Elmar (1989): Friedrich Kluge, Etymologisches Wörterbuch der deutschen Sprache. 22. Aufl. Berlin/New York.

Stolte, Heinrich (1931): Bauernhof und Mundart in Ravensberg: Beiträge zur niederdeutschen Volkskunde. Bielefeld. Zitiert nach Wörterverzeichnis zu „Bauernhof und Mundart in Ravensberg", bearb., erg. und hg. von Olaf Bordasch. URL: http://www.plattdeutsch-niederdeutsch.net/woerterbuch/index.htm [Stand: 16.05.2016].

Vijūnas, Aurelijus (2015): The Length of *y* in the Old English Adjective *dryge* 'dry'. In: Historische Sprachforschung 128, S. 260–283.

de Vries, Jan (1962): Altnordisches etymologisches Wörterbuch. 2. Aufl. Leiden.

de Vries, Jan (1971): Nederlands Etymologisch Woordenboek. Leiden.

Wörterbuchnetz des Trier Center for Digital Humanities. URL: http://www.woerterbuchnetz.de [Stand: 03.11.2017].

Vom Nutzen des Altsächsischen für die Erforschung des altgermanischen Tempus- und Aspektsystems

Fabian Fleißner, Wien (A)

1 Hintergrund

> Es ist sehr erfreulich, dass das wichtige Kapitel der perfektiven Aktionsart im Germanischen wieder und immer wieder zum Gegenstand eingehender Untersuchung gemacht wird. Denn wenn auch die Grundfragen im wesentlichen als entschieden gelten dürfen, so bleiben doch Rätsel genug zurück, deren Lösung dankbar begrüsst werden muss. (Streitberg 1895: 78)

Mit diesen Worten beginnt Streitberg seine Rezension zu Rudolf Wustmanns 1894 erschienener Arbeit mit dem Titel „Verba perfectiva namentlich im Heliand: ein Beitrag zum Verständnis der germanischen Verbalkomposition".[1] Auch wenn Streitbergs Gesamturteil deutlich wohlwollender ausfällt als jenes von Václav Mourek aus dem Jahr davor, der in seiner Besprechung explizit den deutschen Kollegen aufgrund ihrer hinsichtlich des Gegenstandes der Aspekt- und Aktionsartenkategorisierung defektiven Muttersprache die Fähigkeit abspricht, entsprechende semantische Unterschiede überhaupt zu erkennen (vgl. Mourek 1894: 195), sind sich die damaligen Größen des Faches in zumindest einem Punkt einig: Die „Grundfrage" nach der Existenz eines urgermanischen Aspektsystems, das in den belegten Einzelsprachen mehr oder weniger Fortbestand hat, wurde bereits mit „ja" beantwortet. Das Hinzuziehen weiterer Daten aus den altgermanischen Dialekten diente dem Zweck, die getroffenen Vorannahmen zu stützen oder weitere Subkategorien innerhalb der aspektuellen Dichotomie über die positive Evidenz zu erschließen. Auf die Spezifika der altsächsischen Sprache wird bei Wustmann trotz des vielversprechenden Titels eigentlich nicht eingegangen.

---

[1] Mit dieser Arbeit sollte Wustmann auch aus dem linguistischen Wissenschaftsbetrieb ausscheiden, am zumindest durch diese Publikation nachhaltig geprägten und innerhalb der Germanistik mitunter hart geführten „Aspektdiskurs" des späten 19. Jahrhunderts beteiligte er sich selbst nicht mehr.

Die Debatte um das germanische Aspektsystem war nicht nur generalisierend, sondern auch stark atomistisch geprägt, was sich auch in den einschlägigen Publikationen der Zeit widerspiegelt.[2] Die bis in die Gegenwart reichende intensive Erforschung des deutschen Aspekt-Tempus-Modus-Systems[3] brachte eine kaum mehr zu überblickende Fülle an Publikationen hervor und es scheint kein Ende in Sicht zu sein. Dies mag den Anschein erwecken, uns stünde heute bereits ein bis ins Detail ausgeleuchtetes Modell der temporalen und aspektuellen Kategorisierung zur Verfügung, die in weiterer Folge auch eine konzise Darstellung der deutschen Tempora erlaubt, sowohl, was ihre synchrone Verwendung betrifft, als auch hinsichtlich ihrer diachronen Genese. Beides – und im besonderen Maße letzteres – ist nicht der Fall. Viel eher muss eingestanden werden, dass die reduktionistische Beschreibung des deutschen Verbalsystems in der Diachronie hinsichtlich seiner morphologischen, syntaktischen und semantischen Beschaffenheit dem formalen Anspruch deskriptiver synchroner Grammatiken genügt, aber unzureichend für das Verständnis der Systematik an sich ist. Der vorliegende Beitrag versucht, dem entgegenzuwirken, indem untermauert wird, dass Gesetzmäßigkeiten im mikroskopischen Maßstab durch übergeordnete pragmatische Ordnungsprinzipien erst ermöglicht werden. So wie die Untersuchung einzelner Atome nichts über einen Organismus aussagen kann, ist der durch isolierte Betrachtung einzelner sprachlicher Formen erhoffte Erkenntnisgewinn begrenzt. Da sich die gegenwärtigen Ansprüche an die linguistische Forschung maßgeblich von jenen des 19. Jahrhunderts unterscheiden, obliegt es uns zu leisten, was in der Vergangenheit verabsäumt wurde. Unterstreicht Wustmann (1894: 50) in seinen Vorbemerkungen noch, dass es keinen Zweck habe, „jede Verbalform des Heliand in dieser darstellung vorzuführen", muss man im Zeitalter der Empirie genau das fordern. Der hier vorliegende Beitrag kann dies nicht leisten, allerdings wird er zeigen, warum zukünftiger Erkenntnisgewinn nur über umfassende quantitative Untersuchungen erreicht werden kann.

Das Deutsche hat in seiner Entwicklung eine bemerkenswerte Fülle an grammatischen Formkategorien zum Ausdruck temporaler Bezüge innerhalb eines zweidimensionalen und linearen Zeitkonzeptes ausgebildet, aber kein vollständiges Aspektsystem im eigentlichen Sinne und sämtliche potentiellen Ansätze eines solchen wieder abgebaut (vgl. Đorđević 1994: 289). Dies trifft letztlich auf alle altgermanischen Sprachen zu, auch wenn die dadurch ausgelösten Entwicklungen innerhalb des ATM-Komplexes in den Einzelsprachen recht unterschiedlich verlaufen sind (vgl. Leiss 2002a: 9). Der Verlust der zumindest teilweise entwickelten systematischen Kodierung von Aspekt gilt als einer der größten und folgenschwersten Sprachwandelprozesse in der Geschichte des Deutschen, der sowohl den verbalen als auch den nominalen Bereich nachhaltig veränderte. Wenigstens die Ausgrammatikalisierung der periphrastischen Tempora, der Funktionsverbgefüge, der progressiven

---

2   Nicht nur die Arbeiten von Wustmann (1894) und Streitberg (1891) sind hier zu nennen, sondern auch „Die Syntax des Heliand" von Otto Behaghel (1897) oder „Untersuchungen über die Syntax der Sprache Otfrids" von Oskar Erdmann (1874).

3   Von hier an als ATM abgekürzt.

Verlaufsformen, die Entstehung des definiten Artikels und letztlich das Schicksal des Genitivs mit seiner Blütephase im Hochmittelalter und dem darauffolgenden Niedergang in der gesprochenen Sprache wurzeln in diesem fundamentalen Umbruch (vgl. Leiss 2000: 11–25). Das Hochdeutsche und das Niederdeutsche haben an diesen Prozessen gleichermaßen Anteil, besonders im verbalen Bereich zeigen sich allerdings große Unterschiede. Diese beziehen sich weniger auf das morphosyntaktische Formenset an sich als vielmehr auf die Frequenz und den pragmatischen Kontext, in dem einzelne Formen Verwendung finden. Als prominentestes Beispiel ist hier der oberdeutsche „Präteritumschwund" zu nennen (vgl. Lindgren 1957, Abraham/Conradie 2001). Was die Ausbreitung und Verwendung der periphrastischen Perfektformen betrifft, kann von einem eindeutigen Nord-Süd-Gefälle innerhalb des kontinentalwestgermanischen Dialektkontinuums gesprochen werden (vgl. Leiss 1992: 162). Bereits in den frühesten Sprachdenkmälern des Althochdeutschen und Altsächsischen lassen sich eindeutige areale Unterschiede hinsichtlich der Innovationen innerhalb des Tempussystems und dem Abbau der formalen aspektuellen Markierung ausmachen, denen in der Sprachgeschichtsforschung verhältnismäßig wenig Aufmerksamkeit geschenkt wurde. Die Fokussierung auf Gemeinsames ist zwar seit jeher die Basis der Rekonstruktionsphilologie, sie verzögerte aber auch die Entwicklung einer historischen Variationslinguistik. Da Sprachwandel ohne Variation nicht denkbar ist, ist auch unser Verständnis von Diachronie immer stark von unserer Kenntnis des Raumes abhängig. Eine Revision des altsächsischen Textmaterials vor dem Hintergrund moderner textpragmatischer Ansätze, herausgelöst aus einer „germanischen Gesamtschau", soll einen ersten Schritt in diese Richtung machen und dabei nicht nur einen Beitrag zur Genese des niederdeutschen Tempussystems erbringen, sondern auch Neubewertungen und Anknüpfungspunkte für eine empirisch ausgerichtete altgermanistische ATM-Forschung ermöglichen.

2   Tempus und Aspekt im Germanischen und Altsächsischen

Zunächst bedarf es hinsichtlich des altsächsischen bzw. germanischen Verbalsystems einiger Vorbemerkungen.

Für das Altsächsische gilt die bereits im Urgermanischen vorherrschende und im Gotischen belegte binäre Grundopposition zwischen Präsens und Präteritum als Basis des Tempusparadigmas (vgl. Oubouzar 1974; Kotin 1997). Die ererbte Dichotomie „vergangen – nicht vergangen" bildet die Basis des in urgermanischer Zeit reduzierten Inventars zum Ausdruck temporaler Semantik. Dieses durch die beiden Tempora Präsens und Präteritum konstituierte und eingeschränkte Set an synthetischen Tempusformen wird durch eine – ebenfalls aus urgermanischer Zeit ererbt und in allen altgermanischen Sprachen mehr oder weniger funktional fortlebende – Opposition der Aspektualität und Aktionalität mittels Präfigierung erweitert, wie sie von Streitberg (1891) postuliert wurde.[4] Mit dem Terminus „Aspekt" wird im

---

4   Für einen Überblick zu Form und Semantik der präfigierten Formen im Altsächsischen siehe Behaghel 1897: 98–101, Rauch 1992 und Watts 2001.

Folgenden auf Aspektualität als eine universalgrammatische Erscheinung referiert, für die sich in der deutschen Fachliteratur zumindest für die älteren Sprachstufen auch die Begriffe „kursiv" bzw. „durativ" und „komplexiv" etabliert haben (Schrodt 2004: 104), die dem diachronen Verbalcharakter des Deutschen vermeintlich eher gerecht werden als der gängige duale Gegensatz „imperfektiv – perfektiv". Natürlich gilt für das Altsächsische (und für alle anderen altgermanischen Sprachen) die problematische Vorannahme, dass sich die Ausdifferenzierung des Verbalsystems auf der Grundlage des Formeninventars der klassischen Sprachen beschreiben ließe. Im Sinne der Einheitlichkeit und nicht zuletzt aufgrund der Tatsache, dass bei den hier vorgestellten Analysen die traditionellen Termini ausreichen, werden sie allerdings beibehalten und wird auch in der folgenden Darstellung auf „imperfektiv" und „perfektiv" zurückgegriffen.

Streitberg (1891: 83–93) wies anhand zahlreicher Beispiele nach, dass das den grundsätzlich imperfektiven Simplexverben des Gotischen vorangestellte Verbalpräfix *ga-* (< germ. **ga-*) dazu fähig ist, den perfektiven Aspekt griechischer Verben adäquat darzustellen. Während im Gotischen andere Aktionsartendifferenzierungen durch Präfixe wie *us-* oder *bi-* erreicht werden können, zeichnet sich *ga-* aufgrund seiner lang andauernden Genese als besonders stark grammatikalisiert und semantisch ausgedünnt aus, was die Bildung eines prototypischen Perfektivierungspräfixes begünstigte (vgl. Leiss 1992: 62). Dies gilt nicht nur für das Gotische, sondern auch für alle anderen altgermanischen Sprachen, in denen die jeweiligen tochtersprachlichen Fortsetzer von germ. **ga-* eine Sonderstellung innerhalb des Präfigierungssets darstellen und als besonders produktive Wortbildungsmittel gelten. Was die Herkunft von germ. **ga-* betrifft, wird davon ausgegangen, dass seine aspektuelle Funktion auf die Grundbedeutung 'zusammen' zurückgeht, die etwa bei Bewegungsverben die Zusammenführung von ursprünglich getrennten Größen ausdrückte (vgl. Behaghel 1924: 99).[5] Wenn davon gesprochen wird, dass bereits im Gotischen der Grammatikalisierungsgrad des Präfixes sehr weit fortgeschritten ist, wird oft die Tatsache übersehen oder übergangen, dass sich einige Belege für Verben finden lassen, bei denen diese Grundbedeutung noch klar durchscheint und daher nicht als bloße perfektivierte Simplizia klassifiziert werden können:[6]

(1)   got. *qiman – gaqiman* ('kommen' – 'zusammenkommen')
(2)   got. *rinnan – garinnan* ('rinnen' – 'zusammenrinnen')

---

5   Dabei wird das Suffix üblicherweise neben lat. *com* bzw. *cum* und agr. κοινός auf die idg. Wurzel **k̂óm* zurückgeführt, was nicht unproblematisch ist, da ein sth. anlautender germ. Plosiv **g-* kein Fortsetzer eines idg. **k-* sein kann. Viel eher würde man einen Frikativ erwarten (vgl. Bennett 1968: 219–223; Pfeifer 1989: 510).

6   Nach Leiss (1992: 67) ist dies nur der Fall, wenn das Präfix an ein Simplexverb tritt, dessen Grundsemantik per se perfektiv ist, etwa „kommen". Es lassen sich aber sowohl im Gotischen als auch im Altsächsischen (s. o.) auch grundsätzlich imperfektive Verben finden, die in Verbindung mit dem Präfix die ursprüngliche Bedeutung von „zusammen" tragen. Es ist also viel eher davon auszugehen, dass wir tatsächlich innerhalb einer Sprache unterschiedliche Grammatikalisierungsgrade beobachten können.

(3)   as. *bindan – gibindan* ('binden' – 'zusammenbinden')

Diese ursprünglich räumliche Grundbedeutung findet sich uneingeschränkt ebenso bei Substantiven wieder:

(4)   got. *arbja – gaarbja* ('Erbe' – 'Miterbe')
(5)   got. *hlaiba – gahlaiba* ('Brotlaib' – 'Mitstreiter')

Als fossilierte Formen überdauerten diese Bildungen im Deutschen auch nach dem Ende ihrer Produktivität bis in die Gegenwart ('Gebrüder', 'Geschwister', 'Genosse', 'Gevatter'), was unter den germanischen Sprachen eine Ausnahme darstellt. Diese Basisbedeutung trat aber offenbar nach und nach immer weiter zurück und andere semantische Komponenten, darunter auch die perfektivierende, gewannen quantitativ die Oberhand:

(6)   got. *saihwan – gasaihwan* ('sehen' – 'erblicken')
(7)   as. *sehan – gisehan* ('sehen' – 'erblicken')

Der perfektive Aspekt entfaltet hier seine Wirkung in der Bedeutung von „zielgerichtet zu Ende schauen", wobei sich das Ziel lediglich auf den Abschluss der Handlung selbst bezieht und keine Aussage über ein etwaiges außersprachliches Denotat trifft.[7] In dieser Verwendung stand das Präfix allerdings in Konkurrenz zu zahlreichen anderen, die ebenfalls entsprechende aktionale Unterschiede zum Ausdruck bringen konnten, etwa as. *a-, ant-, af-, for-, bi-, ti-* oder *thurh-* (vgl. Wustmann 1894: 27–49). Alle diese Präfixe finden sich auch gegenwartssprachlich in eingeschränkter Form wieder und tragen insgesamt mehr Eigensemantik in sich als as. *gi-*. Wir müssen also feststellen, dass sich keine prototypische Semantik der *gi*-Präfigierung im Altsächsischen eingrenzen lässt, die nicht auch durch andere morphosyntaktische oder lexikalische Mittel zum Ausdruck gebracht werden konnte. Insgesamt war diese Art der Präfigierung im Westgermanischen deutlich länger funktionsfähig als in den nordgermanischen Sprachen, wobei sich das Altsächsische und das Althochdeutsche innerhalb dieser Gruppe wesentlich konservativer verhalten als etwa das Altenglische, wo das zu *y-* abgeschwächte Präfix zwar noch bis ins 12. Jahrhundert belegt ist, die Reduktion insgesamt aber deutlich schneller vonstatten ging (vgl. Mossé 1925: 292). Aber auch innerhalb des Kontinentalwestgermanischen zeigen sich Unterschiede zwischen dem Norden und dem Süden. In oberdeutschen Texten sind aktionale Markierungen durch das Präfix *ge-* vereinzelt bis ins 17. Jahrhundert festzustellen, besonders im Alemannischen zeigte es sich äußerst lebendig (vgl. Blumenthal 1968: 159–162). Im Niederdeutschen hingegen wurde das Präfix früher abgebaut, dafür aber das periphrastische Perfekt auch früher etabliert und grammatikalisiert, was bei der heutigen „Perfektdominanz" im Süden des deutschen Sprachraums zunächst verwundern mag (vgl. Leiss 1992: 162).

---

7   Diesem Irrtum erliegt bereits Jakob Grimm in seinem Vorwort zur serbischen Grammatik von Wuk Stephanowitsch (1824: L–LIV), weniger explizit auch Wustmann, der dafür von Mourek (1894: 195) kritisiert wird.

Die durch die Präfigierung hervorgerufenen aktionalen oder aspektuellen Unterschiede waren mitunter so groß, dass bereits früh einige Verbpaare semantisch auseinanderdrifteten. Die Vergleiche mit dem Gotischen zeigen, dass diese Tendenz bereits im Urgermanischen eingesetzt haben muss:

(8) got. *bairan – gabairan* ('tragen' – 'gebären')
(9) as. *beran – giberan* ('tragen' – 'gebären')

Auch hier zeigen sich die kontinentalwestgermanischen Dialekte wesentlich ausbaufreudiger als etwa das Altenglische, wo das Gegenteil zu beobachten ist: Mehr und mehr tendieren die präfigierten Formen dazu, sich in Funktion und Semantik dem Simplexverb anzunähern. Die redundanten Formen werden letztlich wieder abgebaut. Ab dem Zeitpunkt, da sich ein deutsches Kompositum semantisch vom Simplexverb getrennt hat, ist es auch im gegenwärtigen Sprachzustand des Deutschen als autarke Form noch zu finden, zum Beispiel bei 'gehorchen', 'gebären', 'gebärden', 'gestehen' oder 'gehören'. Der wesentliche Unterschied zum Englischen ist also, dass sowohl im Hoch- als auch im Niederdeutschen die entsprechenden Verbpaare bis auf wenige Ausnahmen (etwa 'Gehirn') weder homonym noch synonym geworden sind (vgl. Leiss 1992: 71). Diese Art der semantischen Modifikationen, die mit der Präfigierung einhergehen, ist statistisch noch nicht umfassend aufgearbeitet worden, die zahlreichen Beispiele aus der Forschungsliteratur lassen aber vermuten, dass es sich nicht nur um vereinzelte Ausnahmen handelt (vgl. Đorđević 1994: 301; Donhauser/Schrodt 2003: 2511).

Es ist also keineswegs zu erwarten, dass sich das Bild eines postulierten urgermanischen Aspektsystems mit einem Blick in die Zeit zurück weiter erhellen würde, das Gegenteil ist der Fall. Aufgrund des vorhandenen altgermanischen Textmaterials muss viel eher davon ausgegangen werden, dass die Desemantisierung des *ga*-Präfixes zwar schon grundsprachlich in Ansätzen vorhanden gewesen ist (anders wäre die Ähnlichkeit der einzelsprachlichen Systeme nicht zu erklären), bestimmt aber keinen Idealtypus der Aspektualisierung dargestellt haben konnte. Das Bild, das die altgermanischen Grammatiken zeichnen, ist also wenigstens teilweise ein irreführendes. Es scheint so, als hätten die germanischen Sprachen zwar mit dem langsamen Aufbau eines systematischen Aspektsystems begonnen, die Entwicklung aber auf halber Strecke beendet, um in weiterer Folge die morphologische Substanz wieder abzubauen.[8]

Dennoch ist die Existenz eines urgermanischen Verbalaspekts mit wenigen Ausnahmen in der germanistischen Fachliteratur der letzten Jahrzehnte nur mehr wenig umstritten und wird oft als axiomatisch angesehen. Uneinigkeit dagegen scheint hinsichtlich eines p r i m ä r e n funktionalen Aspektsystems erst für die bezeugten

---

8   Dieser Befund würde implizieren, dass die Entwicklung der germanischen Sprachen zu „Tempussprachen" in zwei Wellen stattgefunden hat, bei der zwischenzeitlich eine Umkehrbewegung einsetzte. Typologisch gesehen ist das zumindest eine Überraschung und fast ebenso verwunderlich wie der Umstand, dass dieser logische Schluss bislang in der Sprachgeschichtsforschung nicht mehr Beachtung gefunden hat, ja nicht einmal formuliert wurde.

altgermanischen Sprachen zu bestehen, wobei es sich um eine Debatte vorrangig terminologischer Natur handelt, die an dieser Stelle nicht erneut geführt werden muss.[9] Innerhalb einer germanistischen Binnenlinguistik ist es nicht immer dem Erkenntnisgewinn zuträglich, den eigenen Forschungsgegenstand in einen universalgrammatisch-typologischen Rahmen zu zwängen, der dem Primat der Prototypisierung folgt. Das speziell auf die deutsche Sprache zugeschnittene Aspektmodell von Leiss 1992, welches besonders in Bezug auf altgermanische Sprachen erfolgreich Anwendung fand und findet (etwa bei Leiss 2000 oder Zeman 2010) und sich auch in den altgermanischen Grammatiken etabliert hat (zuletzt bei Schrodt 2004), genügt auch den Ansprüchen des vorliegenden Artikels.

Festzustellen ist allerdings, dass bisher vorgelegte Arbeiten in keiner wirklich überzeugenden Weise zeigen konnten, dass die primäre Funktion der *gi*-Präfigierung im Altsächsischen darin besteht, den perfektiven Aspekt zu versprachlichen. Die spärlich gesäten statistischen Untersuchungen zu anderen altgermanischen Sprachen können eine entsprechende eindeutige Semantik ebenfalls nicht nachweisen. So konstatieren etwa Scherer (1958) oder Lindemann (1970), dass das altenglische Äquivalent zum altsächsischen *gi*-Präfix, nämlich *ge*-, keine signifikante perfektive Semantik habe. Auch zeigen die Kontrastivbelege aus der althochdeutschen Übersetzungsliteratur, die Wedel (1987) ausführlich bespricht, dass kein auffälliger Zusammenhang zwischen dem lateinischen und dem althochdeutschen Gebrauch einzelner Tempusformen festzustellen ist und dementsprechend auch nicht zwischen der im Lateinischen klar markierten Perfektivität und der althochdeutschen *gi*-Präfigierung. Dies lässt jedenfalls annehmen, dass es den althochdeutschen Übersetzern nicht vorrangig darum ging, die lateinischen Tempora sklavisch wiederzugeben. Der alternierende Gebrauch von präfigierten und unpräfigierten Verbalformen der Vergangenheit bei der Übersetzung zeugt davon, dass das Althochdeutsche bzw. das Gotische und dementsprechend wohl auch die anderen altgermanischen Sprachen sowie das Protosystem semantische oder andersgeartete Differenzierungen vornahmen, für die es im Lateinischen keine Entsprechung gibt. Die Konsequenz daraus kann nur sein, dass die Suche nach einer internen Systematik der deutschen bzw. germanischen Tempus- und Aspektverwendung fortgeführt werden muss.

Vor diesem Hintergrund muss auch den periphrastischen Verbalkonstruktionen des Altsächsischen erneute Aufmerksamkeit geschenkt werden. Schließlich wird die Emergenz des Perfekts seit jeher im Zusammenhang mit dem Abbau der *gi*-präfigierten Verben diskutiert, deren jeweiliger quantitativer Verlauf auffällig korreliert. Eine detaillierte Besprechung der altsächsischen Perfektperiphrasen muss an dieser Stelle unterbleiben, ich verweise auf die umfassende Korpusuntersuchung von Gillmann (2016: 206–231), die den hohen Grammatikalisierungsgrad der entsprechenden Konstruktion im Altsächsischen gegenüber dem Althochdeutschen hervorhebt. Dieser Befund soll hier nicht erneut zum zentralen Gegenstand gemacht, bei den folgenden Überlegungen aber als wichtiger Referenzpunkt berücksichtigt werden.

---

9 Zur ausführlichen Diskussion siehe insbesondere Leiss 1992, Đorđević 1994, Feuillet 1995, Maslov 1959, Riecke 1997 sowie Schrodt 2004.

3 Zur textpragmatischen Funktion der altsächsischen Präfigierung

Zur Zeit der altsächsischen Überlieferung im 9. Jahrhundert sind zwei korrelieren-
de Entwicklungen im Verbalsystem zu beobachten: die Emergenz neuer periphras-
tischer Tempora und der Abbau des alten Aspektmarkers *gi-*. Nun ist es natürlich
einfacher, ein System im evolutionären Aufbau zu beschreiben, gerade wenn es syn-
chron im Anfangsstadium noch sehr homogen und funktional restringiert erscheint,
als den Verfall ausgrammatikalisierter Reliktformen, deren lange Genese zu einer
kaum mehr überblickbaren inneren Diversität geführt hat. Wenn in der Forschungsliteratur von einem „Zusammenbruch" des altgermanischen Aspektsystems die Rede
ist, sind mindestens ein quantitativer und ein qualitativer Prozess zu unterscheiden:

a) Der quantitative Prozess bezieht sich auf den Abbau der morphologischen Sub-
    stanz. Diachron gesehen werden im Laufe der Sprachgeschichte immer weniger
    Verben mit *gi-* präfigiert. Dies allein sagt noch nichts über den semantischen
    Gehalt der einzelnen Formen aus.

b) Der qualitative Prozess dagegen bezieht sich auf semantische und pragmatische
    Funktionsumschichtungen innerhalb des Präfigierungssystems selbst. Wir kön-
    nen nicht davon ausgehen, dass hier ein erstarrter und quasi überflüssig gewor-
    dener sprachlicher Ballast aus vergangenen Tagen einfach abgestoßen wird. Viel
    eher muss man annehmen, dass eine Kategorie dieses Komplexitätsgrades und
    in einer solch zentralen Stellung nicht „kampflos" den Rückzug antritt, sondern
    versucht, sich zumindest teilweise entsprechend zu positionieren und in eine neu
    konstituierte Systematik zu integrieren.

Der unter a) beschriebene Prozess kann anhand eines synchronen Querschnitts nicht
beschrieben werden, dazu bräuchte es umfangreichere Sprachdenkmäler des Altsächsischen aus mehreren Jahrhunderten. Im Althochdeutschen ist die Überlieferungslage etwas weniger kritisch, der Abbau der *gi-*präfigierten Verben ist dennoch
erst ab dem Spätalthochdeutschen statistisch erfasst: Ihr Anteil sinkt von 5,1 % bei
Notker auf 2,4 % im Nibelungenlied, im gleichen Zeitraum steigt der Anteil der periphrastischen Formen von 2,5 % auf 7,4 % (vgl. Oubouzar 1974: 24). Die zahlen-
mäßigen Verhältnisse für das frühere Althochdeutsch, für das Altsächsische und für
das Gotische bleiben fraglich, eine Gegenüberstellung könnte erste Hinweise auf
divergierende Abbaugeschwindigkeiten in den Einzelsprachen geben. Noch auf-
schlussreicher allerdings wäre die systematische Untersuchung der unter b) umris-
senen Prozesse. Dazu braucht es einen tragfähigen Analyserahmen. Die auffälligs-
te Umschichtung innerhalb des Systems spiegelt den Übergang der germanischen
Sprachen zu Tempussprachen wider: Immer mehr präfigierte Verben entwickeln
temporale Zusatzfunktionen im Sinne einer relativen Temporalität. Anhand des Althochdeutschen zeigt Leiss (2002b: 27f.), dass *gi-*präfigierte Verben im Präteritum
oft die Funktion des neuhochdeutschen Plusquamperfekts übernehmen, während
sie im Präsens zum Ausdruck zukünftiger Zeitbezüge Verwendung finden. Kuroda
(2005) bestätigt dies in seiner Untersuchung zum Plusquamperfekt bei Otfrid, ohne
dabei allerdings eine Aussage über die Frequenz der einzelnen Formen zu treffen.
In den germanischen Sprachen ist diese Uminterpretation des Aspekts als Tempus

nichts Ungewöhnliches und bereits in gemeinsamer Vorzeit beim von John Hewson (2001) detailliert beschriebenen Aufbau des urgermanischen Tempussystems treibende Kraft gewesen:

> In the PIE [Proto-Indo-European, F. F.] system, at the stage where there are still no tense contrasts, the imperfective morphology would normally have represented the ongoing present. When a tense contrast, such as past vs. non-past tense, is created, the adoption of the imperfective morphology to represent a new non-past tense is to be expected, such a development considered normal. It is also to be expected that the perfective, or aorist, of PIE, since it represented complete events, would normally represent past time, since if an event were complete, it would necessarily be in the past if there are no tense contrast. (Ebd.: 80)

In den altgermanischen Einzelsprachen können wir diesen Prozess nun erstmals beobachten. Es ist davon auszugehen, dass die temporale Nebenfunktion im Althochdeutschen trotz seines konservativen Charakters in Bezug auf den Formenbestand selbst sehr gut ausgebaut ist. Wenn wir, wie bereits angedeutet, annehmen müssen, dass sich das Altsächsische in dieser Hinsicht innovativer und dynamischer verhält, so können wir eine vorsichtige Grundannahme treffen: Insgesamt ist der Anteil der mit *gi-* präfigierten Verbalformen im Altsächsischen bereits geringer als im konservativeren Althochdeutschen, der Restbestand übernimmt aber häufiger eine temporale Funktion. Es ist natürlich im Einzelfall oft schwer zu entscheiden, ob ein perfektives Verb eine eher aspektuelle oder eher temporale Lesart aufweist, allerdings schließt sich beides nicht gegenseitig aus. Es braucht keine lange Suche, um im „Heliand" einen solchen Fall zu finden:

(10) *That scoldun sea fiori thuo fingron scríƀan,*
     settian endi singan endi seggean forð,
     that sea fan Cristes crafte them mikilon
     ***gisâhun** endi **gihôrdun**, thes hie selƀo **gisprac**,*
     ***giuuîsda** endi **giuuarahta**, uundarlîcas filo,* (Heliand, V. 32–36)

Die fünf präfigierten Verben im Prätertitum drücken alle Vorzeitigkeit im Verhältnis zum übergeordneten Tempus der Narration *scoldun* aus, das hier im Präteritum steht. Die vier Evangelisten sollten schreiben, singen und weitergeben, was sie von Christus gesehen und gehört hatten, was er gesprochen, gelehrt und getan hatte, nämliche viele wundersame Dinge. Eine perfektive Lesart ist zusätzlich zumindest bei *gihôrdun* und *gisprac* (im Sinne von 'vernehmen' bzw. 'verkünden') denkbar, zwingend ist sie allerdings nicht. Im Vordergrund steht jedenfalls der temporale Bezug. Eindeutiger als in Beispiel (10) verhält es sich bei folgender Stelle:

(11) *Thô uuarð thar thegan manag*
     *geuuar aftar them uuordun, sîðor sie thes uuînes **gedruncun***
     (Heliand, V. 2066 f.)

„Trinken" ist grundsätzlich ein imperfektives Verb, ein perfektives Pendant könnte etwa mit 'austrinken' übersetzt werden. Diese Lesart verbietet sich aber hier schon aufgrund des vorangehenden partitiven Genitivs *thes uuînes* ('des Weines'), der eine unabgeschlossene Handlung impliziert. Totalität und Perfektivität würden an dieser Stelle ein Akkusativobjekt verlangen.[10]

Eine systematische Untersuchung der *gi*-präfigierten Verben im Altsächsischen hinsichtlich ihrer temporalen Funktion steht zwar noch aus, allerdings lassen Daten aus bisherigen Arbeiten zum altsächsischen Tempussystem aufschlussreiche Ergebnisse erhoffen. Morgan MacLeod (2012) listet im digitalen Datenanhang seiner Dissertation mit dem Titel „The Perfect in Old English and Old Saxon: The Synchronic and Diachronic Correspondence of Form and Meaning" insgesamt 79 Verben aus dem „Heliand" mit Vorvergangenheitssemantik auf.[11] Er differenziert dabei aber bewusst nicht zwischen präfigierten und nicht-präfigierten Formen, weil er sich von seinem anglistischen Standpunkt aus keinerlei Erkenntnisgewinn verspricht (vgl. MacLeod 2012: 107).[12] Auch wenn das Sample sehr klein ist, lässt eine Einteilung dieser Verben nach analytischen und synthetischen sowie nach präfigierten und nicht-präfigierten Formen einige Schlüsse zu:

	Plusquamperfekt
Periphrastisch	45
Synthetisch (+ *gi*-)	16
Synthetisch (+ sonst. Präfix)	5
Synthetisch (- Präfix)	13
Insgesamt	79

Tabelle 1: Formen des Plusquamperfekts im „Heliand"

Die temporale Lesart der Vorvergangenheit ist bereits eindeutig von der periphrastischen Konstruktion dominiert. Unter den synthetischen Formen überwiegen in absoluten Zahlen die präfigierten Verben. Wenn man bedenkt, dass ihr Anteil insgesamt ein geringer ist, sind sie deutlich überproportional vertreten. Das wird zusätzlich noch durch den Umstand verschärft, dass sich unter den 13 präfixlosen synthetischen Belegen drei ohnehin perfektive Verben (*quam*, *fundi* und *quâmi*) finden sowie auffällige fünf Mal eine Form des Verbs *uuerđan*, das über eine spezielle mutative bzw. inchoative Aktionsartensemantik verfügt und mit seinem Potenzial zur Auxiliargrammatikalisierung ebenso wie die Modalverben eine Sonderstellung innerhalb des ATM-Komplexes einnimmt.

In narrativen Kontexten, die vom Vergangenheitstempus des Präteritums dominiert werden, ist das *gi*-Präfix dem Plusquamperfekt teiläquivalent. Es finden sich aber natürlich zahlreiche Kontexte, in denen das absolute Tempus das Präsens ist,

---

10 Das Zusammenspiel von Genitivattributen, definitem Artikel und Aspektualität wird bei Leiss (2000: 185–193) besprochen, ihre Beobachtungen zum Althochdeutschen decken sich mit dem hier angeführten altsächsischen Beispiel.

11 Sämtliche analysierten Daten sind unter URL: https://www.repository.cam.ac.uk/handle/1810/242374 abrufbar.

12 Die germanische Aspekthypothese stößt in der englisch-orientierten Forschung generell viel öfter auf Ablehnung als in der germanistischen, etwa bei Mitchell 1985: 368.

etwa in Dialogen. Hier ist zu vermuten, dass sich die *gi*-präfigierten Präterita der temporalen Lesart des Perfekts annähern. Zwar liegen die von MacLeod analysierten Perfektformen in noch geringerer Quantität vor, aber diese Annahme scheint sich zu bestätigen:

	Perfekt
Periphrastisch	20
Synthetisch (+ *gi*-)	10
Synthetisch (+ sonst. Präfix)	1
Synthetisch (- Präfix)	8
Insgesamt	39

Tabelle 2: Formen des Perfekts im „Heliand"

Auch in diesem Sample finden sich unter den acht Simplizia zweimal *uuerđan* und einmal das perfektive *quâmun*, dem gegenüber stehen zehn eindeutige Belege eines Präfixverbes in der Funktion des Perfekts. Selbst anhand weniger Beispiele kann also gezeigt werden, dass das Präfix *gi*- im Altsächsischen häufig seine Wirkung als relativer Tempusmarker entfaltet.

Aus textpragmatischer Sicht muss Tempus als diskursives Gerüst verstanden werden. Je nach pragmatischem Kontext gibt es einen temporalen Anker, auf den sich die relativen Tempora beziehen. Um diese pragmatischen Kontexte zu identifizieren, hat sich in sprachhistorischen Untersuchungen die deiktische Unterscheidung „narrativ – nicht-narrativ" etabliert.[13] Einem diskurstheoretischen Basiskonzept folgend ist dabei die Binarisierung der bearbeiteten Textkorpora nach diesen Kategorien erforderlich. Unter „nicht-narrativ" ist zu verstehen, dass der deiktische Standpunkt des Sprechers mit der Aussage zusammenfällt, also eine enge deiktische Bezugssetzung zwischen Sprecher und Äußerung stattfindet. Im Gegensatz dazu ist bei „narrativen" Kontexten die Sprecher-Origo vom Inhalt der Aussage isoliert. Für die philologische Praxis bedeutet dies, dass in einem Text narrative Kontexte, also die Erzählung an sich sowie die indirekte Rede, und nicht-narrative Kontexte, also Dialoge sowie Kommentare des Autors, gesondert betrachtet werden müssen (vgl. MacLeod 2012: 122–128):

„narrativ"		„nicht-narrativ"	
Narration	Indirekte Rede	Exposition	Direkte Rede

Tabelle 3: Textpragmatische Diskursmusterdifferenzierungen

Anhand dieser Systematik konnte etwa eine deutliche Abhängigkeitsbeziehung der Tempora zur postulierten textpragmatischen Opposition im Mittelhochdeutschen offen gelegt werden (vgl. Zeman 2010: 7). Das Perfekt fand sich größtenteils im

---

13 Etwa bei Fleischman 1990, Zeman 2010 oder MacLeod 2012; für „Discourse Representation Theory" im Allgemeinen siehe Kamp/Reyle 1993 und Roßdeutscher 2000.

nicht-narrativen und „sprecherbezogenen" Muster wieder, während das Plusquamperfekt eine Loslösung vom deiktischen Standpunkt des Sprechers aus möglich machte. Durchbrochen wird diese binäre Aufteilung durch vereinzelte Tempusverwendungen innerhalb nicht-prototypischer Kontextumgebungen. Die Verteilung der Tempora im Mittelhochdeutschen ist als eine Folge der origodeiktischen Perspektivensetzung zu verstehen, die einen chronologischen Erzählfluss mit der systematischen Markierung von Vorzeitigkeit in allen Diskursmustern zur Folge hat. Während in nicht-narrativen Passagen das Präsens als absolutes Tempus verankert ist, wird aufgrund der Verteilung der Plusquamperfektformen sichtbar, dass das unmarkierte Präteritum im narrativen Muster als solches fungiert (ebd.: 315). Bei den periphrastischen Konstruktionen im Altsächsischen zeigt sich bei MacLeod ein sehr ähnliches Bild, für eine statistische Auswertung der synthetischen Formen finden sich aber bei ihm nicht genug Belege (vgl. MacLeod 2012: 156–158). Eine umfassende empirische Untersuchung aller synthetischen Verbformen im Altsächsischen mit einem Fokus auf jene, die präfigiert erscheinen, könnte sich auf Basis des hier besprochenen diskurspragmatischen Modells als aufschlussreiches Forschungsgebiet erweisen und im Vergleich mit einem althochdeutschen Korpus einen synchronen Statusbericht des Abbaus aspektueller Markierung und der Etablierung temporaler Funktionen im Kontinentalwestgermanischen ermöglichen.

4 Theoremisierung und Ausblick

Auf Basis der vorgeschlagenen Methodik und den vereinzelten Ergebnissen der Forschungsliteratur lassen sich in Bezug auf die Entwicklung des altsächsischen Tempussystems einige Hypothesen, aber auch verbleibende Erkenntnisziele herausarbeiten.

Auf dem Weg zur „Tempussprache" verhält sich das Niederdeutsche zumindest im Untersuchungszeitraum grundsätzlich neuerungsaffiner als das Hochdeutsche, wo der Abbau der aspektuellen Markiertheit in geringerem Tempo stattfindet. Zur genaueren Beschreibung dieser arealen Divergenz sind noch umfassendere empirische Untersuchungen notwendig. Gut 1 000 Jahre später zeigt sich innerhalb des Kontinentalwestgermanischen ein völlig gegenteiliges Bild. Der Präteritumschwund hat das Oberdeutsche und Teile des Mitteldeutschen erfasst und ein analytisches Präteritum entstehen lassen, während sich die Entwicklungen im Niederdeutschen – ebenso wie in seinen ingwäonischen Nachbarsprachen – offenbar verlangsamen und sich eine stabile Systematik etablieren kann. Vor diesem Hintergrund ist die Frage zu stellen, wie es zu einer derartigen dynamischen Schubumkehr kommen konnte.

Nicht nur hinsichtlich seiner Semantik, sondern auch hinsichtlich seiner Distribution ist das periphrastische Perfekt in den altgermanischen Sprachen zunächst deutlich restringierter als die *gi*-präfigierten Verben. Das mag auch die jahrhundertelange Koexistenz beider Ausdrucksformen erklären, in denen die Periphrasen Stück für Stück die anderen funktionalen Bereiche erobern, die in früherer Zeit noch größtenteils durch die Präfigierung abgedeckt wurden. Während in den nordgermanischen Sprachen, im Englischen, im Niederfränkischen, im Friesischen und im

Niederdeutschen das Perfekt auch in späterer Zeit restringiert wird, befindet sich das hochdeutsche Pendant in einer permanenten Neuerungsspirale. Offenbar lässt sich verallgemeinernd sagen: Solange ein altes System noch substanziell vorhanden ist, ungeachtet der partiellen funktionalen Verschiebungen, solange drängt eine neue Form auch auf Innovation und erweitert sukzessive ihren grammatischen Zuständigkeitsbereich. Im Hochdeutschen, wo sich die Präfigierung hartnäckig hält, führt das zu einem langfristigen „Wildwuchs" des Perfekts. Inwiefern dieser Umstand mit dem im Oberdeutschen in viel späterer Zeit einsetzenden Präteritumschwund in Verbindung steht, bleibt momentan noch Gegenstand der Spekulation.

Die Entwicklung des niederdeutschen Perfekts dagegen gleicht einem Strohfeuer. Zunächst ist es in der Entwicklung mehrere Schritte voraus, verliert dann aber seine innovative Kraft, als es sich nicht mehr in einer Konkurrenzsituation befindet. Es drängt sich natürlich die Frage auf, ab welchem Zeitpunkt das hochdeutsche Perfekt das niederdeutsche auf dem Weg der Grammatikalisierung in qualitativer und quantitativer Hinsicht „überholt". Eine Gegenüberstellung der diachronen Entwicklungen in den einzelnen Sprachräumen, unter Einbezug aller hier vernachlässigten Prozesse, etwa der Grammatikalisierung des Futurs oder der Entstehung des historischen Präsens, könnte unser Bild der deutschen Tempusgenese deutlich erhellen. Hier liegen besonders für den mittelniederdeutschen Zeitraum zahlreiche Desiderate vor. Das Jahrbuch des Vereins für niederdeutsche Sprachforschung scheint mir ein geeigneter Rahmen zu sein, auf diese aufmerksam zu machen, in der Hoffnung, jemand möge sich ihrer annehmen.

5 Literatur

5.1 Quellen

Heliand = Otto Behaghel (Hg.) (1903): Heliand und Genesis. Halle.

5.2 Forschungsliteratur

Abraham, Werner und Jac C. Conradie (2001): Präteritumschwund und Diskursgrammatik. Amsterdam.

Behaghel, Otto (1897): Die Syntax des Heliand. Eine geschichtliche Darstellung. Heidelberg u. a.

Behaghel, Otto (1924): Deutsche Syntax. Eine geschichtliche Darstellung. Heidelberg.

Bennett, William H. (1968): The Operation and Relative Chronology of Verner's Law. Language 44, No. 2, Part 1, S. 219–223.

Blumenthal, Diane D. (1968): Johann Michael Moscherosch and his Use of Verbs with the Prefix ge-. Dissertation an der University of Pennsylvania.

Braune, Wilhelm und Frank Heidermanns (2004): Gotische Grammatik. Mit Lesestücken und Wörterverzeichnis (Sammlung kurzer Grammatiken germanischer Dialekte I). Tübingen.

Donhauser, Karin und Richard Schrodt (2003): Tempus, Aktionsart/Aspekt und Mo-
    dus im Deutschen. In: Werner Besch u. a. (Hgg.): Sprachgeschichte. Ein Hand-
    buch zur Geschichte der deutschen Sprache und ihrer Erforschung, Bd. 3.2. Ber-
    lin/New York, S. 2504–2525.
Đorđević, Miloje (1994): Vom Aspekt zum Tempus im Deutschen. In: Deutsche
    Sprache 22, S. 289–309.
Erdmann, Oskar (1874): Untersuchungen über die Sprache Otfrids. 1. Teil: Die For-
    mation des Verbums in einfachen und zusammengesetzten Sätzen. Halle.
Eroms, Hans-Werner (1977): Verbale Paarigkeit im Althochdeutschen und das
    'Tempussystem' im 'Isidor'. In: ZfdA 126, S. 1–31.
Feuillet, Jack (1995): Die aspektuellen Oppositionen im Gotischen. In: Eugène Fau-
    cher, René Métrich und Marcel Vuillaume (Hgg.): Signans und Signatum. Auf
    dem Weg zu einer semantischen Grammatik. Tübingen, S. 121–129.
Fleischman, Suzanne (1990): Tense and narrativity. From medieval performance to
    modern fiction. London.
Gillmann, Melitta (2016): Perfektkonstruktionen mit ›haben‹ und ›sein‹. Eine Kor-
    pusuntersuchung im Althochdeutschen, Altsächsischen und Neuhochdeutschen.
    Berlin/New York.
Hewson, John (2001): Aspect and tense from PIE to Germanic: The systemic evolu-
    tion. In: Watts/West/Solms, S. 73–82.
Kamp, Hans und Uwe Reyle (1993): From Discourse to Logic. Introduction to Mod-
    eltheoretic Semantics of Natural Language, Formal Logic and Discourse Repre-
    sentation Theory. Dordrecht.
Kotin, Michail L. (1997): Die analytischen Formen und Fügungen im deutschen
    Verbalsystem: Herausbildung und Status (unter Berücksichtigung des Goti-
    schen). In: Sprachwissenschaft 22, S. 479–500.
Kuroda, Susumu (2005): Zum Plusquamperfekt bei Otfrid von Weissenburg. In:
    Neuphilologische Mitteilungen 106, S. 259–272.
Leiss, Elisabeth (1992): Die Verbalkategorien des Deutschen. Ein Beitrag zur Theo-
    rie der sprachlichen Kategorisierung (Studia Linguistica Germanica 31). Berlin/
    New York.
Leiss, Elisabeth (2000): Artikel und Aspekt. Die grammatischen Muster von Definit-
    heit (Studia Linguistica Germanica 55). Berlin/New York.
Leiss, Elisabeth (2002a): Die Rolle der Kategorie des Aspekts im Sprachwandel des
    Deutschen: ein Überblick. In: Yoshida, S. 9–25.
Leiss, Elisabeth (2002b): Der Verlust der aspektuellen Verbpaare und seine Folgen
    im Bereich der Verbalkategorien des Deutschen. In: Yoshida, S. 26–41.
Lindemann, J. W. R. (1970): Old English Preverbal 'Ge-': Its Meaning. Charlottes-
    ville.
Lindgren, Kaj B. (1957): Über den oberdeutschen Präteritumschwund. Helsinki.
MacLeod, Morgan (2012): The Perfect in Old English and Old Saxon: The Syn-
    chronic and Diachronic Correspondence of Form and Meaning. PhD dissertati-
    on, St. James College.
Maslov, Ju. S. (1959): Zur Entstehungsgeschichte des slavischen Verbalaspektes. In:
    Zeitschrift für Slawistik 4, S. 560–568.

Mitchell, Bruce (1985): Old English Syntax. Vol. I: Concord, The Parts of Speech, and the Sentence. Oxford.

Mossé, Fernand (1925): Le renouvellement de l'aspect en germanique. In: Joseph Vendryes (Hg.): Mélanges linguistiques. Paris.

Mourek, Václav Emanuel (1894): [Rezension von] Rudolf Wustmann: Verba perfectiva namentlich im Heliand. In: Anzeiger für deutsches Altertum und deutsche Litteratur 21, S. 194–204.

Oubouzar, Erikan (1974): Über die Ausbildung der zusammengesetzten Verbformen im deutschen Verbalsystem. In: Beiträge zur Geschichte der deutschen Sprache und Literatur [Tübingen] 95, S. 9–96.

Pfeifer, Wolfgang (1989): Etymologisches Wörterbuch des Deutschen. Berlin.

Rauch, Irmengard (1992): The Old Saxon Language: Grammar, Epic Narrative, Linguistic Interference. New York, S. 185–204.

Riecke, Jörg (1997): Bemerkungen zur Aktionalität im Althochdeutschen. In: Heinz Vater (Hg.): Zu Tempus und Modus im Deutschen. Trier, S. 119–130.

Roßdeutscher, Antje (2000): Lexikalisch gestützte formale Textinterpretation. (Arbeitsberichte des Sonderforschungsbereichs 340). Tübingen.

Scherer, Philip (1958): Aspect in the Old English of the Corpus Christi MS. In: Language 34, S. 245–251.

Schrodt, Richard (2004): Althochdeutsche Grammatik II. Syntax (Sammlung kurzer Grammatiken germanischer Dialekte V/2). Tübingen.

Stephanowitsch, Wuk (1824): Kleine serbische Grammatik, verdeutscht und mit einer Vorrede von Jacob Grimm. Leipzig/Berlin.

Streitberg, Wilhelm (1891): Perfective und imperfective Actionsart im Germanischen. In: Beiträge zur Geschichte der deutschen Sprache und Literatur 15, S. 70–177.

Streitberg, Wilhelm (1895): [Rezension von] Wustmann. Verba perfectiva, namentlich im Heliand. In: Indogermanische Forschungen 5/1, S. 78–83.

Trnka, Bohumil (1929): Some Remarks on the Perfective and Imperfective Aspects in Gothic. In: Donum natalicium Schrijnen. Verzameling van opstellen door oud-leerlingen en bevriende vakgenooten opgedragen aan Mgr. Prof. Dr. Jos. Schrijnen bij gelegenheid van zijn zestigsten verjaardag. Nijmegen/Utrecht, S. 496–500.

Watts, Sheila (2001): ‚How to Become an Auxiliary: Progressive and Perfect in Old Saxon'. In: Watts/West/Solms, S. 117–135.

Watts, Sheila, Jonathan West und Hans-Joachim Solms (Hgg.) (2001): Zur Verbmorphologie germanischer Sprachen. Tübingen.

Wedel, Alfred (1987): Syntagmatische und paradigmatische Mittel zur Angabe der aspektuellen Differenzierung: die Wiedergabe des lateinischen Perfekts im althochdeutschen Isidor und Tatian. In: Neuphilologische Mitteilungen 88, S. 80–89.

Wustmann, Rudolf (1894): Verba perfectiva namentlich im Heliand: ein Beitrag zum Verständnis der germanischen Verbalkomposition. Leipzig.

Yoshida, Mitsunobu (Hg.) (2002): Grammatische Kategorien aus sprachhistorischer und typologischer Perspektive. München.

Zeman, Sonja (2010): Tempus und Mündlichkeit im Mittelhochdeutschen. Zur In-
    terdependenz grammatischer Perspektivensetzung und „Historischer Mündlich-
    keit" im mittelhochdeutschen Tempussystem. Berlin/New York.

Das Referenzkorpus Mittelniederdeutsch/ Niederrheinisch (1200–1650)

Robert Peters, Münster

1 Einleitung

Das Projekt, das hier vorgestellt werden soll, trägt den Titel „Referenzkorpus Mittelniederdeutsch/Niederrheinisch (1200–1650)" (ReN). Es ist an den Universitäten Hamburg und Münster angesiedelt und steht unter der Leitung von Ingrid Schröder und Robert Peters. Es wurde im Jahr 2003 im Rahmen der früheren Initiative „Deutsch – Diachron – Digital" (DDD) konzipiert und Ende 2012 von der DFG für eine Laufzeit von zunächst drei Jahren bewilligt. Projektbeginn war in Hamburg der 1. Februar, in Münster der 1. März 2013. Inzwischen wurde der Antrag auf Verlängerung um zwei Jahre, für die Zeit vom 1. März 2016 bis zum 28. Februar 2018, bewilligt.

Das Korpus umfasst insgesamt 180 Texte, und zwar 161 mittelniederdeutsche und 19 niederrheinische. Die angestrebte Korpusgröße beträgt pro Text 20 000 Wortformen, insgesamt etwa 3,6 Millionen Wortformen.

Die 161 niederdeutschen Texte verteilen sich unterschiedlich stark auf die regionalen Schreibsprachlandschaften des Mittelniederdeutschen. Bei diesen handelt es sich um das Nordniederdeutsche (Nordniedersächsisch, Ostelbisch, baltisches Niederdeutsch), das Westfälische, das Ostfälische mit dem Elbostfälischen und das Südmärkische. Der Zeitraum des Korpus erstreckt sich von ca. 1200 bis 1650.

Ziel des Referenzkorpus-Projekts ist eine diplomatische Transkription, Lemmatisierung und grammatische Annotation mittelniederdeutscher und niederrheinischer Texte für die Sprachgeschichtsforschung und Grammatikographie. Zudem werden die digitalen Texte im Internet veröffentlicht.

2 Das ReN im Rahmen der vormaligen Initiative DDD

Aus der DDD-Initiative (vgl. Lüdeling/Poschenrieder/Faulstich 2005) entstanden sukzessive vier von der DFG geförderte selbstständige Projekte. Das „Referenzkorpus Altdeutsch" (ReA) umfasst das Althochdeutsche und das Altsächsische. Das Teilkorpus „Altsächsisch" enthält die Texte der ältesten Sprachstufe des Niederdeutschen aus dem 9. bis 12. Jahrhundert. An das Teilkorpus „Althochdeutsch" schließt sich das „Referenzkorpus Mittelhochdeutsch" (ReM) an, an dieses das „Referenz-korpus Frühneuhochdeutsch" (ReF). Als letztes der vier Korpus-Projekte wurde das „Referenzkorpus Mittelniederdeutsch/Niederrheinisch" (ReN) bewilligt.

Das ReN-Projekt befasst sich mit den spätmittelalterlichen Schreibsprachen in Norddeutschland und am Niederrhein. Auch die anderen drei Projekte haben teilwei-se diesen Raum zum Gegenstand: Das ReA-Projekt behandelt neben dem Althoch-deutschen auch das Altsächsische, das ReM-Projekt beschäftigt sich auch mit den mittelhochdeutsch dichtenden Niederdeutschen.

Der Nutzen des ReN-Projekts besteht darin, dass der wissenschaftlichen Öffent-lichkeit und interessierten Laien die Texte des ReN-Korpus in Internet frei zugäng-lich zur Verfügung gestellt werden. Über die Projektdatenbank sollen die Texte nach Lemmata, Wortarten und morphologischen Kriterien durchsuchbar gemacht werden.

Auf der einen Seite werden die niederrheinischen Schreibsprachen aufgenom-men, obwohl sie regionale Schreibsprachen des Niederländischen sind, auf der an-deren Seite finden die Schreibsprachen der östlichen Niederlande, obwohl sie in nie-derdeutschen Zusammenhängen stehen, keine Berücksichtigung. Kriterium für die Aufnahme bzw. Nichtaufnahme eines Schreibsprachenraums ist die heutige deutsch-niederländische Staats- und Schriftsprachgrenze.

3 Zur Korpusstruktur

Das Textkorpus des ReN-Projektes ist nach den Parametern Diatopie, Diachronie und „Felder der Schriftlichkeit" gegliedert. Die Gliederung erfolgt also zunächst nach den Schreibsprachlandschaften, innerhalb dieser nach festgelegten Zeiträumen und schließlich innerhalb dieser Zeiträume nach sog. Feldern der Schriftlichkeit.

3.1 Gliederung nach Schreibsprachlandschaften

Der mittelniederdeutsche Sprachraum gliedert sich, wie ausgeführt, in fünf regiona-le Schreibsprachlandschaften.[1]

Die beiden Projektstandorte Hamburg und Münster haben die Texterfassung und Digitalisierung untereinander aufgeteilt. Etwa zwei Drittel der Personalstellen befinden sich in Münster, etwa ein Drittel in Hamburg. Für die technische Bearbei-tung des Projekts (u. a. die Erstellung und Betreuung der Projekt-Homepage, die Überführung und Angleichung aller Daten) wurde eine halbe wissenschaftliche Mit-arbeiterstelle für Hamburg bewilligt. In Hamburg wurden dementsprechend 61, in Münster 119 Texte digitalisiert. Räumlich wurden die regionalen Schreibsprachen wie folgt aufgeteilt: Von Hamburg aus wurden das Nordniedersächsische (30 Tex-te), das Ostelbische (16 Texte), das baltische Mittelniederdeutsch (8 Texte) und das Südmärkische (7 Texte) bearbeitet, von Münster aus das Lübische, als Sonderfall des

---

1   Zur Diagliederung des mittelniederdeutschen Schreibsprachenraums vgl. Peters 2000.

Ostelbischen, (25 Texte), das Westfälische (31 Texte), das Ostfälische (33 Texte), das Elbostfälische (11 Texte) und das Niederrheinische (19 Texte).

3.2 Gliederung nach Zeiträumen

Die 180 Texte des ReN-Korpus wurden für den Untersuchungszeitraum von 1200 bis 1650 auf acht Zeiträume verteilt. Das 13. Jahrhundert wird wegen der geringen Überlieferung als ein Zeitraum behandelt. Der Zeitraum von 1301 bis 1650 ist in sieben Jahrhunderthälften eingeteilt.

3.3 Felder der Schriftlichkeit

Nicht für jede Schreibsprachlandschaft können relevante Texte verschiedener Textsorten aus den unterschiedlichen Zeiträumen ausgewogen herangezogen werden. Von der Überlieferung ausgehend wird das Textkorpus mit Hilfe eines Texterfassungsrasters zusammengestellt, das aus den Parametern „Schreibsprachenlandschaft", „Zeitraum" und „Feld der Schriftlichkeit" gebildet wird. Aufgrund der Erfahrungen aus der Korpusbildung der in Münster bereits bestehenden Textkorpora wurde im Jahr 2009 für das Projekt „Niederdeutsch in Westfalen" (NiW) eine Terminologie entwickelt, die eine Beschreibungsebene oberhalb des Textsortenspektrums darstellt (Peters/Nagel 2009: 64; 2010: 14). Diese Terminologie wurde vom ReN-Projekt übernommen. Auch das ReN-Projekt strukturiert die Texte nach „Feldern der Schriftlichkeit" (Peters/Nagel 2014a: 167f.). Die insgesamt sieben Felder (1. Verwaltung, 2. Recht, 3. Wissensvermittlung, 4. Geistliche Schriftlichkeit [Religion], 5. Literatur, 6. private Schriftlichkeit und Korrespondenz, 7. Inschriften) versuchen, die schriftliche Überlieferung systematisch zu erfassen.

Die Einteilung in „Felder der Schriftlichkeit" lehnt sich an das von Hannes Kästner, Eva Schütz und Johannes Schwitalla (2000) vorgeschlagene Sinnwelten-Modell an. Für das Frühneuhochdeutsche des 15./16. Jahrhunderts werden fünf Sinnwelten unterschieden: 1. Alltag(swelt), 2. Institutionen, 3. Religion, 4. Wissenschaft und 5. Dichtung. Das Modell wurde für die münsterischen Textkorpora modifiziert. Die Sinnwelt „Religion" wurde als „geistliche Schriftlichkeit (Religion)" übernommen, die Sinnwelt „Dichtung" entspricht dem Feld „Literatur". Bei der Sinnwelt „Institutionen" wurde versucht, nach „Verwaltung" und „Recht" zu differenzieren. Da der Bereich „Wissenschaft" im Mittelalter überwiegend lateinischsprachig ist, wird der überwiegende Teil der Sinnwelt „Alltag" mit der Sinnwelt „Wissenschaft" zum Feld „Wissensvermittlung" zusammengefügt.

Den sieben „Feldern der Schriftlichkeit" werden folgende Textsortengruppen und Quellengattungen zugewiesen:
1. Schrifttum der Verwaltung (vorwiegend kanzleiinternes Schriftgut):
   Stadtbücher, Rechnungen, Abgaben-/Güterverzeichnisse, Kopiare, Protokolle; daneben als externes Schriftgut auch Korrespondenzen.
2. Recht:
   Stadt-, Land- und Lehnrechte, Gildestatuten, Urkunden, Testamente, Verordnungen.

3. Wissensvermittlung:
   Chronistik, Arzneibücher, Glossen und Wörterbücher, Rechenbücher, Reise-
   berichte, Kochbücher.
4. Geistliche Schriftlichkeit (Religion):
   Bibel, Erbauungsschrifttum, Predigten, Gebetbücher, Legenden, reformatori-
   sches und gegenreformatorisches Schrifttum, Katechismen.
5. Literatur:
   Epik, Lyrik, Dramatik.
6. Private Schriftlichkeit und Korrespondenz:
   Privatbriefe, Tagebücher, Autobiografien, kaufmännisches Schrifttum, Haus-
   haltsbücher.
7. Inschriften:
   Inschriften werden, da sie naturgemäß meistens zu wenig Text bieten, anhand
   ausgewählter Beispiele mit möglichst umfangreichem Textanteil berücksichtigt.

4   Wiederverwendbarkeit vor allem in Münster digitalisierter Korpora

Das ReN-Korpus kann von drei in Münster bestehenden digitalen Korpora sowie
von einem in Rostock angesiedelten digitalen Projekt profitieren. Bereits digitalisierte mittelniederdeutsche und niederrheinische Texte können bei entsprechender
technischer Aufbereitung wiederverwendet werden. Sie werden den im ReN-Projekt
erarbeiteten Transkriptionsvorgaben angeglichen.

Bei den Korpora handelt es sich zum einen um das Korpus des „Atlas spätmittelalterlicher Schreibsprachen des niederdeutschen Altlandes und angrenzender
Gebiete" (ASnA) (vgl. Fischer/Peters 2004; Peters/Fischer 2007, Peters 2017). Das
Gesamtkorpus des ASnA umfasst 5 547 Texte, zum größten Teil Urkunden. Zehn
der 180 Nummern der ReN-Textliste stehen für Textblöcke, die ausgewählte Ur
kunden einiger Ortspunkte des ASnA beinhalten. Vier weitere Nummern stehen für
ausgewählte Ortspunkte des Standortes Rostock des Schreibsprachenatlas. Die aus
dem ASnA-Korpus sowie aus dem Korpus des Standortes Rostock des Schreibsprachenatlas stammenden Urkunden bilden in der ReN-Textliste ein Sonderkorpus, das
insgesamt 14 Nummern umfasst.

Bei der Auswahl der ReN-Ortspunkte wurden die verschiedenen Schreibsprachlandschaften sowie die Zeitschnitte berücksichtigt. Die ausgewählten Urkunden aus
Ortspunkt-Korpora des ASnA betreffen Bremen, Hamburg und Oldenburg (jeweils
25 Texte), Lübeck (50 Texte), Münster und Soest (jeweils 25 Texte), Braunschweig
und Hildesheim (jeweils 25 Texte) sowie Magdeburg (25 Texte). Duisburg, Kleve
und Wesel sind mit insgesamt 25 Urkunden vertreten. Je 25 Urkunden aus Stralsund,
Danzig und Riga sowie 22 Urkunden aus Berlin wurden vom Standort Rostock des
mittelniederdeutschen Schreibsprachenatlas zur Verfügung gestellt. Mit den 275 bereits digitalisierten Urkunden aus dem ASnA sowie den 97 bereits digitalisierten
Urkunden aus dem Standort Rostock handelt es sich insgesamt um 372 digitalisierte
Urkunden.

Zum anderen handelt es sich um Texte aus dem Projekt „Mittelniederdeutsch in Lübeck" (MiL) (Peters/Nagel 2014a: 171). Dessen Schwerpunkte liegen bislang auf den Feldern „Recht", „Verwaltung" und „Geistliche Schriftlichkeit (Religion)". Für das ReN-Projekt wurden an handschriftlichen Dokumenten 50 Urkunden, eine Stadtrechts-Handschrift, das Schiffsrecht, eine Chronik und eine Historien-Bibel ausgewählt. Zudem wurden 12 Lübecker Drucke herangezogen.

Weitere digitalisierte Texte stehen aus dem Projekt „Niederdeutsch in Westfalen (Historisches Digitales Textarchiv)" (NiW) zur Verfügung (vgl. Peters/Nagel 2014b). Dieses wird von Robert Peters und Ulrich Seelbach geleitet. Das Westfalen-Projekt stellt digitalisierte Texte aus dem historischen Westfalen im Internet bereit. Für das ReN-Projekt wurden Texte bzw. Textausschnitte herangezogen, die auf der Grundlage der Originale digitalisiert wurden und deren Umfang bis zu 20000 Wortformen beträgt.

Darüber hinaus haben verschiedene Fachkollegen Einzeltexte in digitalisierter Form zur Verfügung gestellt. Für Münster danken wir an dieser Stelle besonders Friedel Roolfs, Volker Krobisch, Maik Lehmberg und Arend Mihm.

5   Texterfassung

Im ReN-Projekt wurden in einem ersten Schritt die Originale anhand in Münster entwickelter und im Projekt modifizierter Transkriptionsrichtlinien digitalisiert. Es wurden diplomatische Transkriptionen angefertigt. Für jeden Text wurden Metadaten erfasst. Die Transkriptionsrichtlinien sind für morphologische Annotationen ausgelegt. – Im Anschluss an zwei Korrekturgänge erfolgten bzw. erfolgen halbautomatisch die Arbeitsschritte Lemmatisierung und die Annotation nach Wortarten (Part of Speech [PoS]) und nach der Morphologie. Abschließend werden die Texte nach und nach in ANNIS veröffentlicht.

6   Lemmatisierung

Im Unterschied zu den eingangs genannten Parallelprojekten, die Referenzkorpora Altdeutsch, Mittelhochdeutsch und Frühneuhochdeutsch, war zu Beginn des ReN-Projekts eine digitale Lemmaliste für das Mittelniederdeutsche nicht vorhanden. Für die Lemmatisierung der mittelniederdeutschen Texte des ReN-Korpus ist eine solche Liste aber unabdingbar. Während der ersten Projektphase (2013–2016) wurde in Münster von Verena Kleymann eine alphabetische Lemmaliste des Mittelniederdeutschen in digitalisierter Form erarbeitet. Ausgangspunkt war die von Robert Damme für seine Ausgabe des „Vocabularius Theutonicus" (Damme 2011), einem mittelniederdeutsch-lateinischen Schulwörterbuch, erstellte digitale Lemmaliste. Diese rund 7000 Stichwörter umfassende Lemmaliste orientiert sich am Lemmaansatz des Mittelniederdeutschen Handwörterbuches von Lasch/Borchling/Cordes/Möhn (LBCM) (Lasch/Borchling 1956ff.). Die in der digitalen Lemmaliste des „Vocabularius Theutonicus" nicht vorhandenen Lemmata, etwa rund 63000, wurden allesamt nach den Richtlinien des LBCM nachgetragen.

In einem ersten Schritt wurden die im „Vocabularius Theutonicus" nicht vorhandenen Lemmata aus den bisher erschienenen Bänden und Lieferungen des LBCM ergänzt. Da dieser noch nicht abgeschlossen ist, wurden in einem zweiten und dritten Schritt die fehlenden Wortstrecken *te–tw* und *um–wu* mit Hilfe des Mittelniederdeutschen Wörterbuchs (Schiller/Lübben 1875–1880) und anschließend des Mittelniederdeutschen Handwörterbuchs (Lübben/Walther 1888) eingearbeitet. Die aus diesen ergänzten Stichwörter wurden ebenfalls an die Richtlinien des LBCM angeglichen. Für die darüber hinaus noch nicht abgedeckten Fälle wurden neue Lemmata angesetzt (Kleymann/Nagel/Peters 2015). Hierbei handelt es sich um etwa 100 Stichwörter. Die somit nun vorliegende digitale Lemmaliste des Mittelniederdeutschen umfasst nach Fertigstellung und zu Beginn der Lemmatisierung mit rund 70 000 Stichwörtern in etwa das Zehnfache der zugrunde gelegten digitalen Lemmaliste des „Vocabularius Theutonicus". Die digitale Lemmaliste des Mittelniederdeutschen wird im Bedarfsfall im Verlauf der Lemmatisierung erweitert. Zu den Erweiterungen der Lemmaliste zählen vor allem Komposita.

Da für den Niederrhein bislang keine digitale Lemmaliste vorliegt und eine solche auf Grundlage des Middelnederlandsch Woordenboek (MNW) von Verwijs/Verdam (1885–1952) im laufenden Projekt aus Zeitgründen auch nicht erarbeitet werden kann, wird hier umgekehrt verfahren. Auch die niederrheinischen Texte werden aus arbeitsökonomischen Gründen mit Hilfe der digitalen Lemmaliste des Mittelniederdeutschen lemmatisiert. Erst nach Abschluss der Lemmatisierung aller niederrheinischen Texte soll eine gezielte Datenbankabfrage es dem Nutzer ermöglichen, sämtliches Wortgut aus den zugrunde gelegten niederrheinischen Texten aus der digitalen Lemmaliste des ReN-Projekts herauszufiltern. So entsteht neben der digitalen Lemmaliste des Mittelniederdeutschen im Nachhinein eine korpusgestützte digitale Lemmaliste des Niederrheinischen.

Literatur

ANNIS = Krause, Thomas und Amir Zeldes (2016): ANNIS3: A new architecture for generic corpus query and visualization. In: Digital Scholarship in the Humanities 2016 (31). URL: http://dsh.oxfordjournals.org/content/31/1/118 [Stand: 15.10.2017].

Besch, Werner u. a. (Hgg.) (2000): Sprachgeschichte. Ein Handbuch zur Geschichte der deutschen Sprache und ihrer Erforschung. 2., vollst. neu bearb. und erw. Aufl. 2. Teilbd. (Handbücher zur Sprach- und Kommunikationswissenschaft 2.2). Berlin/New York.

Damme, Robert (2011): ›Vocabularius Theutonicus‹. Überlieferungsgeschichtliche Edition des mittelniederdeutsch-lateinischen Schulwörterbuchs. 3. Bde. (Niederdeutsche Studien 54.1–3). Köln/Weimar/Wien.

Fischer, Christian und Robert Peters (2004): Vom 'Atlas frühmittelniederdeutscher Schreibsprachen' zum 'Atlas spätmittelalterlicher Schreibsprachen des niederdeutschen Altlandes und angrenzender Gebiete' (ASnA). Entstehungsgeschichte, Bearbeitungsstand, erste Ergebnisse und Perspektiven. In: Franz Patocka und

Peter Wiesinger (Hgg.): Morphologie und Syntax deutscher Dialekte und Historische Dialektologie des Deutschen. Beiträge zum 1. Kongress der Internationalen Gesellschaft für Dialektologie des Deutschen, Marburg/Lahn, 5.–8. März 2003. Wien, S. 406–428.

Kästner, Hannes, Eva Schütz und Johannes Schwitalla (2000): Die Textsorten des Frühneuhochdeutschen. In: Besch u. a., S. 1605–1623.

Kleymann, Verena, Norbert Nagel und Robert Peters (2015): Die digitale Lemmaliste für das Mittelniederdeutsche im DFG-Projekt „Referenzkorpus Mittelniederdeutsch/Niederrheinisch (1200–1650). In: Kbl. 122, S. 95–100.

Lasch, Agathe und Conrad Borchling (1956ff.): Mittelniederdeutsches Handwörterbuch. Fortgef. von Gerhard Cordes und Dieter Möhn. Neumünster/Kiel/Hamburg.

Lübben, August und Christoph Walther (1888): Mittelniederdeutsches Handwörterbuch. Norden/Leipzig. Reprographische Nachdrucke 1965, 1980.

Lüdeling, Anke, Thorwald Poschenrieder und Lukas Faulstich (2005): Deutsch-DiachronDigital – Ein diachrones Korpus des Deutschen. URL: http://www2. informatik.hu-berlin.de/Forschung_Lehre/wbi/publications/2005/ddd-compu terphilologie.pdf [Stand: 10.03.2017].

NiW = Niederdeutsch in Westfalen. Historisches Digitales Textarchiv. URL: https:// www.lwl.org/LWL/Kultur/niederdeutsch [Stand: 15.10.2017].

Peters, Robert (2000): Die Diagliederung des Mittelniederdeutschen. In: Besch u. a., S. 1478–1490.

Peters, Robert (2017): Atlas spätmittelalterlicher Schreibsprachen des niederdeutschen Altlandes und angrenzender Gebiete (ASnA). 3 Bde. Berlin/Boston.

Peters, Robert und Christian Fischer (2007): Der ‚Atlas spätmittelalterlicher Schreibsprachen des niederdeutschen Altlandes und angrenzender Gebiete' (ASnA). In: Luise Czajkowski, Corinna Hoffmann und Hans Ulrich Schmid (Hgg.): Ostmitteldeutsche Schreibsprachen im Spätmittelalter (Studia Linguistica Germanica 89). Berlin/New York, S. 23–33.

Peters, Robert und Norbert Nagel (2009): „Niederdeutsch in Westfalen". Historisches Digitales Textarchiv. In: Augustin Wibbelt-Gesellschaft. Jahrbuch 25, S. 61–65.

Peters, Robert und Norbert Nagel (2010): Das Korpus-Projekt „Niederdeutsch in Westfalen (Historisches Digitales Textarchiv)". Ein Projektbericht. In: Kbl. 117, S. 10–17.

Peters, Robert und Norbert Nagel (2014a): Das digitale ‚Referenzkorpus Mittelniederdeutsch/Niederrheinisch (ReN)'. In: Jahrbuch für germanistische Sprachgeschichte 5, S. 165–175.

Peters, Robert und Norbert Nagel (2014b): Niederdeutsch in Westfalen. Ein historisches digitales Textarchiv. In: Filologia Germanica – Germanic Philology 6: Lingua e Letteratura Bassotedesca/Low German Language and Literature, S. 167–188.

ReA = Referenzkorpus Althochdeutsch. URL: http://www.deutschdiachrondigital. de [Stand: 10.03.2017].

ReF = Referenzkorpus Frühneuhochdeutsch. URL: http://www.germanistik.uni-ha
lle.de/forschung/altgermanistik/referenzkorpus_fruehneuhochdeutsch [Stand:
10.03.2017).
ReM = Referenzkorpus Mittelhochdeutsch. URL: http://www.referenzkorpus-mhd.
uni-bonn.de/index.html [Stand: 10.03.2017].
ReN = Referenzkorpus Mittelniederdeutsch/Niederrheinisch. URL: https://vs1.cor-
pora.uni-hamburg.de/ren/ [Stand: 15.10.2017].
Schiller, Karl und August Lübben (1875–1880): Mittelniederdeutsches Wörterbuch.
6 Bde. Münster/Bremen.
Verwijs, E. und J. Verdam (1885–1952): Middelnederlandsch Woordenboek. 11
Bde. 's-Gravenhage.

Historische Sprachdaten als Herausforderung für die manuelle und automatische Annotation: Das Referenzkorpus Mittelniederdeutsch/Niederrheinisch (1200–1650)

Ingrid Schröder, Fabian Barteld, Katharina Dreessen und Sarah Ihden, Hamburg

Die räumliche und zeitliche Ausgewogenheit des Referenzkorpus Mittelniederdeutsch/Niederrheinisch (1200–1650) sowie die Berücksichtigung des gesamten Textsortenspektrums ermöglichen es erstmals, sprachliche Varianz und Ambiguität im Mittelniederdeutschen auf breiter empirischer Basis systematisch zu erforschen. Dies ist für die Erarbeitung einer neuen mittelniederdeutschen Grammatik, die auf die diasystematische Vielfalt sowohl in diatopischer wie diachroner und auch funktionaler Hinsicht einzugehen hat, eine unabdingbare Voraussetzung.[1]

Varianz und Ambiguität des Mittelniederdeutschen, aber auch der mittelalterliche und frühneuzeitliche Schreibusus stellen spezifische Anforderungen an die korpuslinguistische Aufbereitung der Sprachdaten. Darauf sind Verfahren, die bisher für die Erstellung von Korpora moderner standardisierter Sprachen entwickelt worden sind, nicht ausgerichtet und erscheinen für die Anwendung auf historische Sprachen wenig geeignet. Mit Blick auf die spezifischen Bedarfe der Datenaufbereitung sind daher für das „Referenzkorpus Mittelniederdeutsch/Niederrheinisch" (ReN) besondere Regeln aufgestellt und Werkzeuge entwickelt worden.

Bereits basale Vorverarbeitungsschritte, wie die Festlegung lexikalischer Einheiten (Tokenisierung) und die Bestimmung der Satzgrenzen, erweisen sich in den nicht-standardisierten Texten als nicht trivial und müssen im Zuge der Transkription als Vorbereitung auf die Annotation manuell erfolgen. Für die Annotation selbst ist ein spezifisches Tagset zu entwerfen, das einerseits möglichst genau den Befund charakterisiert, andererseits aber auch individuelle Interpretationen und somit Festlegungen so weit wie möglich vermeidet, die nicht aus der Form des sprachlichen Materials eindeutig ablesbar und damit intersubjektiv überprüfbar sind, sondern auf (ggf. nicht zutreffenden) linguistischen Vorannahmen der AnnotatorInnen beruhen

---

1   Zum Korpus als grammatikographische Basis vgl. Schröder 2014.

(z. B. zur Kasusforderung von Präpositionen). Besonders ist dies bei der Annotation der Wortarten (PoS-Annotation) zu beachten, da u. a. eine Unterscheidung von Konjunktionen und Subjunktionen und damit zugleich von Haupt- und Nebensätzen durch die im Vergleich zum Neuhochdeutschen freiere Verbstellung häufig nicht eindeutig zu treffen ist. Die morphologische Annotation wird durch ambige Formen (z. B. Genus-, Kasus- und Numerusambiguität) erschwert, wenn der sprachliche Kontext keine Disambiguierung ermöglicht. Auch gängige Prüfverfahren, wie z. B. Umstellproben, die eine muttersprachliche Kompetenz voraussetzen, können bei der Annotation nicht angewandt werden.

Fehlende Ressourcen erfordern zusätzliche Arbeiten zur Unterstützung des Annotationsprozesses. So wurde eine digitale Lemmaliste erstellt, welche im Annotationsprozess laufend erweitert wird. Zudem mussten vorhandene Annotationstools für das Mittelniederdeutsche angepasst und weiterentwickelt werden, da keine fertig nutzbaren Programme zur automatischen Annotation existieren.

Im Folgenden soll ein Überblick über die Phasen der Korpuserstellung im ReN den Workflow veranschaulichen. In weiteren Schritten werden die Lösungen vorgestellt, die im Projekt entwickelt worden sind, um den Herausforderungen einer nicht-standardisierten historischen Sprache, wie sie das Mittelniederdeutsche darstellt, begegnen zu können. Die Resultate der Datenaufbereitung und die Möglichkeiten für die Nutzung der annotierten Texte lassen sich abschließend durch einen Blick auf die verwendete Such- und Visualisierungssoftware „ANNIS" (Krause/Zeldes 2016) veranschaulichen.[2]

1 Korpuserstellung

Bei der Korpuserstellung durchläuft jeder Text zwei Phasen, nämlich die Transkription, mit der die Textaufbereitung verbunden ist, und die Annotation, bevor sich nach der Publikation die Nutzungsphase anschließt. Als erste Stufe der Textaufbereitung erfolgt im Zuge der Transkription die Tokenisierung, d. h. die Festlegung von Worteinheiten, und die Satzgrenzenfestlegung. Zur Annotation gehören die Zuweisung der syntaktischen Wortart[3] durch das „Part of Speech" (PoS)-Tagging, die Eingabe von Informationen zur Flexionsmorphologie und die Lemmatisierung[4]. In der dritten und letzten Arbeitsphase werden die Daten zum einen in „ANNIS" (Krause/Zeldes

---

2   Für die Entwicklung der korpuslinguistischen Lösungsvorschläge ist das Teilprojekt Hamburg verantwortlich. Als zielführend hat sich innerhalb des Projekts die enge Bezugnahme computerlinguistischer und sprachhistorischer Expertise erwiesen. Die enge Zusammenarbeit mit dem Team des „Referenzkorpus Frühneuhochdeutsch" ermöglichte es, auf dessen Entwicklungen aufzubauen. Dafür gilt allen Bochumer Kolleginnen und Kollegen großer Dank!

3   Siehe die Unterscheidung von lemma- und belegspezifischer Annotation bei Dipper u. a. 2013.

4   Auf die spezifischen Bedingungen der manuellen sowie automatischen Annotation bei nicht-standardisierten Sprachen wird in diesem Beitrag nicht eingegangen; vgl. dazu Barteld/Schröder/Zinsmeister 2016a; 2015; Barteld u. a. 2014.

2016), einer webbasierten Such- und Visualisierungssoftware, und zum anderen im „TEI"-Format (Text Encoding Initiative o. J.), einem Dokumentenformat zur Kodierung und zum Austausch von Texten, veröffentlicht.

Ein wesentliches Instrument für die Annotation der historischen Referenzkorpora stellt das webbasierte Annotationstool „CorA" (Bollmann u. a. 2014) dar, das in Bochum für das „Referenzkorpus Frühneuhochdeutsch" entwickelt wurde. Nach erfolgter Transkription[5] werden die Texte in dieses Tool übertragen, das für die folgende Annotation eine Eingabemaske bietet und während des Annotationsprozesses auch eine Korrektur der Transkription und Tokenisierung erlaubt.

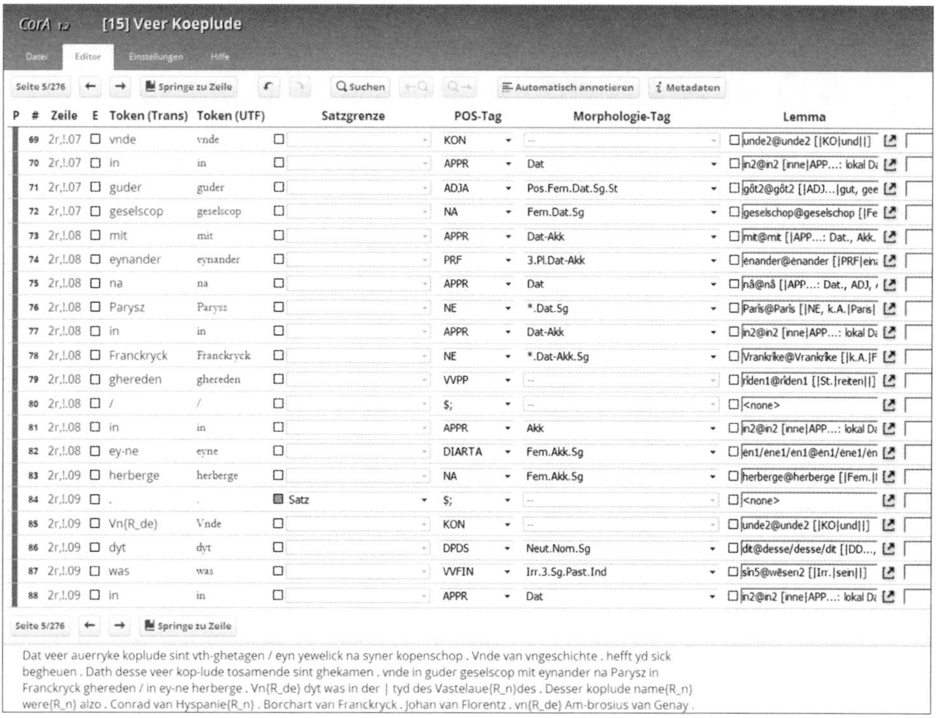

P	#	Zeile	E	Token (Trans)	Token (UTF)		Satzgrenze	POS-Tag		Morphologie-Tag		Lemma
	69	2r,l.07	☐	vnde	vnde	☐		·	KON	▾	--		☐ unde2@unde2 [|KO|und|]
	70	2r,l.07	☐	in	in	☐		·	APPR	▾	Dat		☐ in2@in2 [inne|APP...: lokal D:
	71	2r,l.07	☐	guder	guder	☐		·	ADJA	▾	Pos.Fem.Dat.Sg.St		☐ gôt2@gôt2 [|AD]...|gut, gee
	72	2r,l.07	☐	geselscop	geselscop	☐		·	NA	▾	Fem.Dat.Sg		☐ geselschop@geselschop [|Fe
	73	2r,l.08	☐	mit	mit	☐		·	APPR	▾	Dat-Akk		☐ mit@mit [|APP...: Dat., Akk.
	74	2r,l.08	☐	eynander	eynander	☐		·	PRF	▾	3.Pl.Dat-Akk		☐ enander@enander [|PRF|en:
	75	2r,l.08	☐	na	na	☐		·	APPR	▾	Dat		☐ nâ@nâ [|APP...: Dat., ADJ, /
	76	2r,l.08	☐	Parysz	Parysz	☐		·	NE	▾	*.Dat.Sg		☐ Paris@Paris [|NE, k.A.|Paris]
	77	2r,l.08	☐	in	in	☐		·	APPR	▾	Dat-Akk		☐ in2@in2 [inne|APP...: lokal D:
	78	2r,l.08	☐	Franckryck	Franckryck	☐		·	NE	▾	*.Dat-Akk.Sg		☐ Vrankrike@Vrankrike [|k.A.|F
	79	2r,l.08	☐	ghereden	ghereden	☐		·	VVPP	▾	--		☐ riden1@riden1 [|St.|reiten|]
	80	2r,l.08	☐	/	/	☐		·	$;	▾	--		☐ <none>
	81	2r,l.08	☐	in	in	☐		·	APPR	▾	Akk		☐ in2@in2 [inne|APP...: lokal D:
	82	2r,l.08	☐	ey-ne	eyne	☐		·	DIARTA	▾	Fem.Akk.Sg		☐ en1/ene1/en1@en1/ene1/en
	83	2r,l.09	☐	herberge	herberge	☐		·	NA	▾	Fem.Akk.Sg		☐ herberge@herberge [|Fem.|I
	84	2r,l.09	☐	.	.	☑ Satz	▾	·	$;	▾	--		☐ <none>
	85	2r,l.09	☐	Vn{R_de)	Vnde	☐		·	KON	▾	--		☐ unde2@unde2 [|KO|und|]
	86	2r,l.09	☐	dyt	dyt	☐		·	DPDS	▾	Neut.Nom.Sg		☐ dit@desse/desse/dit [|DD...,
	87	2r,l.09	☐	was	was	☐		·	VVFIN	▾	Irr.3.Sg.Past.Ind		☐ sin5@wêsen2 [|Irr.|sein|]
	88	2r,l.09	☐	in	in	☐		·	APPR	▾	Dat		☐ in2@in2 [inne|APP...: lokal D:

Dat veer auerryke koplude sint vth-ghetagen / eyn yewelick na syner kopenschop . Vnde van vngeschichte . hefft yd sick begheuen . Dath desse veer kop-lude tosamende sint ghekamen . vnde in guder geselscop mit eynander na Parysz in Franckryck ghereden / in ey-ne herberge . Vn{R_de) dyt was in der | tyd des Vastelaue{R_n)des . Desser koplude name{R_n) were{R_n) alzo . Conrad van Hyspanie{R_n) . Borchart van Franckryck . Johan van Florentz . vn{R_de) Am-brosius van Genay .

Abb. 1: Annotation mittels „CorA" (Bildschirmausschnitt)

Von zentraler Bedeutung für die Annotation ist ein adäquates Tagset, das den spezifischen Erfordernissen genügt: Erstens soll es eine möglichst große Nähe zu existierenden Tagsets aufweisen, damit zu einem späteren Zeitpunkt eine gemeinsame Analyse der verschiedenen Referenzkorpora ermöglicht wird; zweitens müssen die Tags so definiert sein, dass sie durch den konkreten Kontext determiniert (und nicht etwa durch Intuition auszuwählen) sind; daraus ergibt sich, dass sie drittens die Ab-

---

5 Für die formalen Auszeichnungen, z. B. von Sonderzeichen, Abbreviaturen oder Glossierungen, aber auch Seiten- und Zeilenwechseln, der Existenz von Abbildungen u. a. m., sind eigens Auszeichnungsroutinen entwickelt worden, die eine weitere elektronische Verarbeitung ermöglichen; für die Transkriptionsrichtlinien vgl. ReN-Team 2014.

bildung von Ambiguitäten ermöglichen müssen, aber viertens trotzdem so spezifisch wie möglich anwendbar sein sollen.

Dem Tagset für das ReN liegt das ebenfalls in Bochum für historische Belange entwickelte „Historische Tagset" (HiTS; vgl. Dipper u. a. 2013) zugrunde, das wiederum auf dem „Stuttgart-Tübingen Tagset" (STTS; vgl. Schiller u. a. 1999) beruht. Durch Anpassung an die Spezifika des Mittelniederdeutschen ist das „Historische Niederdeutsch-Tagset" (HiNTS; vgl. ReN-Team 2016a) entstanden. Es bietet u. a. den Vorteil einer stark kontextbasierten Annotation und dient so der Vermeidung (möglicherweise falscher) Vorannahmen und Interpretationen. In der Klasse der indefiniten Determinierer und Pronomen bspw. wird nicht vorab festgelegt, welche Lexeme ausschließlich substituierend und somit als Pronomen im eigentlichen Wortsinn auftreten, da dies erst im Ergebnis der Korpusauswertung entscheidbar ist.

Für den Erfolg des Projekts sind klare Richtlinien für Transkription und Annotation entscheidend, um die Homogenität der Daten sicherzustellen. Diese Richtlinien sind detailliert in einem Transkriptions- und zwei Annotationshandbüchern (PoS und Morphologie; Lemmatisierung) dokumentiert (vgl. ReN-Team 2014; 2016a; 2016b). Die Annotationsrichtlinien wurden mehrfach mithilfe von „Inter-Annotator Agreement"-Experimenten, in denen die Abweichungen zwischen den Entscheidungen verschiedener AnnotatorInnen gemessen werden, überprüft und entsprechend angepasst.[6] Die ersten Experimente im ReN-Projekt deckten als die häufigste Ursache für Differenzen zwischen den AnnotatorInnen fehlende Richtlinien für spezifische Fälle auf. Indem das Handbuch um entsprechende Regelungen ergänzt wurde, konnte diese Ursache für Abweichungen in den Annotationen deutlich reduziert und somit die Qualität der Annotation sichergestellt werden. Das Ergebnis ist außerdem eine hohe Konsistenz der Korpusauszeichnung. Transparenz ist ein zentraler und unabdingbarer Grundsatz der Arbeit, um den NutzerInnen des Korpus die Möglichkeit zu eröffnen, alle Entscheidungen nachzuvollziehen und zu überprüfen.

Die manuelle Annotation wird durch automatisch erstellte Annotationsvorschläge unterstützt. Hierfür werden statistische Annotationstools eingesetzt. Da vor allem die graphische Variation im Mittelniederdeutschen den Einsatz von Annotationstools erschwert, die für standardisierte Sprachen entwickelt worden sind, sind auch diese Tools an die spezifischen Erfordernisse bei der Annotation der mittelniederdeutschen Texte angepasst worden.[7] Die Annotationstools werden vor ihrem Einsatz auf per Hand annotierten Daten trainiert und in regelmäßigen Abständen auf den nunmehr automatisch annotierten und manuell korrigierten Daten neu trainiert, so dass sich die Qualität der Vorschläge sukzessiv verbessert (vgl. Abb. 2).

---

6   Inter-Annotator Agreement unter Anwendung des MAMA-Zyklus (Model-Annotate-Model-Annotate, vgl. Pustejovsky/Stubbs 2012: 27, 109). Zur Weiterentwicklung im Projektzusammenhang vgl. Barteld/Schröder/Zinsmeister 2016b.

7   Für die grammatische Annotation wird der „RFTagger" (Schmid/Laws 2008) genutzt, der Lemmatisierung liegt das Tool „Lemming" zugrunde (Müller u. a. 2015); zur Anpassung an das Mittelniederdeutsche vgl. Barteld/Schröder/Zinsmeister 2015; 2016a.

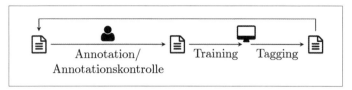

Abb. 2: Annotations-Workflow

2 Textaufbereitung

Im Rahmen der Textaufbereitung erfolgen, wie bereits erwähnt, die Tokenisierung sowie die Satzgrenzenfestlegung. Die Tokenisierung ist zwingend erforderlich, da die festgelegten Worteinheiten die Grundlage für die spätere grammatische Annotation darstellen. Anders als die Tokenisierung ist die Satzgrenzenfestlegung zwar nicht obligatorisch, stellt aber sowohl für die manuelle als auch für die automatische Annotation eine erhebliche Unterstützung dar.

Die Entscheidung, was eine Worteinheit umfasst, ist in historischen Texten keineswegs trivial. Bereits die Identifizierung von Wortformen wird dadurch behindert, dass einerseits die Einheiten nicht konsequent durch Spatien voneinander getrennt werden, andererseits Spatien nicht auf mehrere Wortformen hindeuten müssen, beispielsweise bei getrennt geschriebenen Komposita. Somit ist zwischen graphischen Einheiten im Originaltext und Wortformen als Annotationsgrößen konsequent zu unterscheiden.

Als Ausgangspunkt für die Identifizierung von Wortformen dient die Lemmatisierung im „Mittelniederdeutschen Handwörterbuch" (Lasch/Borchling 1956ff.). Daher wird z.B. die klitisierte Negationspartikel *en* als eine eigenständige Einheit erfasst (vgl. ebd., s.v.), eine Entscheidung, die auch anders ausfallen könnte, für die Korpuszwecke aber angemessen erscheint.

Am Beispiel des „Oldenburger Sachsenspiegels" (vgl. Abb. 3)[8] soll das Vorgehen erläutert werden. In allen Fällen von getrennt geschriebenen Elementen eines Lexems wie bei den Präfigierungen in *be scede* und *ghe don* oder auch bei den beiden Morphemen in *al ene* sind diese jeweils zu Worteinheiten zusammenzufassen, damit sie als Ganzes annotiert werden können. Zugleich muss aber auch die Information der Getrenntschreibung erhalten bleiben, damit eine an der Originalschreibung orientierte Textfassung publiziert werden kann. Im Transkript signalisiert in solchen Fällen ein Raute-Zeichen, dass es sich um eine Auseinanderschreibung im Original handelt, die zum Zwecke der Annotation zusammengezogen wird, z.B. *be#* *scede, ghe# don, al# ene*. Dasselbe gilt für die getrennt geschriebenen Bestandteile von Komposita. Da Kandidaten für Komposita im Mittelniederdeutschen nicht immer eindeutig in ihrem Status als Wortform bestimmt werden können, sind zu-

---

8 Landesbibliothek Oldenburg, Cim I 410, Bl. 6r, Leihgabe der Niedersächsischen Sparkassenstiftung; Abb. mit freundlicher Genehmigung der Niedersächsischen Sparkassenstiftung.

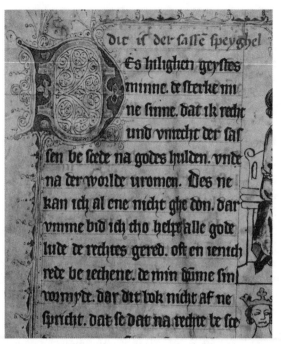

Abb. 3: „Oldenburger Sachsenspiegel", Bl. 6r

sätzlich auch der Kontext und die grammatischen Merkmale für eine Entscheidung heranzuziehen.

Sind Elemente zusammengeschrieben, die als zwei getrennte lexikalische Einheiten zu bestimmen sind, sowohl bei fehlenden Spatien zwischen zwei Wortformen als auch bei Klitisierungen, werden die einzelnen Bestandteile getrennt, indem ein Paragraphenzeichen eingefügt wird (z. B. *en§brachte*, *sprekst§u*). Daraus generiert das Annotationstool später automatisch einzelne Wortformen, die dann gesondert annotiert werden können. In der in „ANNIS" publizierten Version des Textes sind dann beide Varianten anzeigbar, d. h. die Trennung sowohl nach der originalen Schreibung als auch nach Wortformen.

Für die linguistische Größe „Satz" spiegelt der Eintrag im „Lexikon der Sprachwissenschaft" die Uneindeutigkeit der Bestimmung wider: „Nach sprachspezifischen Regeln aus kleineren Einheiten konstruierte Redeeinheit, die hinsichtlich Inhalt, gramm. Struktur und Intonation relativ vollständig und unabhängig ist." (Bußmann 2008: 601) Ein zuverlässiges, wenn auch nicht immer ausreichendes Kriterium ist die Existenz eines finiten Verbs, wie es die IDS-Grammatik in ihrer Satzdefinition zum Ausdruck bringt: „Sätze enthalten ein finites Verb und (in der Regel) die unter strukturellen und kontextuellen Bedingungen notwendigen Komplemente dieses Verbs; darüber hinaus können Sätze Supplemente enthalten." (Zifonun u. a. 1997: 87) Hieran anschließend, gilt auch im ReN-Projekt als Satz jede grammatische Einheit, die ein finites Verb enthält. Dabei wird in Kauf genommen, dass satzförmige Einheiten ohne finites Verb auf der Annotationsebene nicht als Satz ausgewiesen werden, so z. B. Überschriften, die daher gesondert als solche gekennzeichnet werden.

Ob es sich bei einer Satzeinheit um einen Haupt- oder Nebensatz handelt, kann im Mittelniederdeutschen aufgrund der freieren Verbstellung nicht immer eindeutig entschieden werden (vgl. Härd 2000: 1461),[9] so dass auf eine formale Differenzierung von Haupt- und Nebensätzen verzichtet werden muss. Alle Satzgrenzen werden, unabhängig davon, ob im Originaltext ein Satzzeichen vorhanden ist (das ohne weitere Kennzeichnung transkribiert wird), einheitlich durch „$.$" gekennzeichnet, z. B. *DEs hilighen geystes minne. de sterke mi# ne sinne. $.$ dat ik recht und vnrecht der sas# sen be# scede na godes hulden. vnde na der worlde uromen. $.$ Des ne kan ich al# ene nicht ghe# don.* $.$ („Oldenburger Sachsenspiegel", Bl. 6r, vgl. Abb. 3). Satzeinheiten, die infolge von Einschüben getrennt sind, müssen markiert werden. Dies geschieht durch „$.a$", „$.b$" usw., z. B. *Vnde alle $.a$ de in deme sale weren $.$ vorschreckeden . $.b$* („Veer Koeplude"; Bl. 7r).[10]

Erst diese Maßnahmen gewährleisten, dass der Annotation diskrete Elemente in einheitlicher Weise zugrunde liegen, welche eine Grundbedingung für die weitere korpuslinguistische Aufbereitung darstellen. Dadurch werden morphologisch und syntaktisch beschreibbare Einheiten unterschieden, auf die mit automatischer Unterstützung zugegriffen werden kann.

3 Annotation

Im Bereich der Annotation führen die Besonderheiten der nicht-standardisierten historischen Texte zu Zweifelsfällen sowohl hinsichtlich der Feststellung der Wortart (PoS-Annotation) als auch hinsichtlich der Bestimmung der Flexionsmorphologie (morphologische Annotation). Zweifel bei der Feststellung der Wortart treten z. B. bei der Unterscheidung von Konjunktion und Subjunktion auf, da bei der Identifizierung von Haupt- und Nebensätzen gängige Verfahren wie die Analyse der Wortstellung nicht ohne Einschränkungen greifen (vgl. oben). Zudem kann dasselbe Lexem sowohl Hauptsätze wie Nebensätze einleiten, wie es das „Mittelniederdeutsche Wörterbuch" von Schiller/Lübben beispielsweise für *wente* ausweist, das sowohl 'denn' als auch 'weil' bedeuten kann, aber auch 'dass' und 'aber' (vgl. Schiller/Lübben 1875–80, s. v.). Diese Ambiguität wird auch in grammatischen Darstellungen zum Mittelniederdeutschen dokumentiert:

> Dem durch das begründende *wente* eingeleiteten Satz geht in der Regel der begründete Satz voraus, und *wente* hat koordinierende Funktion; in vielen Texten

---

9 Härd (2000: 1461) konstatiert, dass es „oft keine strenge syntaktische Unterscheidung (durch Wortfolge) [...] zwischen Hauptsatz und Nebensatz" gibt.

10 Diese Auszeichnung der Satzgrenzen wird für die Annotation mittels „CorA" in Satzgrenzen-Markierungen, die am letzten Token eines Satzes gesetzt werden, umgewandelt (vgl. Abb. 1). In der Publikation in „ANNIS" werden die Sätze als Spannen dargestellt, die sich jeweils über die einzelnen Satzeinheiten erstrecken.

leitet *wente* aber einen subordinierten Satz ein, der dann dem übergeordneten, begründeten, vorangehen kann. (Härd 2000: 1461)

Je nach Stellung des Teilsatzes kann *wente* sowohl koordinierende als auch subordinierende Funktion haben, wobei nicht ausgeschlossen ist, dass ein subordinierter *wente*-Satz auch nachgestellt ist.

Zur Veranschaulichung des Vorgehens dient ein Beispiel aus dem „Johannesevangelium" des „Buxtehuder Evangeliars": *vnde ik sach et · vnde betugede et · wente dit is godes sone* („Buxtehuder Evangeliar", S. 6). Da es sich hierbei um einen nebengeordneten oder untergeordneten Kausalsatz handeln könnte, müssen für die Annotation rein strukturelle Regeln zugrunde gelegt werden, um eine konsequente Annotation sicherzustellen, die unabhängig von der jeweiligen individuellen Interpretation der AnnotatorInnen bleibt. Im Fall der Junktionen beinhalten die Annotationsregeln (ReN-Team 2016a), dass ein als Konjunktion (KON) annotiertes Element im Vorvorfeld steht oder gleichrangige Elemente wie Nominalphrasen (z. B. *man unde wip*) verbindet, eine Annotation als Subjunktion (KOUS) hingegen bei Verbspät- oder Verbletztstellung erfolgt. Die Entscheidung fällt in dem oben genannten Fall demnach für die nebenordnende Konjunktion.

Die Kenntnis dieser Konvention ist entscheidend, wenn später mithilfe des Korpus grammatische Analysen vorgenommen werden. Denn dann ist zu berücksichtigen, dass KON nicht etwa bedeutet, dass tatsächlich ein nebengeordneter Satz vorliegt, sondern lediglich, dass die Junktion im Vorvorfeld steht und/oder mit V2-Stellung verbunden ist. Die Frage, ob im Mittelniederdeutschen solche Fälle auch als Nebensätze zu interpretieren sind, kann und soll bei der Korpuserstellung nicht beantwortet werden. In Sätzen, die nur aus Subjekt und Prädikat bestehen und daher topologisch ambig sind, wie in **wente he sleep*, wird das Portmanteau-Tag „KO*" benutzt, das die Entscheidung offen lässt.

Ein zweites Beispiel, das gleichzeitig Unterschiede zwischen „HiTS" und „HiNTS" verdeutlicht, betrifft die Klasse der Determinierer und Pronomen. Ebenso wie in „HiTS" werden auch bei „HiNTS" die Tags durch ein „A" für „attribuierend" oder ein „S" für „substituierend" spezifiziert. Allerdings werden bspw. in der Gruppe der indefiniten Determinierer und Pronomen im ReN-Projekt lexembezogene Vorannahmen vermieden. Statt vorab festzulegen, welche Lexeme sowohl attribuierend als auch substituierend und welche ausschließlich substituierend vorkommen können, wird in „HiNTS" allein aufgrund des gegebenen Kontextes entweder „attribuierend" oder „substituierend" annotiert. Auf diese Weise können in späteren Analysen diejenigen Lexeme ermittelt werden, die ausschließlich substituierend vorkommen und somit als Pronomen im eigentlichen Wortsinn zu klassifizieren sind.

Im Bereich der flexionsmorphologischen Annotation sind häufiger ambige Formen anzutreffen, z. B. beim Genus. In der Überschrift *Dit is der sassen speyghel* („Oldenburger Sachsenspiegel", Bl. 6r, vgl. Abb. 3) betrifft dies das Substantiv *spegel*, das laut Wörterbucheintrag sowohl Maskulinum als auch Neutrum sein kann (vgl. Lasch/Borchling 1956ff., s. v.). In Fällen wie diesem, in denen der sprachliche Kontext keine Disambiguierung ermöglicht, wird mithilfe von Portmanteau-Tags (hier: Masc-Neut) die Ambiguität abgebildet.

Eine weitere Schwierigkeit ergibt sich bei Ambiguitäten mit Korrelation von Genus, Kasus und Numerus. Im Satz *den wy vmme armoth siner olderer van barm-hertticheyt weghen van enen kleuen* (!) *kinde hebben vpgetagen* („Griseldis", Bl. 19r) kann das Substantiv *armôt* laut „Mittelniederdeutschem Handwörterbuch" (Lasch/ Borchling 1956ff., s. v.) Maskulinum oder Femininum sein. Auch diese Ambiguität kann nicht mithilfe des sprachlichen Kontextes aufgelöst werden. Handelt es sich um ein Maskulinum, kann die Form für den Akkusativ Singular stehen. Handelt es sich jedoch um ein Femininum, kann *armoth* den Genitiv, Dativ und auch Akkusativ Singular darstellen. Aufgrund der Präposition *umme* (ebd., s. v.), die den Dativ oder den Akkusativ regiert, kann der Synkretismus zumindest auf diese beiden Kasus reduziert werden, die beide im Tag (Dat-Akk) zum Ausdruck gebracht werden. Da die vorhandene Korrelation zwischen Genus und Kasus nicht mithilfe der Tags abgebildet werden kann, wird als zusätzliche Information in die Kommentarspalte „Fem. Dat-Akk. oder Masc.Akk." geschrieben.

Die Annotation zielt also wesentlich darauf ab, alle Zuordnungen zu Wortarten und alle Informationen zu den morphologischen Ausprägungen möglichst vollständig und exakt zugänglich zu machen. Dafür werden klare und eindeutige Annotationsregeln aufgestellt, die gleichzeitig verhindern, dass Zuordnungen intuitiv vorgenommen werden, die nicht durch die Form gestützt sind. Auf diese Weise kann gewährleistet werden, dass späteren grammatischen Analysen nicht unzulässig vorgegriffen wird.

4   Publikation und Nutzung

In der dritten und letzten Phase werden die Daten zur Veröffentlichung in ein von „ANNIS", der webbasierten Such- und Visualisierungssoftware, lesbares Format und in ein „TEI"-Format überführt. Um die Nutzbarkeit der Daten möglichst früh zu gewährleisten, werden Vorabversionen des Korpus veröffentlicht. Zum Zeitpunkt der Bearbeitung dieses Aufsatzes (April 2017) sind zwei Versionen (2016-08-23 und 2017-03-08) mit 5 bzw. 18 Texten veröffentlicht. Die Vorabversionen bleiben auch nach der Publikation der finalen Version des Korpus verfügbar und können daher bereits für reproduzierbare Untersuchungen genutzt werden. Mit Hilfe von „ANNIS" können sowohl das Gesamtkorpus als auch Teilkorpora oder einzelne Texte nach allen Elementen der Transkriptionsebene wie auch der Annotationsebenen durchsucht werden. Zu einem späteren Zeitpunkt wird auch eine Abfrage in mehreren Referenzkorpora zugleich möglich sein, so dass sprachliche Phänomene verschiedener Schreibregionen oder Zeitstufen miteinander verglichen werden können. Als Beispiele für die Abfragemöglichkeiten dienen im Folgenden eine Wortartensuche und eine Suchabfrage nach der Kasusrektion.[11]

Will man beispielsweise in Erfahrung bringen, wie häufig eine Wortart im Gesamtkorpus oder in einem Text auftritt (im Beispiel Eigennamen „NE" im Text „Griseldis"in der Korpusversion "ReN_2017-03-08"), lässt sich eine entsprechende

---

11   Zur Benutzungsanleitung für „ANNIS" vgl. Zeldes 2016.

Suchabfrage in „ANNIS" formulieren (vgl. Abb. 4). In der Ein- und Ausgabemaske befindet sich oben links das Feld für die Suchabfrage in formalisierter Form, rechts die Ergebnisausgabe. Die Ergebnisse werden im KWIC [keyword-in-context]-Format ausgegeben und lassen sich zusätzlich quantitativ aufbereiten, so dass die Frequenz der ermittelten Elemente in den einzelnen Texten untersucht werden kann.

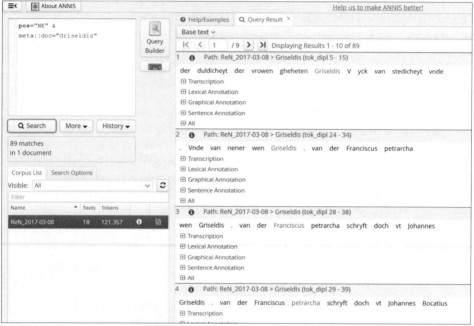

Abb. 4: „ANNIS": Suchabfrage zu Elementen einer Wortart (Bildschirmausschnitt)

Eine solche quantitative Aufbereitung veranschaulicht die Abb. 5 anhand der Suche, mit welchen Kasus die Präposition *in* im Text „Griseldis" steht. Das Ergebnis ist in Form eines Säulendiagramms und einer Tabelle wiedergegeben. Es weist aus, dass der Dativ klar mit 87 Fällen überwiegt, in 49 Fällen der Akkusativ der Präposition folgt und es in 34 Fällen formal nicht entscheidbar ist, ob es sich um einen Akkusativ oder um einen Dativ handelt.

Sollen die Belege für *in* mit Akkusativ näher betrachtet werden, so können diese als Liste ausgegeben werden (vgl. Abb. 6). Die Präposition steht in der ersten Spalte, danach folgt die Nominalphrase mit Artikel und Nomen. Die einzelnen Zeilen zeigen die möglichen Darstellungsformen der Annotation: 1. Zeile (tok_anno[12]): Wortformen als bearbeitetes Token (d. h. nach erfolgter Wortgrenzenfestlegung); 2. Zeile (lemma_wsd): Lemmata mit Homonymendisambiguierung gemäß dem entsprechenden Wörterbucheintrag; 3. Zeile (lemma): Lemmata ohne Homonymenkennzeichnung in der Schreibweise des „Mittelniederdeutschen Handwörterbuchs"

---

12   In der ersten Korpusversion (2016-08-23) heißt diese Ebene „tok_mod".

Abb. 5: „ANNIS": Suchabfrage zu Kasus nach *in* (Bildschirmausschnitt)

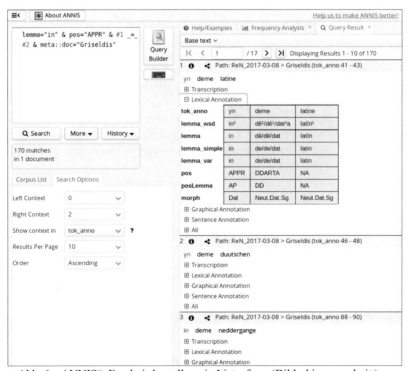

Abb. 6: „ANNIS": Ergebnisdarstellung in Listenform (Bildschirmausschnitt)

inklusive der Längenauszeichnungen; 4. Zeile (lemma_simple): Lemmata ohne Dia-kritika; 5. Zeile (pos): syntaktische Wortarten (APPR = Präposition; DDARTA = De-terminativ, definit, artikelartig, vorangestellt; NA = Nomen appellativum); 6. Zeile (posLemma): Wortarten (AP = Adposition; DD = Determinativ, definit; NA = No-men appellativum); 7. Zeile (morph): morphologische Annotationen (Dat = Dativ; Neut.Dat.Sg = Neutrum Dativ Singular). Neben diesen Ausgabemöglichkeiten der lexikalischen Annotation (Lexical Annotation) erlaubt „ANNIS" auch die Ausgabe des Transkripts (Transcription) oder anderer Annotationsebenen (Graphical Annota-tion, Sentence Annotation).

5 Erträge

Mit dem ReN wird der historischen Sprachforschung ein Korpus diplomatisch transkribierter, lemmatisierter und grammatisch annotierter mittelniederdeutscher und niederrheinischer Texte digital zur Verfügung gestellt. Mit seiner Hilfe werden vor allem grammatische Analysen ermöglicht, die bisher mangels geeigneter Da-tengrundlage nur ausschnitthaft realisiert werden konnten. Vorzüge des Korpus als Analysegrundlage bestehen in der konsistenten Datenbasis mit einer gleichmäßigen Verteilung in Raum und Zeit und unter Berücksichtigung der relevanten Gebrauchs-domänen, die im Korpus als „Felder der Schriftlichkeit" ausgewiesen sind.

Die reflektierte Annotationsweise lässt es zu, diatopische, diachrone und dia-situative strukturelle Differenzen herauszufiltern, die der Analyse zugänglich ge-macht werden, ohne dass sie durch Präjudiz der Editoren verschleiert sind. Dafür ist vor allem durch die transparente Darstellung mit der detaillierten Dokumentation in den Transkriptions- und Annotationshandbüchern gesorgt, die jede Annotationsent-scheidung nachvollziehbar macht.

Das Referenzkorpus füllt auf diese Weise auch eine wesentliche Lücke hinsicht-lich der Formulierung von Transkriptions- und vor allem Annotationsstandards in Bezug auf das Mittelniederdeutsche. Hinzu kommen Programm(weiter)entwick-lungen, u. a. zum Inter-Annotator Agreement und zur Lemmatisierung, die speziell auf die Bedarfe einer nicht-standardisierten historischen Sprachstufe zugeschnitten sind.[13]

Ein besonderer Vorzug liegt in der Übertragbarkeit der Methoden auf andere nicht-standardisierte Sprachformen wie beispielsweise mündliche Äußerungen oder auch wenig regulierte Sprachprodukte wie Chat-Foren, in denen Merkmale der kon-zeptionellen Mündlichkeit und Schriftlichkeit kombiniert werden.

---

13 Zusätzlich zu den in diesem Beitrag vorgestellten Methoden wurden auch weitere Tools entwickelt und angepasst. So wurde an einem Programm zur Überführung der Daten von „CorA" in „ANNIS" mitgearbeitet („Pepper-Modul" für „CorA-XML", https://github. com/korpling/CoraXMLModules) sowie eine Anpassung des Datenexports aus „AN-NIS" an die im Projekt verwendete doppelte Tokenisierung vorgenommen.

Quellen

Buxtehuder Evangeliar = Qvatuor Evangeliorum versio Saxonica. [Hs. um 1480.] Königliche Bibliothek Kopenhagen: Thott 8, 8°.

Griseldis = De historie van der duldicheyt der vrowen geheten Griseldis; Uan sigismunda Des vorsten dochter van Salernia Unde van deme iungelinge Gwiscardo. Hamburg: Drucker des Jegher 1502. Königliche Bibliothek Kopenhagen: 77[l]-12, 4°.

Oldenburger Sachsenspiegel = Oldenburger Bilderhandschrift des Sachsenspiegels. Rastede 1336. Landesbibliothek Oldenburg: CIM I 410.

Veer Koeplude = Historie van veer Koepluden vnde eyner thuchtigen vramen Vrouwen. Hamburg: Borchard 1510. Staats- und Universitätsbibliothek Hamburg: Scrin A/226.

Für weitere Informationen s. Metadaten im Korpus, Release 2016-08-23 (URL: http://hdl.handle.net/11022/0000-0001-B002-5).

Literatur

Barteld, Fabian, Ingrid Schröder und Heike Zinsmeister (2015): Unsupervised regularization of historical texts for POS tagging. In: Proceedings of the Workshop on Corpus-Based Research in the Humanities (CRH). 10 December 2015, Warsaw, Poland, S. 3–12. URL: http://crh4.ipipan.waw.pl/files/9814/4973/5451/CRH4_proceedings.pdf [Stand: 23.03.2017].

Barteld, Fabian, Ingrid Schröder und Heike Zinsmeister (2016a): Dealing with word-internal modification and spelling variation in data-driven lemmatization. In: Proceedings of the 10th SIGHUM Workshop on Language Technology for Cultural Heritage, Social Sciences, and Humanities (LaTeCH 2016). August 11, 2016, Berlin, Germany, S. 52–62. URL: http://anthology.aclweb.org/W16-2106 [Stand: 23.03.2017].

Barteld, Fabian, Ingrid Schröder und Heike Zinsmeister (2016b): text-gamma – Inter-annotator agreement for categorization with simultaneous segmentation and transcription-error correction. In: Proceedings of the 13th Conference on Natural Language Processing (KONVENS 2016). September 19–21, 2016, Bochum, Germany, S. 27–37. URL: https://www.linguistics.rub.de/konvens16/pub/4_konvensproc.pdf [Stand: 23.03.2017].

Barteld, Fabian u.a. (2014): Annotating descriptively incomplete language phenomena. In: LAW VIII – The 8th Linguistic Annotation Workshop in conjunction with COLING 2014. Proceedings of the Workshop. August 23–24, 2014, Dublin, Ireland, S. 99–104. URL: http://www.aclweb.org/anthology/W14-4915 [Stand: 23.03.2017].

Bollmann, Marcel u.a. (2014): CorA: A web-based annotation tool for historical and other non-standard language data. In: Proceedings of the 8th Workshop on Language Technology for Cultural Heritage, Social Sciences, and Humanities (LaTeCH). April 26, 2014, Gothenburg, Sweden, S. 86–90. URL: http://aclweb.org/anthology//W/W14/W14-0612.pdf [Stand: 23.03.2017].

Bußmann, Hadumod (Hg.) (2008): Lexikon der Sprachwissenschaft. Mit 14 Tabellen. 4., durchges. u. bibliogr. erg. Aufl. Stuttgart.

Dipper, Stefanie u.a. (2013): HiTS: ein Tagset für historische Sprachstufen des Deutschen. In: Journal for Language Technology and Computational Linguistics 28/1, S. 85–137. URL: http://www.jlcl.org/2013_Heft1/5Dipper.pdf [Stand 23.03.2017].

Härd, John Evert (2000): Syntax des Mittelniederdeutschen. In: Werner Besch u.a. (Hgg.): Sprachgeschichte. Ein Handbuch zur Geschichte der deutschen Sprache und ihrer Erforschung. 2. Teilbd. 2., vollst. neu bearb. u. erw. Aufl. (Handbücher zur Sprach- und Kommunikationswissenschaft 2.2). Berlin/New York, S. 1456–1463.

Krause, Thomas und Amir Zeldes (2016): ANNIS3: A new architecture for generic corpus query and visualization. In: Digital Scholarship in the Humanities 31/1 (2016), S. 118–139. URL: http://dsh.oxfordjournals.org/content/31/1/118 [Stand: 29.03.2017].

Lasch, Agathe und Conrad Borchling (1956ff.): Mittelniederdeutsches Handwörterbuch. Fortgef. von Gerhard Cordes und Dieter Möhn. Neumünster/Kiel/Hamburg.

Müller, Thomas u.a. (2015): Joint Lemmatization and Morphological Tagging with LEMMING. In: Proceedings of the 2015 Conference on Empirical Methods in Natural Language Processing. 17–21 September 2015, Lisbon, Portugal, S. 2268–2274. URL: https://aclweb.org/anthology/D/D15/D15-1272.pdf [Stand: 23.03.2017].

Pustejovsky, James und Amber Stubbs (2012): Natural Language Annotation for Machine Learning. A Guide to Corpus-Building for Applications. Beijing u.a.

ReN-Team (2014) = Barteld, Fabian u.a.: Transkriptionshandbuch – Auszug. Referenzkorpus Mittelniederdeutsch/Niederrheinisch (1200–1650). URL: https://vs1.corpora.uni-hamburg.de/ren/media/pdf/transkriptionshb1.pdf [Stand: 31.03.2017].

ReN-Team (2016a) = Barteld, Fabian u.a.: Annotationshandbuch. Teil 1: PoS und Morphologie. Referenzkorpus Mittelniederdeutsch/Niederrheinisch (1200–1650). URL: http://www.referenzkorpus-mnd-nrh.de/media/pdf/posmorphhb1.pdf [Stand: 23.03.2017].

ReN-Team (2016b) = Barteld, Fabian u.a.: Annotationshandbuch. Teil 2: Lemmatisierung. Referenzkorpus Mittelniederdeutsch/Niederrheinisch (1200–1650). URL: http://www.referenzkorpus-mnd-nrh.de/media/pdf/lemmahb1.pdf [Stand: 23.03.2017].

Schiller, Anne u.a. (1999): Guidelines für das Tagging deutscher Textcorpora mit STTS (Kleines und großes Tagset). Stuttgart/Tübingen. URL: www.sfs.uni-tuebingen.de/resources/stts-1999.pdf [Stand: 29.03.2017].

Schiller, Karl und August Lübben (1875–1880): Mittelniederdeutsches Wörterbuch. 6 Bde. Münster/Bremen.

Schmid, Helmut und Florian Laws (2008): Estimation of Conditional Probabilities With Decision Trees and an Application to Fine-Grained POS Tagging. In: Coling 2008. 22nd International Conference on Computational Linguistics. Proceedings of the Conference. Volume 1. 18–22 August 2008, Manchester, UK, S. 777–784. URL: http://dl.acm.org/ft_gateway.cfm?id=1599179&type=pdf [Stand: 31.03.2017].

Schröder, Ingrid (2014): Das Referenzkorpus: Neue Perspektiven für die mittelniederdeutsche Grammatikographie. In: Jahrbuch für germanistische Sprachgeschichte 5, S. 150–164.

Text Encoding Initiative (o.J.): URL: http://www.tei-c.org/index.xml [Stand: 29.03.2017].

Zeldes, Amir (2016): ANNIS User Guide – Version 3.4.3. URL: http://corpus-tools.org/annis/resources/ANNIS_User_Guide_3.4.3.pdf [Stand: 05.04.2017].

Zifonun, Gisela u.a. (1997): Grammatik der deutschen Sprache. Bd. 1 (Schriften des Instituts für deutsche Sprache 7.1). Berlin/New York.

Eine annotierte digitale Plattform für die Untersuchung der Stadtsprachgeschichte Greifswalds: Neue Methoden zur Erforschung des Niederdeutschen?

Matthias Schulz, Würzburg

1 Einleitung

Den thematischen Schwerpunkt der 129. Jahrestagung des Vereins für niederdeutsche Sprachforschung bildete die Frage nach neuen Methoden für die Erforschung des Niederdeutschen. Im vorliegenden Beitrag soll erörtert werden, inwieweit in einem stadtsprachgeschichtlichen Projekt zu einem Ortspunkt im ostelbischen Raum des Mittelniederdeutschen neue Methoden für die Erforschung des Niederdeutschen erprobt werden können.

Bei *neuen Methoden* kann es sich zum einen um neue Verfahren handeln, die – auf einem Regelsystem basierend – neue wissenschaftliche Erkenntnisse ermöglichen.[1] Für sprachwissenschaftliche Arbeiten ist hier zum Beispiel an die (halb-)automatische Annotation historischer Texte, an softwarebasierte Verfahren der kontextualisierenden Auswertung solcher Texte oder auch an innovative Praktiken der Aufbereitung und der Darstellung von Analysebefunden in Datenbanken und Online-Plattformen zu denken.

Bei *neuen Methoden* kann es sich zum anderen aber auch um die strukturelle Verknüpfung und Fortführung von bereits bestehenden Ansätzen, Verfahren und methodischen Zugriffen handeln, durch die innovative Ergebnisse erreichbar werden sollen. In diesem Fall besteht das in methodischer Hinsicht Neue in der Verbindung „bewährte[r] Einzelmethoden mit einer neuen und spezifischen Zielsetzung"[2]. Für sprachwissenschaftliche Arbeiten ist in diesem Sinne zum Beispiel an die Erweite-

---

1 Man vergleiche Duden-Universalwörterbuch s. v. „Methode": „auf einem Regelsystem aufbauendes Verfahren zur Erlangung von [wissenschaftlichen] Erkenntnissen oder praktischen Ergebnissen" (Dudenredaktion 2015).

2 Auf diese Weise beschreibt etwa D. Busse die methodische Entwicklung der historischen Semantik vor dem Hintergrund der Begriffsgeschichte und der diskurslinguistischen Ansätze (vgl. Busse 2002: 35).

rung von bestehenden Paradigmen wie etwa dem Zuschnitt eines etablierten For-
schungsgegenstandes und den damit verbundenen Fragestellungen zu denken, deren
Beantwortung die Verbindung unterschiedlicher methodischer Zugänge erforderlich
macht.

Für das Forschungsprojekt zur Stadtsprachgeschichte Greifswalds spielen beide
Aspekte eine Rolle. Das strukturiert nach linguistischen Kriterien vorgehende Erhe-
bungs- und Erschließungsprojekt setzt sich zum Ziel, mit einer erweiterten Bestimmung des Gegenstands *Stadtsprache* und mit für die Stadtsprachenforschung neuen
Formen der Aufbereitung und Bereitstellung von sprachlichen Daten die Schriftlichkeit in einer spätmittelalterlichen und frühneuzeitlichen Stadt vom 14. bis zum 17.
Jahrhundert in begründeten Ausschnitten zu erheben, als Digitalisate und als Transkriptionen bereitzustellen und mit Sekundär- und Tertiärdaten breit zu annotieren.

Der Ortspunkt Greifswald bietet sich für ein solches Vorhaben aufgrund der
Lage im Sprachraum, der historischen Bedingungen der Textproduktion, -reproduk-
tion und -aufbewahrung vor Ort und nicht zuletzt aufgrund der heutigen Überliefe-
rungssituation der Texte in besonderer Weise an, wie zunächst gezeigt werden soll.

2 Der Ortspunkt Greifswald

Der ostelbische Sprachraum muss im Vergleich zu anderen Räumen des Mittelniederdeutschen wie etwa dem westfälischen oder dem ostfälischen als deutlich
schlechter erforscht gelten.[3] Außer für Lübeck, dem in verschiedener Hinsicht eine
Sonderrolle zufällt (vgl. Peters 2000; 2015), liegen für diesen Raum ausweislich der
stadtsprachgeschichtlich relevanten Bibliographien nur in geringem Umfang neuere Studien vor (vgl. Hünecke o.J., Peters/Nagel 2012). Bis auf wenige Ausnahmen
blieb auch die Stadtsprachgeschichte Greifswalds in der jüngeren Forschung unberücksichtigt.[4]

Greifswald verfügte im Zeitraum des 14. bis 17. Jahrhunderts über eine Fülle
von Orten der Textproduktion, der Textrezeption und der Textaufbewahrung. In
Hinblick auf den historischen Textkosmos hebt sich die Stadt sogar von anderen
Städten gerade des mittleren Teils des ostelbischen Sprachraums wie etwa Stralsund
oder Stettin ab, denn die Stadt verfügte nicht nur über die Schriftlichkeit der städtischen Kanzlei, der vorreformatorischen Klöster und Kirchen, der nachreformatorischen Kirchenverwaltung, über die Drucktätigkeit der Offizin und über eine reiche
Überlieferung an Inschriften-Schriftlichkeit[5], wie sie auch an anderen Ortspunkten
zu finden ist. Für Greifswald ist zusätzlich vor allem auf die textuell herausragen-
de Schriftlichkeit der zweitältesten Universität im Ostseeraum, aber auch auf die

---

3 Man vergleiche ausführlicher zu den im Folgenden genannten Argumenten: Schulz/Hin-
    kelmanns (i. Dr.).
4 Vgl. Baufeld 1988; Schröder 2001a, 2001b, 2005; Schulz 2015a, 2015b.
5 320 volkssprachige, 385 lateinische Inschriften bis 1650; lateinische Inschriften seit der
    2. Hälfte des 13. Jahrhunderts, volkssprachige Inschriften seit dem 15. Jahrhundert (vgl.
    Herold/Magin 2009).

Schriftlichkeit des Hofgerichts Schwedisch-Pommerns im 17. Jahrhundert hinzuweisen. Die nachreformatorische Kirchenbibliothek des Geistlichen Ministeriums nimmt zudem seit ihrer Gründung nicht nur in der historischen Bestandserweiterung, sondern gerade auch in der bewahrenden Überlieferung vorreformatorischer Schriftlichkeit eine besondere Stellung für die im Bereich der Stadt aufbewahrten Texte ein (vgl. Schulz 2015b). Die heutige Quellenlage ist für historische Texte aus Greifswald als ausgezeichnet zu bezeichnen. Allein in der Stadt selbst verfügen Universitätsarchiv, Stadtarchiv, Landesarchiv, Universitätsbibliothek und die Bibliothek des Geistlichen Ministeriums über reiche und in einem breiten, noch zu erläuternden Verständnis stadtsprachgeschichtlich relevante Quellenbestände. Bibliotheken und Archive in anderen Städten, etwa in Stettin, vervollständigen dieses Bild.

3   Neue Methoden (?)

Was kann nun ein stadtsprachgeschichtlich orientiertes Projekt zu den in Frage stehenden *neuen Methoden* für die Erforschung des Mittelniederdeutschen beitragen? Im Folgenden sollen fünf Bereiche thematisiert werden:

– der Gegenstand *Stadtsprache* selbst,
– das Verhältnis von Ortspunkten und Sprachräumen und die daraus ableitbaren forschungsstrategischen Konsequenzen,

sowie die Frage nach Konsequenzen aus den ersten beiden Punkten

– für Korpusstrukturen,
– für die Aufbereitung der Daten und Analyse der Ebenen des sprachlichen Diasystems,
– für die Präsentation der sprachwissenschaftlichen Analyseergebnisse.

Die Begründung eines breiten Zugangs zum Gegenstand *Stadtsprache*, die Erörterung der methodisch und inhaltlich erforderlichen Verknüpfung ortspunktbezogener und sprachraumbezogener Ansätze und die Präsentation von Korpusstrukturen sollen dabei hier den Schwerpunkt bilden.[6]

4   *Stadtsprache*: Die Stadt als Text-Raum[7]

Ein Raumbezug ist für die Sprachwissenschaft in gegenwartssprachlicher wie in sprachhistorischer Perspektive von hoher Relevanz. Für die Historiolinguistik bilden Raumvorstellungen ganz unterschiedlicher theoretischer Basis beispielsweise in der übergreifenden Sprachgeschichtsschreibung, der historischen Dialektologie, der Laut- und Formenlehre, der Lexikologie und auch in der Stadtsprachenforschung eine Konstante.

---

6   Zu den genannten Aspekten, insbesondere auch zu den letzten genannten Punkten der computerlinguistischen Vorgehensweise, der Annotation und der geplanten Datenpräsentation vergleiche man auch Schulz/Hinkelmanns (i. Dr.).
7   Zur Vorstellung der Stadt als Text-Raum vergleiche man auch ebd.

Die Größen *Raum* und *Ort* lassen sich bekanntlich nicht nur dimensional verstehen. Die Sozialgeographie hat darauf hingewiesen, dass Räume und Ortspunkte nicht nur durch geographische Koordinaten bestimmbar sind, sondern dass sie
vielmehr Handlungsräume darstellen, die durch (raumgebundene) soziale Praktiken
konstituiert werden.[8] Solche Überlegungen wurden in der Sprachwissenschaft rezipiert und weitergeführt (vgl. Warnke 2011; Lameli 2015). Sprache wird dabei als ein
Faktor der Raum- bzw. der Ortsproduktion angesehen (vgl. Warnke 2011: 343f.):
„Raum prägt nicht nur den Sprachgebrauch, sondern Sprachgebrauch macht auch
Räume, genauer Orte" (Busse/Warnke 2014: 535). Bezieht man diese Einsicht, auf
die mit Bezug auf die Gegenwartssprache im Kontext der Untersuchung sprachlicher
Place-making-Strukturen, der Analyse von Betextungen des Raumes, der sprachlichen Raumkonstruktion oder (im Sinne der Unterscheidung von *space* und *place*[9])
der Ortskonstruktion und des Aufbaus sprachlicher Landschaften zurückgegriffen
wird (vgl. Landry/Bourhis 1997; Warnke/Busse 2014; Domke 2014),[10] auf historische Orte und Ortspunkte, dann kann zunächst natürlich festgehalten werden, dass
auch in historischer Perspektive durch Sprache Räume und Orte konstituiert wurden.

Ein durch Sprache konstituierter historischer Raum oder Ort kann durch die
strukturierte Erhebung seiner Textüberlieferung rekonstruiert werden. Er wird damit auch sprachhistorisch fassbar und auswertbar, wie ganz augenfällig etwa die
Erforschung historischer Skriptorien, Bibliotheken oder Offizinen[11] zeigt. Das gilt
natürlich auch für Städte.

Bezieht man Raumkonzepte, die von durch Sprachgebrauch konstituierten
Räumen und Orten ausgehen, auf historische Städte, dann ist zu fragen, wie der
Raum einer Stadt (als ein historischer Kommunikationsraum [vgl. Wegera 1998:
141]) fassbar werden kann. Der historische sprachliche Raum kann auch hier bei
guter Überlieferungslage zumindest partiell durch die Erhebung seiner Textüberlieferung rekonstruiert werden. Die Vorstellung eines solchen Text-Raumes einer
Stadt bezieht sich dabei auf die Summe von Texten, die sich zu einem bestimmten
historischen Zeitpunkt in einer Stadt befanden und die potentiell Anteil an der städtischen Kommunikationspraxis (vgl. Meier 2012: 31) haben konnten. Damit sind zum
einen Texte gemeint, die zu einem bestimmbaren historischen Zeitpunkt in der Stadt
geschrieben, abgeschrieben, gedruckt oder anderweitig (z. B. geritzt, gemeißelt, ge-
malt) produziert wurden; zum anderen sind zu einem solchen Text-Raum aber auch
diejenigen Texte zu zählen, die zu einem bestimmbaren historischen Zeitpunkt in

---

8   Man vergleiche zur Diskussion um raumzentrierte und handlungszentrierte Ansätze in
    der Sozialgeographie Werlen 2008; Baumgärtner/Klumbies/Sick 2009; Lefebvre 1977.

9   "Linguistic tokens [...] are part of what makes and shapes this space, giving it cultural
    meaning and thereby turning it into 'place'. Linguistic landscape research therefore is
    concerned with what one could call the discursive construction of spaces" (Papen 2012:
    59).

10 Auch die Aktivitäten des „Urban Space Research Network" sind zu beachten. Man ver-
    gleiche zudem in raumlinguistischer Perspektive Hausendorf/Schmitt 2013 und Hausen-
    dorf/Kesselheim/Schmitt 2016.

11 Vgl. Moulin 1999; 2001; Fujii 2006; Behr 2014; Schulz 2015a.

diese Stadt gelangten, in ihr aufbewahrt wurden und dort potentiell gesehen, gelesen, vorgelesen oder gesungen werden konnten. Ein auf diese Weise verstandener historisch-synchroner Text-Raum der Stadt besteht damit in seiner Rekonstruktion aus datierbaren handschriftlichen, gedruckten und inschriftlichen Zeugnissen der Textproduktion vor Ort. Er wird durch die auf die Stadt einwirkenden textuellen Resultate ihrer Nah- und Fernkontakte angereichert und erweitert. Neben Texten, die in der Stadt selbst verfasst wurden, geraten für den Text-Raum also auch solche in den Blick, die (z. B. als Brief, als Abschrift, als Schenkung oder als Ankauf) in die Stadt gelangten und die dann in ihr aufbewahrt wurden. Für die überlieferungsbezogene Rekonstruktion des Text-Raums einer Stadt und damit der „sprachliche[n] Situation" und der „kommunikativen Netzwerke einer historischen Stadt" (Meier 2012: 31) muss die Erhebung daher die traditionell in der Stadtsprachenforschung ausgewerteten Textsorten (wie etwa städtische Urkunden) (vgl. Schulz/Hinkelmanns i. Dr.) und die jeweiligen Akteure der Schriftlichkeit (wie etwa Kanzleischreiber)[12] berücksichtigen, sie kann sich aber nicht auf solche Bereiche beschränken. Es sind vielmehr für ein breites Verständnis des Gegenstandes *Stadtsprache* sämtliche Orte der Textproduktion, der potentiellen Textrezeption und der Textaufbewahrung in der Stadt von Bedeutung. Relevant sind damit überlieferte Texttypen aller Gruppen von Akteuren der Schriftlichkeit, die in der Stadt Texte verfassten oder deren Texte in die Stadt gelangten und dort rezipiert werden konnten. Der Text-Raum einer Stadt ist in der Regel mehrsprachig.[13] Zu ihm sind daher Texte in allen Sprachen zu zählen, die in der Stadt zu einem bestimmten Zeitpunkt in der Textproduktion und der Textrezeption Verwendung fanden.

5 Ortspunkte und Sprachräume: Verknüpfungen mit der bestehenden Forschungslandschaft

Seit einigen Jahren werden im Bereich der germanistischen Sprachgeschichtsforschung große Korpusprojekte erarbeitet. Das als „Korpus historischer Texte des Deutschen" bezeichnete Vorhaben gliedert sich sprachstufenbezogen in mehrere DFG-Projekte: Referenzkorpus Altdeutsch (Althochdeutsch, Altsächsisch: 750–1050), Förderung seit 2008; Referenzkorpus Mittelhochdeutsch (1050–1350), Förderung seit 2009; Referenzkorpus Mittelniederdeutsch/Niederrheinisch (ReN) (1200–1650), Förderung seit 2012; Referenzkorpus Frühneuhochdeutsch (ReF) (1350–1650), Förderung seit 2011. Neben die sprachstufenbezogenen Referenzkorpusprojekte und das Referenzkorpus Deutschsprachige Inschriften (Förderung seit 2014) tritt zudem für den Zeitraum bis 1500 das Corpus of Historical Low German

---

12 Mit Akteuren der Schriftlichkeit sind Personen und Personengruppen gemeint, die in unterschiedlichen Aufgabenbereichen und Funktionen (etwa als Vertreter einer Institution oder in einer spezifischen beruflichen oder privaten Funktion) Texte produzierten.

13 Zur Mehrsprachigkeit in der Stadt vergleiche man Mihm 2001, 2010 und 2016 sowie Glück/Häberlein/Schröder 2013.

(CHLG), das Urkundenbücher, Stadtrechte und Chroniken aus fünf Ortspunkten[14] berücksichtigen will. Der speziell für das Ostelbische relevante Atlas ostmittelniederdeutscher Schreibsprachen wird noch erarbeitet (vgl. Bieberstedt o. J.). Der das sogenannte „Altland" betreffende Sprachatlas (ASnA) befindet sich im Druck (vgl. Peters i. Dr.).

Die genannten Referenzkorpusprojekte wollen unter anderem „eine hinlänglich umfangreiche, verlässliche handschriften-/druckausgabengetreue Datenbasis [erstellen] [...], die Recherchen zur Historiolinguistik in einem Maße erlaubt, das weit über das bisher Mögliche hinausgeht".[15] Dazu soll historische Sprache „in ihrer diatopischen und diachronischen Untergliederung anhand des Textsortenspektrums nachgezeichnet werden" (ReN). Durch die Bereitstellung von linguistisch aufbereiteten Texten und Teiltexten (Transkription, Lemmatisierung, Annotation) sollen Analysen möglich werden, die sich auf unterschiedliche Ebenen des Sprachsystems beziehen lassen. Neben der Lexik sind vor allem auch syntaktisch-grammatische Ebenen von Interesse (vgl. ebd.).

Für die Erforschung des Mittelniederdeutschen sind die Referenzkorpusprojekte zum Mittelniederdeutschen selbst und zum Frühneuhochdeutschen besonders relevant: Das in Hamburg und Münster erstellte ReN nimmt in einer Auswahl von 180 Texten und Textausschnitten des 14. bis 17. Jahrhunderts den gesamten Sprachraum des Niederdeutschen in den Blick (vgl. Peters/Nagel 2014). Dieser Sprachraum wird – für das 17. Jahrhundert – auch vom ReF berücksichtigt, denn in dieses Korpus werden für die Zeit ab 1600 auch hochdeutsche Texte des norddeutschen Raumes aufgenommen.

Es ist erkennbar, dass die Referenzkorpusprojekte derzeit Standards für die Aufbereitung von Texten und für die weitere Erforschung der Sprachgeschichte des Deutschen setzen. Dass die Referenzkorpusprojekte dadurch Vorhaben der historischen Stadtsprachenforschung allerdings keinesfalls obsolet machen, wird offensichtlich, wenn man das spezifische Verhältnis von Sprachräumen und Ortspunkten genauer in den Blick nimmt. Konstruierte Sprachräume wie das Ostfälische, das Südmärkische oder das Ostelbische sind das Ergebnis sprachwissenschaftlicher Analysen. Sie werden vor allem aufgrund übereinstimmender phonologischer und morphologischer Kriterien eingeteilt (vgl. Schröder/Möhn 2000; Peters 2000). Mit tatsächlichen historischen Kommunikations- und Handlungsräumen und tatsächlichen Kontakten historischer Sprecherinnnen und Sprecher können solche Räume genau übereinstimmen, sie müssen es aber nicht. Bei Städten handelt es sich hingegen nicht nur um historische Ortspunkte im dimensionalen Sinn, sondern in einem aktionalen Verständnis auch um Orte als reale „Kommunikationseinheiten" (Schröder/Möhn 2000: 1439) – und zwar sowohl für sich selbst als auch als Ausgangspunkte für die jeweilige interlokale Kommunikation. Städte bilden damit reale histori-

---

14 Münster, Oldenburg, Braunschweig, Magdeburg, Lübeck: Man vergleiche das Internetportal CHLG.

15 ReF; man vergleiche zu den Zielen speziell des ReN auch Peters/Nagel 2014: 166f.

sche Entitäten sprachlicher Innovation: „Das Sozialgebilde ‚Stadt' offenbart sich als Ereignisfeld intensiver und vielfältiger Sprachentwicklungen" (Möhn 2003: 2297).

Setzt man die Einheiten Sprachraum und Ortspunkt in Beziehung zueinander, dann werden zwei Befunde deutlich: Die intensive Erforschung eines Sprachraums ergibt nicht zwangsläufig klare Vorstellungen von historischen Kommunikationseinheiten und Kommunikationssituationen in einzelnen Ortspunkten – dazu ist die bei sprachraumbezogenen Studien ausgewertete Quellenbasis für den einzelnen Ortspunkt in der Regel nicht dicht genug. Eine Addition von Studien zu disparaten Ortspunkten ergibt auf der anderen Seite aber auch nicht – quasi nebenbei – das Bild eines ganzen Sprachraums. Dazu wäre schließlich die Modellierung der vielfältigen historischen und kommunikativen Verknüpfungen von Ortspunkten und den überlieferten Texten und auch eine damit verbundene Gewichtung dieser einzelnen Ortspunkte erforderlich. Die Erforschung von Sprachräumen und Ortspunkten führt also zu jeweils eigenen Zugriffsmöglichkeiten auf historische Sprache. Die Sprachgeschichtsforschung benötigt sowohl makroperspektivisch sprachraumbezogene Studien als auch mikroperspektivisch ortspunktbezogene Untersuchungen. Erst die Zusammenschau von „horizontalen" Analysen wissenschaftlich konstruierter Räume (etwa: des mit sprachwissenschaftlichen Kriterien definierten Sprachraums „Ostelbisch") mit „vertikalen" Analysen zu einzelnen Ortspunkten mit historischer Relevanz (etwa: der realen Einzelstadt Greifswald) kann daher gemeinsam die Analyse der diatopischen, diastratischen und diachronischen Gliederung von Varietäten im Rahmen der erhaltenen Textüberlieferung und des erkennbaren Textsortenspektrums (vgl. ReN) und die rekonstruierende Modellierung historischer sprachlicher Situationen und kommunikativer Netzwerke (vgl. Meier 2012: 31f.) leisten. Um das gemeinsam zu erreichen, müssen für Analysezugriffe allerdings beide Bereiche methodisch exakt miteinander verbunden werden können.

Die hier begründete Forderung nach einer Verknüpfbarkeit der Perspektiven führt zur methodischen Notwendigkeit vergleichbarer Analyseraster und -kriterien. Das hat nun weitreichende praktische Auswirkungen auf das Forschungsdesign von Projekten, was etwa Korpusstrukturen (u. a. Textauswahl, Wahl von Zeitschnitten), linguistische Auszeichnungsebenen (u. a. Lemmatisierung, Annotation) sowie die Datenbereitstellung und die Abfragemöglichkeiten angeht. Bezogen auf die Erforschung von Ortspunkten und ihren Text-Räumen heißt das: Neu konzipierte stadtsprachgeschichtliche Projekte sollten von vornherein in ihren Projektplanungen sicherstellen, dass eine spätere Vergleichbarkeit der Daten mit denen der derzeit erarbeiteten Referenzkorpora möglich wird. Dazu ist eine an den Kriterien der Referenzkorpusprojekte orientierte Korpuserstellung ebenso erforderlich wie die Verwendung eines Grundsets übereinstimmender Methoden und Verfahren der Lemmatisierung und der Annotation. Für das Forschungsprojekt zur Stadtsprachengeschichten Greifswalds ist daher aus der Forderung, dass spätere Auswertungen aufeinander beziehbar sein sollen, die Notwendigkeit von partiellen Übereinstimmungen in den Korpusstrukturen und die Notwendigkeit von partiellen Übereinstimmungen in der Transkription und Annotation der Texte abzuleiten. Natürlich lassen sich auch – wie in der gegenwartssprachlichen Redewendung ausgedrückt – „Äpfel mit Birnen" vergleichen; in methodischer Hinsicht ist allerdings für exakte sprachwissenschaft-

liche Analysen der Vergleich von „Äpfeln mit Äpfeln" anstrebenswert. Die Orien-
tierung an den Analysekriterien und -strukturen bestehender Großprojekte, die eine
Vergleichbarkeit von neuen Projekten mit diesen ermöglichen soll, ist nun sicher
noch keine „neue Methode" der Erforschung des Niederdeutschen; für aktuelle For-
schungsprojekte der Stadtsprachenforschung für niederdeutsche wie hochdeutsche
Sprachgebiete stellt sie aber eine neue forschungsstrategische Anforderung dar.

6 Korpusstrukturen

Das Projekt zur stadtsprachgeschichtlichen Erforschung des Ortspunktes Greifswald
soll mit der bereits geschilderten umfassenderen Modellierung des Text-Raums der
Stadt und ihrer Texte auch in Bezug auf den Korpuszuschnitt neue Wege einschla-
gen.

Das Korpus soll den Text-Raum der Stadt in begründeten zeitlichen Schnitten
und überlieferungsbezogenen Ausschnitten abbilden. Die auszuwählenden Texte
sollen daher die Akteure und die Handlungskontexte (vgl. Warnke 2011: 354) der
Schriftlichkeit in der Stadt, sprachliche Routinen in der Stadt sowie sprachliche
Zeugnisse mit spezifischer Referenz für die Stadt berücksichtigen. Leitfragen für
die Korpusauswahl sind daher unter anderem: Welche Texte wurden zu unterschiedlichen Zeiten vor Ort erstellt? Welche Institutionen der Schriftlichkeit sind zu unterschiedlichen Zeiten an der Textproduktion des Ortspunktes beteiligt? Mit welchen
Gruppen und Typen von Akteuren der Schriftlichkeit ist zu unterschiedlichen Zeiten am Ortspunkt zu rechnen? Welche (ortsgebundenen) Sprachhandlungen sind zu
unterschiedlichen Zeiten in Texten erkennbar? Welche den Ort selbst betreffenden
sprachlichen Repräsentationen (etwa die Nennung von Namen von Personen oder
Straßen) sind in Texten erkennbar? Welche Sprachen spielen zu unterschiedlichen
Zeiten für den Ortspunkt eine Rolle? Welche weiteren Texte sind ebenfalls vor Ort
präsent?

In Bezug auf die Mehrsprachigkeit des Text-Raumes Stadt ist für Greifswald
mindestens von Niederdeutsch, Hochdeutsch, Latein und schließlich seit dem 16.
Jahrhundert auch von Schwedisch[16] auszugehen. In einem ersten Schritt sollen für
das Korpus ausschließlich die volkssprachig niederdeutschen und hochdeutschen
Teil-Texträume dieser Stadt berücksichtigt werden. Es versteht sich von selbst, dass
damit nur ein Bereich der mehrsprachig miteinander verflochtenen Texträume der
Stadt erfasst werden kann: In städtischen Diskursen wie etwa demjenigen um die
nachreformatorische Nutzung des Schwarzen Klosters (vgl. Schulz/Hinkelmanns
i. Dr.) nehmen lateinische und volkssprachige Texte beispielsweise aufeinander Bezug. Für eine spätere Phase sollen daher Kooperationen mit Latinisten und Skan-

---

16 Man vergleiche etwa für den Bereich der Drucke die Übersetzung des „Kleinen Corpus
Doctrinae" von Matthäus Richter (d. Ä.) ins Schwedische: „Jtt litet CORPVS DOCTRI-
NAE, Thet ær: Hoffuudstyckē ock Summan aff then Christeligha læra", Greifswald 1587
(VD16 R 2282: „Tryckt i Grypswåld aff ‖ Augustino Ferbero ‖ 1587", URL: http://gate
way-bayern.de/VD16+R+2282 [Stand: 15. 10. 2017]).

dinavisten eingegangen werden, die dem volkssprachig-deutschen Korpus entspre-chende eigene Teilkorpora für eine gemeinsame Darstellung des Text-Raumes der Stadt hinzufügen können.

Das Korpus wird auf der oberen Ebene durch die Parameter „Zeit", „Ort" und „Materialität der Texte" strukturiert. Bezüglich der Zeitschnitte wird zur Herstel-lung der erforderlichen Vergleichbarkeit die Struktur der 50-Jahres-Schnitte der Re-ferenzkorpora übernommen. In Bezug auf die Materialität und die Medialität der Texte werden wie in den Referenzkorpusprojekten Handschriften, Drucke und In-schriften ausgewählt. Für die Kategorie „Ort" wird zwischen den in der Stadt selbst produzierten (also z. B. geschriebenen, gedruckten, gemeißelten oder gravierten) und den von außerhalb (z. B. durch Zusendung, Ankauf oder Schenkung) in die Stadt gelangten Texten unterschieden. Die Korpusstrukturierung beider Bereiche ist binnendifferenziert und innerhalb der zeitlichen Schnitte in einzelnen Modulen angelegt, um Institutionen und Akteure der Schriftlichkeit wie etwa die städtische Kanzlei, die universitäre Schriftlichkeit, die kirchliche Schriftlichkeit und die Texte des Hofgerichts angemessen berücksichtigen zu können. Der Vorteil einer solchen Struktur liegt darin, dass Module in der Auswertung für gezielte Fragen exklusiv berücksichtigt oder nicht berücksichtigt werden können. Wenn beispielsweise mit einem engeren Verständnis von Stadtsprache, das sich primär auf städtische Urkun-dentexte bezieht, Fragen an das Korpus herangetragen werden, dann können genau solche Korpusmodule gezielt auswählt und ausgewertet werden. Das Vorhandensein anderer – und vor allem: nach übereinstimmenden Kriterien annotierter – Texte im gleichen Korpus soll dann aber in einem zweiten Schritt eine zusätzliche Chance darstellen, um den Usus der Kanzlei im Kontrast zu anderen Texten des Text-Raums Stadt ortsbezogen klarer herausarbeiten und innerhalb der Schriftlichkeit in der Stadt konturieren zu können. Das Korpus geht also von dem erläuterten breiten Verständ-nis des Text-Raums der Stadt aus, der Zuschnitt des Gegenstandes Stadtsprache ist allerdings für die Analyse des Korpus durch Auswahl- und Einschränkungsmöglich-keiten frei wählbar.

Jedes Korpusmodul soll mit jeweils 10 000–15 000 Token pro Zeitschnitt gefüllt werden. Die Füllung der Module erfolgt über die Auswahl von Teiltexten, die tran-skribiert und annotiert werden. Für die Teiltexte sind Schnitte von max. 2 000 Token pro Text vorgesehen.[17] Die zahlreichen Texte mit einem geringeren Gesamt-Token-Bestand sollen komplett aufgenommen werden. Die jeweiligen Ganztexte sollen als Imagedigitalisate zur Verfügung stehen.

Nach jetzigem Planungsstand führt die Korpusstruktur zu einer Korpusgröße, die mit etwas über 300 000 Token für die innerstädtische Schriftlichkeit und mit weiteren etwa 100 000 Token für die in die Stadt gelangten Texte veranschlagt wer-den kann. Gegen die Zahlen der Referenzkorpora (ReN: 3,6 Millionen annotierte Wortformen, ReF: 4,4 Mio. annotierte Wortformen)[18] ist das verschwindend gering.

---

17 Die Grenze von 2 000 Token für angemessene Stichproben fand bereits im Brown-Cor-pus (1961) Anwendung (vgl. Hundt 2008: 171).

18 Für das ReN: Peters/Nagel 2014: 165; für das ReF siehe die Startseite zum Projekt.

Rechnet man aber nicht bezogen auf die jeweiligen Gesamträume, sondern nur auf den Bereich des Ostelbischen, dann wird auch das ReN bei gleicher Füllung aller Sprachräume für den Raum des Ostelbischen nur eine Gesamt-Token-Anzahl im mittleren sechsstelligen Bereich erreichen können. Im Vergleich zu den Korpora bereits abgeschlossener stadtsprachgeschichtlicher Monographien handelt es sich bei den Korpusplanungen für das Greifswalder Projekt sogar um eine klar im hohen Bereich angesiedelte Größe.[19]

Die Textauswahl ist noch nicht abgeschlossen. Die Textsichtungen in Greifswalder Archiven und Bibliotheken[20] haben bislang zur Auswahl von handschriftlichen und gedruckten Texten im mittleren dreistelligen Bereich geführt. Ein Teil der Texte liegt bereits digitalisiert vor. Hinzu tritt die Überlieferung der 320 inschriftlichen volkssprachigen Texte, die als Ergebnis des Projekts Deutsche Inschriften Online (DIO) für Greifswald bereits in Transkriptionen vorliegen (vgl. Herold/Magin 2009).

Einige Beispiele mögen die für das Korpus angestrebte Breite an Texttypen in den einzelnen Modulen illustrieren.

1)   Handschriftliche Texte aus der Stadt

a) Für den Bereich der in der Stadt selbst verfassten Handschriften werden aus dem Kontext der Schriftlichkeit des Rates und der städtischen Verwaltung nach außen gerichtete Texte (z. B. Urkunden, Verträge, Verordnungen, Erlässe) ebenso wie interne Verwaltungstexte (z. B. Berichte der Ratsleute) ausgewählt.

b) Die Schriftlichkeit im Kontext der Universität wird mit internen und nach außen gerichteten Texten (z. B. Konzilsprotokolle, Prozessakten, Prokuraturregister, Urkunden) berücksichtigt.

c) Die Schriftlichkeit im Kontext der Kirchen und Klöster wird überlieferungsbezogen sowohl mit internen als auch nach außen gerichteten Texten einbezogen. Für diesen Bereich handelt es sich zum Beispiel um Texte der vorreformatorischen Klosterschriftlichkeit (z. B. Aderlasstraktat, Rezept, Widmungsinschrift, Übersetzung einer Papstbulle, Legenden) und Texte der nachreformatorischen kirchlichen Verwaltung (z. B. Rechnungsbücher, Personenlisten, Briefe).

d) Für die zweite Hälfte des 17. Jahrhunderts werden interne und nach außen gerichtete Texte des landesherrschaftlichen Hofgerichts (z. B. Briefe, Protokolle) berücksichtigt.

e) Als handschriftliche Texte werden ebenfalls Texte von Bürgern (z. B. Briefe, Berichte, Eingaben, Quittungen), Texte von Bürgergruppen wie etwa der Schonenfahrer-Compagnie sowie von Notaren aufgesetzte Schreiben (z. B. Obligationen, Testamente, Mahnungen) ausgewählt.

---

19   Man vergleiche etwa Stöwer 2002 zu Lemgo: 16 300 Token, Stichlmair 2008 für Emmerich, Geldern, Nimwegen und Wesel: 110 000 Token, Fischer 1998 für Soest: 6 300 Zeilen und Elmenthaler 2003 für Duisburg: 210 000 Token.

20   Universitätsarchiv, Stadtarchiv, Landesarchiv, Universitätsbibliothek, Bibliothek des Geistlichen Ministeriums; die Auswertung weiterer Bibliotheken und Archive ist geplant.

2) Im Bereich der Drucke aus der Stadt werden Texte ausgewählt, die Setzer und Drucker in der Greifswalder Offizin hergestellt haben (z. B. Gesang- und Gebetbücher, Ordnungen, Neue Zeitungen, Gelegenheitsgedichte, Leichpredigten).

3) Im Bereich der städtischen Inschriften werden Texte ausgewählt, die – auf unterschiedlichen Materialien produziert – im Stadtgebiet Greifswalds angebracht oder aufgestellt wurden oder die sich auf Objekten befinden, die in Greifswald in Gebrauch waren (z. B. Gedenkstein-Text, Inschrift auf dem Knochenhauer-Willkomm, Inschrift auf der Schützengildenkette, Inschrift auf Zunftbecher).

4) Zusätzlich zu den genannten Bereichen sollen in eigenen Korpusmodulen historische Diskurse in Ausschnitten berücksichtigt werden. Der Diskurs um die nachreformatorische Nutzung des säkularisierten Dominikanerklosters zwischen Stadt und Universität ist ebenso wie derjenige um die Bestellung des ersten Universitätsbuchdruckers (1582) institutionenübergreifend mit Texten im hohen zweistelligen Bereich bezeugt.

5) Texte, die nach Greifswald gelangten und auswärtigen Institutionen oder Personen zugeordnet werden können, nehmen einen dem Umfang nach kleineren Teil des Korpus ein.

   a) Im Bereich der Handschriften werden zum Beispiel Texte der landesherrschaftlichen Kanzlei (z. B. Urkunden der Herzöge), Codices der vorreformatorischen Klöster, die nicht in Greifswalder Skriptorien geschrieben oder kopiert wurden, Urkunden, Akten und Briefe, die an die Greifswalder Universität gerichtet wurden, Briefe von auswärtigen Schuldnern an die Provisoren der städtischen Kirchen oder auch Handschriften, die nach Greifswald gelangten, weil sie z. B. ein Universitätslehrer mitgebracht hat, berücksichtigt.

   b) Im Bereich der Drucke sind dies Texte, die in anderen Städten gedruckt wurden, aber nachweislich zu einem bestimmten historischen Zeitpunkt nach Greifswald kamen (z. B. eine in Rostock gedruckte Greifswalder Hochzeitsordnung, Kirchenordnungen, theologische Traktate).

Das Korpus des Text-Raums Greifswald wird damit in Ausschnitten und 50-Jahres-Rasterungen eine Vielzahl ganz unterschiedlicher Texttypen der stadtintern verfassten und der stadtextern verfassten und nachweislich in die Stadt gelangten Schriftlichkeit versammeln. Für jeden ausgewählten Text erfolgt sekundär eine Zuordnung zu einer Bezeichnung für historische Textsorten. Zur besseren Vergleichbarkeit werden die ausgewählten Texte zudem den vom Referenzkorpus ReN angesetzten „Feldern der Schriftlichkeit" (Peters/Nagel 2014: 167f.) zugeordnet.

7 Transkription und Annotation der Daten

In Bezug auf die Analyse sprachstruktureller Ebenen strebt das Projekt zur stadtsprachgeschichtlichen Erforschung des Ortspunktes Greifswald eine breite, auch über bislang übliche Bereiche hinausgehende Annotation an.

Die ausgewählten Texte sollen zunächst nach übereinstimmenden Kriterien transkribiert werden.[21] Die Rahmenbedingungen, die an anderer Stelle bereits ausführlicher behandelt wurden (vgl. Schulz/Hinkelmanns i. Dr.), sollen hier nur kurz erläutert werden. Das Projekt strebt wie die Referenzkorpusprojekte eine buchstabengetreue Transkription unter Verwendung von Unicode an. Die Auszeichnung der Texte folgt den TEI-P5-Regeln, um den Anschluss an diesen De-facto-Standard für geisteswissenschaftliche Transkription zu erreichen[22] und um die Nachnutzung der Rohdaten zu ermöglichen. Gerade der Wunsch nach der späteren Erstellung von Parallelkorpora für die anderen Sprachen im mehrsprachigen Text-Raum Stadt durch kooperierende Forschungsgruppen macht das erforderlich. Ein Transkriptionshandbuch liegt vor und wird derzeit erprobt. Im Zuge der Tokenisierung der TEI-Texte sollen individuelle Token-IDs vergeben werden, damit Transkription und Annotation voneinander getrennt bleiben und Annotationen im sogenannten Stand-Off-Verfahren über den Text gelegt werden können. Für die tokenbezogenen Annotationen (Wortartenzuweisung im Part-of-Speech-Tagging, Auszeichnung der Flexionsmorphologie) wird die Arbeit mit dem auch von den Referenzkorpora verwendeten Tool CorA erprobt, mit dem historische Sprachkorpora halbautomatisch annotiert und manuell korrigiert werden können. Für weitere manuelle Annotationen soll die Open-Source-Korpusannotationssoftware GATE herangezogen werden.

Im Bereich der Annotationen soll neben den in Übereinstimmung mit dem ReN erfolgenden Auszeichnungen zur Flexionsmorphologie und der Syntax (Bestimmung von Satzgrenzen jeweils nach Strukturen mit finiten Verben) auch die Ebene der Wortbildungsmorphologie berücksichtigt werden. Das mag auf den ersten Blick überraschen, denn ein expliziter Bezug auf historische Ortspunkte ist in der Forschungsliteratur zur historischen Wortbildung – mit Ausnahmen wie den Studien zum Nürnberger Frühneuhochdeutsch – selten.[23] Die soziolinguistisch ausgerichtete Stadtsprachenforschung nimmt ihrerseits die Wortbildungsmorphologie in der Regel nicht oder nur nachrangig in den Blick, obwohl das Potential von Wortbildungsanalysen für die Stadtsprachenforschung bereits thematisiert wurde.[24]

Die Zurückhaltung der Stadtsprachenforschung gegenüber der Wortbildung ist auch deshalb überraschend, weil der Wort- und Lexembildung durchaus ein „Anteil an einer historischen Sozio- und Pragmalinguistik" (Möhn/Schröder 2007: 227) zuzusprechen ist, wie Ingrid Schröder und Dieter Möhn gezeigt haben. Können Lexembildungen, Lexembildungs- und Wortbildungsmuster nämlich „mit einzelnen

---

21   Für diesen Bereich läuft derzeit eine Erprobungsphase mit einzelnen Texten.

22   „Wenn nicht triftige Gründe dagegen sprechen, müssen Volltexte von Drucken und Handschriften nach dem Modell der Text Encoding Initiative (TEI) 40 kodiert bzw. mit Markup versehen werden. Als transparentes XML-Format ist TEI, sofern sorgfältig dokumentiert, auch für die Langzeitarchivierung die prospektiv beste Wahl" (DFG-Praxisregeln „Digitalisierung" 2016: 34).

23   Vgl. Müller 1993, Habermann 1994, Thomas 2002. Das aktuelle Handbuch zur Wortbildung enthält keine Ortsdarstellungen (vgl. Müller u. a. 2015/2016).

24   So verortet Habermann (1994: 5) ihre Studie zur verbalen Wortbildung explizit auch als „Beitrag zur historischen Stadtsprachenforschung Nürnbergs".

Lebensausschnitten der historischen Gesellschaft in Verbindung" gebracht werden, dann „gelingen konkrete Einblicke in die sprachlich gestützte fortschreitende Welterschließung" (Möhn/Schröder 2009: 45) historischer Sprachteilhaber. Vor diesem Hintergrund sind wortbildungsmorphologische Studien mit dem Bezug zu einem historischen Ortspunkt als Kommunikationsraum und zu seinem Text-Raum keineswegs abwegig. Es ist vielmehr zu erwarten, dass solche Studien nicht nur Antworten auf die Verteilung und die Präsenz von Wortbildungsmustern in der Breite der in den einzelnen Modulen des Korpus versammelten Texte des historischen Text-Raums der Stadt erlauben können, sondern dass sie zugleich auch auf der wortbildungsmorphologischen Ebene Perspektiven für Analysen der historischen Fachsprachlichkeit innerhalb einer Stadt ebenso wie für Analysen der im niederdeutschen Raum mit dem Schreibsprachenwechsel womöglich einhergehenden Interferenzphänomene aufzeigen können.[25] Über diese Chancen hinausgehend sind Daten zur historischen Wortbildung des mittelniederdeutschen Raumes ohnehin hochwillkommen: Während die Erforschung der mittelhochdeutschen und vor allem der frühneuhochdeutschen Wortbildung in den vergangenen Jahrzehnten „eine rasante Entwicklung erfahren" (Wegera/Prell 2000: 1594) hat, wurde die mittelniederdeutsche Wortbildung in der neueren Literatur bekanntlich deutlich seltener und weniger ausführlich behandelt.[26] Hier besteht ein erhebliches Forschungsdesiderat.

Zusätzlich werden für die stadtsprachgeschichtliche Erforschung des Ortspunktes Greifswald text- und diskursbezogene Annotationen erprobt, mit denen für Teile des Gesamtkorpus auch Koreferenzphänomene, Formulierungsmuster und Argumentationsstrukturen abfragbar gemacht werden sollen.[27] Solche Annotationen, die beispielsweise gezielt die Versprachlichung von Forderungen, Bitten oder Rechtfertigungen auszeichnen,[28] sollen je nach Einzelforschungsinteresse auch zu einem späteren Zeitpunkt angelegt und erweitert werden können.

8 Präsentation der sprachwissenschaftlichen Analyseergebnisse: Online-Plattform

Die Digitalisate, die Transkriptionen und die Annotationen sollen im Projekt zur stadtsprachgeschichtlichen Erforschung des Ortspunktes Greifswald auf einer Online-Plattform linguistisch verfügbar gemacht werden, nach Möglichkeit über die Visualisierungsplattform ANNIS (vgl. Götze/Dipper 2016), die auch von den Referenzkorpora genutzt werden soll. Die Plattform soll offen für Erweiterungen sein. Zum einen sollen einzelne Projekte, etwa Dissertationsvorhaben, die Daten des Kor-

---

25 Zu (auch wortbildungsmorphologischen) Interferenzerscheinungen bei hochdeutschen Texten im niederdeutschen Raum vergleiche man Wilcken 2015.

26 Vgl. Cordes/Niebaum 2000. Die aktuelle Übersichtsdarstellung zur historischen Wortbildung des Deutschen berücksichtigt die Wortbildung des Mittelniederdeutschen über die Nennung der Darstellung von Cordes und Niebaum hinaus nicht (vgl. Müller 2015).

27 Man vergleiche dazu mit ersten Beispielen Schulz/Hinkelmanns i. Dr.

28 Bislang sind Untersuchungen zu Aussagestrukturen eher in historisch textlinguistischen Arbeiten zu finden, etwa: Hille 2009.

pus nutzen und die Korpustexte in eigenen Zuschnitten vertieft annotieren können, zum anderen soll auch eine Bearbeitung mit über die Sprachwissenschaft hinausreichenden Fragestellungen anderer Fächer möglich werden. Wünschenswert erscheint in diesem Bereich das Einbeziehen weiterer, nicht-linguistischer Annotationen, um den Text-Raum der Stadt und die Sozialhandlungsbereiche, Sozialhandlungsräume und Kommunikationszentren (vgl. Wegera 1998: 141) der Stadt plastischer modellieren zu können.

Sprachgeschichte ist stets auch Teil einer Sozial-, Kultur- und Wissensgeschichte (vgl. Polenz 2012; Busse 2002: 38); für Stadtsprachgeschichte gilt das in besonderer Weise. Eine Vertiefung zu Bereichen wie der Stadtgeschichte, der Stadtarchäologie oder der Buchwissenschaft, die nicht-linguistische Annotationen etwa zu den Akteuren der Schriftlichkeit und zu den Orten der Produktion und der Rezeption der Texte in der Stadt erstellt und die weitere Daten (wie z. B. Bilder, Pläne, Texte) und Verknüpfungen (etwa zur GND, der Gemeinsamen Normdatei der Deutschen Nationalbibliothek) erstellt, erscheint daher für die Sprachgeschichte der Stadt und für die vertiefte Kenntnis der Stadt als Text-Raum sehr wünschenswert.

9 Fazit: *Neue Methoden* zur Erforschung des Niederdeutschen?

Können die hier vorgestellten Ansätze und Planungen mit *neuen Methoden* zur Erforschung des Niederdeutschen beitragen? Ein klares „Ja" auf die gestellte Frage wäre vermessen; erkennbar sind aber doch deutliche Chancen für die Erforschung des Mittelniederdeutschen und der Stadtsprachen im mittelniederdeutschen Raum. Solche Chancen liegen in der Erstellung eines stadtsprachgeschichtlichen Korpus für übergreifende, nicht von vornherein eng definierte Fragestellungen, in der forschungsstrategischen Ausrichtung auf die Referenzkorpora in Bezug auf die Zeitschnitte, die Texttranskription und den Kern der Annotationen, in dem in Bezug auf Stadtsprachenforschung und Referenzkorpora erweiterten Korpus-Zuschnitt auf den Text-Raum der Stadt und schließlich in der linguistischen Annotierung von bislang weniger im Mittelpunkt stehenden Untersuchungsebenen und auch der Möglichkeit, zusätzliche nicht-linguistische Annotationen erstellen zu lassen und verfügbar zu machen.

Eine ganz grundsätzliche Chance für die Stadtsprachenforschung liegt darin, dass ein stadtsprachgeschichtliches Korpus als Plattform mit Digitalisaten, Transkriptionen und Annotationen überhaupt für übergreifende Fragestellungen erarbeitet wird. Die bisher häufig im Rahmen von Qualifikationsschriften erarbeiteten Korpora stadtsprachgeschichtlicher Arbeiten mussten nicht selten als Insellösungen mit je unterschiedlichen, eng gefassten Strukturen gelten, deren Publikation zudem häufig nur in Auszügen im Anhang eines Buches als nicht-annotierte Text-Transkription möglich war. Die forschungsstrategische Ausrichtung des Greifswalder Projekts auf die Erstellung und Publikation einer Plattform mit den Grundparametern der Referenzkorpora kann dementgegen die Untersuchungsgrundlage für ganz unterschiedlich gefasste Fragestellungen liefern und dabei vor allem zu einer Vergleichsmöglichkeit führen, sodass Befunde zur Sprache des Ortspunktes mit solchen zur Sprache des Sprachraums in Beziehung gesetzt werden können. Eine Analyse von Fragestellungen in einem horizontal sprachraumbezogenen und einem vertikal ortspunktbezogenen Korpus, die vergleichbare Strukturen aufweisen und in einem Kernbereich nach übereinstimmenden Kriterien annotiert sind, lässt sprachhistorische Befunde in einer neuen Qualität erwarten.

Das Korpuskonzept, das vom Text-Raum der Stadt ausgeht, kann die Schriftlichkeit eines Ortspunkts mit der Einbeziehung der Institutionen und der Akteure der Schriftlichkeit plastisch herausarbeiten. Damit treten für die Stadtsprachenforschung auch Faktoren wie die Nah- und Fernkommunikation der Stadt und die Mehrsprachigkeit der historischen Stadtsprache deutlicher hervor. Hier zeigt sich zudem auch ein erheblicher Unterschied zu der monolingualen Ausrichtung der sprachraum- und sprachstufenbezogenen Darstellung der Referenzkorpora. Zunächst soll für das Projekt zur Stadtsprache Greifswalds die volkssprachige Mehrsprachigkeit (also Niederdeutsch und Hochdeutsch in der Stadt) in den Blick genommen werden; das gewünschte Einbeziehen lateinischer und schwedischer Texte für Greifswald wird dann für die Stadtsprachenforschung aber auch einen deutlich erweiterten Blick auf den mehrsprachigen Text-Raum Stadt und seine diskursiven Verbindungen zwischen den Texten einzelner Sprachen erlauben können.

Einen erweiterten Blick auf die Stadtsprache kann auch die geplante Einbeziehung weiterer Annotationsebenen erbringen. So verspricht die sprachwissenschaftlich-pragmatische Annotation von Argumentationsstrukturen historischer Diskurse in der Stadt neue Befunde für die historische Diskurslinguistik; die Annotation der Wortbildungsmorphologie kann nicht nur Daten zu historischen Wortbildungsprozessen liefern, sondern korpusgestützte Analysen zu Unterschieden der Wort- und Lexembildung in einzelnen Bereichen der Text-Raums der Stadt und zu der zeitlich gestuften wie der zeitlich parallelen niederdeutschen und hochdeutschen Wortbildung in der Stadt ermöglichen.

Die gewünschte Zusammenarbeit mit Disziplinen wie der Stadtgeschichte und der Stadtarchäologie kann schließlich mit entsprechenden nicht-linguistischen Einträgen und Annotationen etwa zu den Orten der Produktion und der Rezeption von Texten den Text-Raum Stadt noch plastischer modellieren. In Bezug auf solche neuen Vorgehensweisen besteht die Hoffnung, stadtsprachgeschichtliche Forschungen auch für interdisziplinäre Fragestellungen stärker zu öffnen.

Wie steht es nun also um die *neuen Methoden*? Die hier diskutierten Punkte können womöglich nicht alle als „neue Methoden" durchgehen; es handelt sich aber doch wenigstens um Chancen und neue Ansätze, die in die Diskussion um die Erforschung des Mittelniederdeutschen eingebracht werden sollten.

10   Literatur

Baufeld, Christa (1988): Zum Sprachgestus in Greifswalder Amtsprotokollen des 17./18. Jahrhunderts. In: Manfred Lemmer (Hg.): Beiträge zur Sprachwirkung Martin Luthers im 17./18. Jahrhundert (Martin-Luther-Universität Halle-Wittenberg Wissenschaftliche Beiträge 5, Teil II). Halle (Saale), S. 76–94.

Baumgärtner, Ingrid, Paul-Gerhard Klumbies und Franziska Sick (2009): Raumkonzepte. Zielsetzung, Forschungstendenzen und Ergebnisse. In: Dies. (Hgg.):
Raumkonzepte: Interdisziplinäre Zugänge. Göttingen, S. 9–25.
Behr, Martin (2014): Buchdruck und Sprachwandel. Schreibsprachliche und text-
strukturelle Varianz in der „Melusine" des Thüring von Ringoltingen (1473/74–
1692/93). Berlin/Boston.
Besch, Werner u. a. (Hgg.) (1998–2004): Sprachgeschichte. Ein Handbuch zur Geschichte der deutschen Sprache und ihrer Erforschung (Handbücher zur Sprach-
und Kommunikationswissenschaft 2). 2., vollst. neu bearb. Aufl. 4 Teilbde. Ber-
lin/New York.
Bieberstedt, Andreas (o. J.): Atlas ostmittelniederdeutscher Schreibsprachen. Pro-
jektvorstellung. URL: https://www.germanistik.uni-rostock.de/en/lehrende/pro
fessorinnen-und-professoren/prof-dr-andreas-bieberstedt/forschungsuebersicht/
[Stand: 15.10.2017].
Busse, Beatrix und Ingo H. Warnke (2014): Sprache im urbanen Raum. In: Ekkehard
Felder und Andreas Gardt (Hgg.): Handbuch Sprache und Wissen (Sprachwis-
sen 1). Berlin/Boston, S. 519–538.
Busse, Dietrich (2002): Sprachgeschichte als Teil der Kultur- und Wissensgeschich-
te – Zum Beitrag einer Historischen Diskurssemantik. In: Peter Wiesinger (Hg.):
Aufgaben einer zukünftigen Sprachgeschichtsforschung (Jahrbuch für Interna-
tionale Germanistik, Reihe A: Kongreßberichte, Bd. 55). Bern u. a., S. 33–38.
CHLG = Corpus of Historical Low German. URL: http://www.chlg.ac.uk. [Stand:
23.03.2017].
CorA = Corpus Annotator. URL: https://www.linguistics.ruhr-uni-bochum.de/com
phist/resources/cora/ [Stand: 15.10.2017].
Cordes, Gerhard und Hermann Niebaum (2000): Wortbildung des Mittelniederdeut-
schen. In: Besch u. a. (1998–2004), Bd. 2, S. 1463–1469.
Deutsche Inschriften Online (DIO). Die Inschriften des deutschen Sprachraumes in
Mittelalter und Früher Neuzeit. URL: http://www.inschriften.net [Stand: 23.03.
2017].
DFG-Praxisregeln „Digitalisierung" (2016): URL: http://www.dfg.de/formulare/1
2_151/12_151_de.pdf [Stand: 23.03.2017].
Domke, Christine (2014): Die Texte der Stadt. In: Warnke/Busse, S. 59–89.
Dudenredaktion (2015): DUDEN – Deutsches Universalwörterbuch, 8. Aufl. Mann-
heim/Zürich.
Elmentaler, Michael (2003): Struktur und Wandel vormoderner Schreibsprachen
(Studia Linguistica Germanica 71). Berlin/New York.
Fischer, Christian (1998): Die Stadtsprache von Soest im 16. und 17. Jahrhundert.
Variationslinguistische Untersuchungen zum Schreibsprachenwechsel vom
Niederdeutschen zum Hochdeutschen (Niederdeutsche Studien 43). Köln u. a.
Fujii, Akihiko (2006): Günther Zainers druckersprachliche Leistung. Untersuchun-
gen zur Augsburger Druckersprache im 15. Jahrhundert. Berlin.
GATE = General architectur for text engineering. URL: https://gate.ac.uk/ [Stand:
15.10.2017).

Glück, Helmut, Mark Häberlein und Konrad Schröder (2013): Mehrsprachigkeit in der frühen Neuzeit. Die Reichsstädte Augsburg und Nürnberg vom 15. bis ins frühe 19. Jahrhundert (Fremdsprachen in Geschichte und Gegenwart 10). Wiesbaden.

GND = Deutsche Nationalbibliothek, Gemeinsame Normdatei. URL: http://www.dnb.de/gnd [Stand: 15.10.2017].

Götze, Michael und Stefanie Dipper (2016): ANNIS: Complex Multilevel Annotations in a Linguistic Database. URL: https://www.linguistics.ruhr-uni-bochum.de/~dipper/pub/nlpxml06_webVersion.pdf [Stand: 23.03.2017].

Habermann, Mechthild (1994): Verbale Wortbildung um 1500: Eine historisch-synchrone Untersuchung anhand von Texten Albrecht Dürers, Heinrich Deichslers und Veit Dietrichs (Wortbildung des Nürnberger Frühneuhochdeutsch 2). Berlin/New York.

Hausendorf, Heiko, Wolfgang Kesselheim und Reinhold Schmitt (2016): Interaktionsarchitektur, Sozialtopografie und Interaktionsraum (Studien zur deutschen Sprache 72). Tübingen.

Hausendorf, Heiko und Reinhold Schmitt (2013): Interaktionsarchitektur und Sozialtopografie. Umrisse einer raumlinguistischen Programmatik. Arbeitspapiere des UFSP Sprache und Raum (SpuR) Nr. 01. Zürich. URL: https://doi.org/10.5167/uzh-78153 [Stand: 15.10.2017].

Herold, Jürgen und Christine Magin (2009): Die Inschriften der Stadt Greifswald (Die Deutschen Inschriften 77). Wiesbaden. URL: http://www.inschriften.net/greifswald.html [Stand: 23.03.2017].

Hille, Iris (2009): Der Teufelspakt in frühneuzeitlichen Verhörprotokollen (Studia Linguistica Germanica 100). Berlin/New York.

Hundt, Marianne (2008): Text corpora. In: Anke Lüdeling und Merja Kytö (Hgg.): Corpus Linguistics. An International Handbook. Bd. 1 (Handbücher zur Sprach- und Kommunikationswissenschaft 29.1). Berlin/Boston, S. 168–187.

Hünecke, Rainer (o.J.): Bibliographie des Internationalen Arbeitskreises Historischer Stadtsprachenforschung. URL: https://tu-dresden.de/gsw/slk/germanistik/gls/iak_hssf/ressourcen/dateien/biblio_syst?lang=de [Stand: 23.03.2017].

Lameli, Alfred (2015): Zur Konzeptualisierung des Sprachraums als Handlungsraum. In: Michael Elmentaler, Markus Hundt und Jürgen Erich Schmidt (Hgg.): Deutsche Dialekte. Konzepte, Probleme, Handlungsfelder (Zeitschrift für Dialektologie und Linguistik. Beihefte 158). Stuttgart, S. 59–83.

Landry, Rodrigue und Richard Y. Bourhis (1997): Linguistic Landscape and Ethnolinguistic Vitality. An Empirical Study. In: Journal of Language and Social Psychology 16 (1), S. 23–49.

Lefebvre, Henri (1977): Die Produktion des städtischen Raums. In: Arch plus 34, S. 52–57.

Meier, Jörg (2012): Kanzleisprachenforschung im Kontext Historischer Stadtsprachenforschung und Historischer Soziopragmatik. In: Albrecht Greule, Jörg Meier und Arne Ziegler (Hgg.): Kanzleisprachenforschung. Ein internationales Handbuch. Berlin/Boston, S. 29–41.

Mihm, Arend (2001): Oberschichtliche Mehrsprachigkeit und ‚Language Shift' in den mitteleuropäischen Städten des 16. Jahrhunderts. In: Zeitschrift für Dialektologie und Linguistik 68, S. 257–287.

Mihm, Arend (2010): Mehrsprachigkeit und Sprachdynamik im Mittelalter und in der frühen Neuzeit. In: Claudine Moulin, Fausto Ravida und Nikolaus Ruge (Hgg.): Sprache in der Stadt. Akten der 25. Tagung des Internationalen Arbeitskreises Historische Stadtsprachenforschung, Luxemburg, 11.–13. Oktober 2007. Heidelberg, S. 11–54.

Mihm, Arend (2016): Mehrsprachigkeit im mittelalterlichen Köln. In: Maria Selig und Susanne Ehrich: Mittelalterliche Stadtsprachen (Forum Mittelalter-Studien 11). Regensburg, S. 19–43.

Möhn, Dieter (2003): Die Stadt in der neueren deutschen Sprachgeschichte I: Hamburg. In: Besch u. a. (1998–2004), Bd. 3, S. 2297–2312.

Möhn, Dieter und Ingrid Schröder (2007): Sprachbedarf und Lexembildung am Beispiel der Grammatik des Mittelniederdeutschen. In: Hans Fix-Bonner (Hg.): Beiträge zur Morphologie. Germanisch, Baltisch, Ostseefinnisch (NOWELE 23). Odense, S. 227–258.

Möhn, Dieter und Ingrid Schröder (2009): Lexembildung im Aufriss einer Grammatik des Mittelniederdeutschen. Das Adjektiv als Exempel. In: Alexandra N. Lenz, Charlotte Gooskens und Siemon Reker (Hgg.): Low Saxon Dialects across Borders – Niedersächsische Dialekte über Grenzen hinweg (ZDL-Beiheft 138). Stuttgart, S. 38–59.

Moulin, Claudine (1999): Würzburger Althochdeutsch. Studien zur Bibeltextglossierung, Habilitationsschrift Bamberg.

Moulin, Claudine (2001): Glossieren an einem Ort. Zur althochdeutschen Glossenüberlieferung der ehemaligen Dombibliothek Würzburg. In: Rolf Bergmann, Elvira Glaser und Claudine Moulin-Fankhänel (Hgg.): Mittelalterliche volkssprachige Glossen. Internationale Fachkonferenz des Zentrums für Mittelalterstudien der Otto-Friedrich-Universität Bamberg, 2.–4. August 1999 (Germanische Bibliothek 13). Heidelberg, S. 353–376.

Müller, Peter O. (1993): Substantiv-Derivation in den Schriften Albrecht Dürers: Ein Beitrag zur Methodik historisch-synchroner Wortbildungsanalysen (Wortbildung des Nürnberger Frühneuhochdeutsch 1). Berlin/New York.

Müller, Peter O. (2015): Historical word-formation in German. In: Peter O. Müller u. a. (2015/2016), Bd. 3, S. 1867–1914.

Müller, Peter O. u. a. (Hgg.) (2015/2016): Word-Formation: An International Handbook of the Languages of Europe. 5 Bde. (Handbücher zur Sprach- und Kommunikationswissenschaft 40.1–5). Berlin/Boston.

Papen, Uta (2012): Commercial discourses, gentrification and citizens' protest: The linguistic landscape of Prenzlauer Berg, Berlin. In: Journal of Sociolinguistics 16 (1), S. 56–80.

Peters, Robert (2000): Die Rolle der Hanse und Lübecks in der mittelniederdeutschen Sprachgeschichte. In: Besch u. a. (1998–2004), Bd. 2, S. 1496–1505.

Peters, Robert (2015): Zur Sprachgeschichte des norddeutschen Raumes. In: Deutsch im Norden. Varietäten des norddeutschen Raumes. In: Jahrbuch für germanistische Sprachgeschichte 5, S. 18–35.

Peters, Robert (i. Dr.): Atlas spätmittelalterlicher Schreibsprachen des niederdeutschen Altlandes und angrenzender Gebiete (ASnA). In Zusammenarbeit mit Christian Fischer und Norbert Nagel. 3 Bde. Berlin/Boston.

Peters, Robert und Norbert Nagel (2014): Das digitale ‚Referenzkorpus Mittelniederdeutsch/Niederrheinisch‘ (ReN). In: Jahrbuch der Gesellschaft für Germanistische Sprachgeschichte 14, S. 165–175.

Peters, Robert und Norbert Nagel (2012): Fortlaufende Bibliografie der niederdeutschen, ostniederländischen und kleverländischen Regional- und Ortssprachen vom Spätmittelalter bis 1800. URL: http://www.uni-muenster.de/imperia/md/content/germanistik/lehrende/peters_r/nagel_peters_regional_und_ortssprachenbibliografie_30092012.pdf [Stand: 23.03.2017].

von Polenz, Peter (2012): Sprachgeschichte und Gesellschaftsgeschichte von Adelung bis heute. In: Dieter Cherubim, Karlheinz Jakob und Angelika Linke (Hgg.): Neue Deutsche Sprachgeschichte (Studia Linguistica Germanica 64). Berlin.

ReF = Referenzkorpus Frühneuhochdeutsch (1350–1650). URL: http://www.ruhr-uni-bochum.de/wegera/ref/ [Stand: 23.03.2017].

ReN = Referenzkorpus Mittelniederdeutsch/Niederrheinisch (1200–1650). URL: https://vs1.corpora.uni-hamburg.de/ren/ [Stand: 23.03.2017].

Schröder, Ingrid (2001a): Städtische Kommunikation zwischen Mündlichkeit und Schriftlichkeit. Greifswald im 15. Jahrhundert. In: Nd.Jb. 108, S. 101–133.

Schröder, Ingrid (2001b): Niederdeutsche Gelegenheitsdichtungen in den Vitae Pomeranorum. In: Robert Peters, Horst P. Pütz und Ulrich Weber (Hgg.): Vulpis Adolatio. Festschrift für Hubertus Menke zum 60. Geburtstag. Heidelberg, S. 751–769.

Schröder, Ingrid (2005): Niederdeutsche Gelegenheitsgedichte in den Vitae Pomeranorum. Textedition. In: Birte Arendt und Enrico Lippmann (Hgg.): Die Konstanz des Wandels im Niederdeutschen. Politische und historische Aspekte einer Sprache, Hamburg, S. 3–103.

Schröder, Ingrid und Dieter Möhn (2000): Lexikologie und Lexikographie des Mittelniederdeutschen. In: Besch u. a. (1998–2004), Bd. 2, S. 1435–1456.

Schulz, Matthias (2015a): Kirchenbibliotheken als sprachgeschichtliche Quelle. In: Markus Hundt und Alexander Lasch (Hgg.): Deutsch im Norden. Varietäten des norddeutschen Raumes (Jahrbuch für Germanistische Sprachgeschichte 6). Berlin, S. 276–297.

Schulz, Matthias (2015b): Stadtsprachen in historischen Bibliotheksbeständen. Stadtsprachliche Varietäten und Schreibsprachwechsel in Greifswald im Spiegel der Bibliothek des Geistlichen Ministeriums. In: Anna Karin, Silvia Ulivi und Claudia Wich-Reif (Hgg.): Regiolekt, Funktiolekt, Idiolekt: Die Stadt und ihre Sprachen. Göttingen, S. 173–192.

Schulz, Matthias und Peter Hinkelmanns (i. Dr.): Die Stadt als Text-Raum. Ein Korpus für die Untersuchung der Stadtsprachgeschichte Greifswalds. In: Schriften und Bilder des Nordens. Beihefte zur ZfdA.

Stichlmair, Tim (2008): Stadtbürgertum und frühneuzeitliche Sprachstandardisierung. Eine vergleichende Untersuchung zur Sprachentwicklung der Städte Emmerich, Geldern, Nimwegen und Wesel vom 16. bis zum 18. Jahrhundert (Studia Linguistica Germanica 94). Berlin/New York.

Stöwer, Ulrike (2002): Zur Lemgoer Stadtsprache des 16. Jahrhunderts am Beispiel des Stadtschreibers Heinrich Wippermann. Ein Beitrag zur Erforschung des niederdeutsch-hochdeutschen Sprachwechsels im Weserraum (Philologia 38). Hamburg.

Thomas, Barbara (2002): Adjektivderivation im Nürnberger Frühneuhochdeutsch um 1500. Eine historisch-synchrone Analyse anhand von Texten Albrecht Dürers, Veit Dietrichs und Heinrich Deichslers (Wortbildung des Nürnberger Frühneuhochdeutsch 3). Berlin/New York.

Urban Space Research Network. URL: http://www.usrn.de [Stand: 15.10.2017].

Warnke, Ingo (2011): Die Stadt als Kommunikationsraum und Linguistische Landschaft. In: Wilhelm Hofmann (Hg.): Stadt als Erfahrungsraum der Politik (Studien zur visuellen Politik 7). Münster, S. 343–363.

Warnke, Ingo H. und Beatrix Busse (Hgg.) (2014): Place-Making in urbanen Diskursen (Diskursmuster 7). Berlin u. a.

Wegera, Klaus-Peter (1998): Deutsche Sprachgeschichte und Geschichte des Alltags. In: Besch u. a. (1998–2004), Bd. 1, S. 139–159.

Wegera, Klaus-Peter und Heinz-Peter Prell (2000): Wortbildung des Frühneuhochdeutschen. In: Besch u. a. (1998–2004), Bd. 2, S. 1594–1605.

Werlen, Benno (2008): Sozialgeographie. 3. überarb. und erw. Aufl. Bern u. a.

Wilcken, Viola (2015): Historische Umgangssprachen zwischen Sprachwirklichkeit und literarischer Gestaltung. Formen, Funktionen und Entwicklungslinien des ‚Missingsch‘. Hildesheim u. a.

Alle lude mane ik dar to, dat se dit bok nutten so, alse id en to den eren nicht missesta

Untersuchungen zu einer verlorenen Sachsenspiegel-Handschrift

Jana Wolf, Heidelberg

„Ich ermahne jedermann, dass er dieses Buch so benutze, dass es ihm nicht zu Un-ehren gereiche."[1] So steht es in der Vorrede zum Sachsenspiegel und mahnt den Be-nutzer zum angemessenen Umgang mit dem Rechtsbuch. Darunter verstand der Ver-fasser sicherlich nicht, dass ein sorgfältig konzipierter und ausgeschmückter Codex auseinandergeschnitten und in seinen Einzelteilen über das schleswig-holsteinische Herzogtum verteilt würde.

Im Jahr 2005 sichtete Michael Gelting im Kopenhagener Reichsarchiv eine Fragmentgruppe, die man bislang dem Dithmarscher Landrecht zugeschrieben hat-te.[2] Er stellte fest, dass es sich dabei jedoch um Teile des Sachsenspiegels handelte. Daraufhin untersuchten die beiden Rechtshistoriker Frank-Michael Kaufmann und Bernd Kannowski die Fragmente und brachten sie mit zwei weiteren einzelnen Blät-tern in Kiel und Schleswig in Verbindung.[3] 2007 veröffentlichten sie ihre Ergebnisse,

---

1 Der Titel stammt aus der Reimpaarvorrede des Johann von Buch zum Sachsenspiegel, Kaufmann 2002, 1: 87, V. 183–185.

2 Kopenhagen, Reichsarchiv, Aftagne fragmenter 1072a–1074b und 1076a–1087d. Vgl. für die Einteilung und Benennung der Signaturen Anm. 4. An dieser Stelle sei Herrn Michael Gelting für seine Hilfe und Unterstützung herzlich gedankt.

3 Kiel, Universitätsbibliothek, Cod. ms. SH 608; Schleswig, Landesarchiv, Abt. 400.6 Nr. 241. Ratjen (1866: 517) erwähnt erstmals das Kieler Fragment. Vgl. außerdem: Steffen-hagen 1887: 340, Nr. 64; Homeyer 1931: 132, Nr. 573; Oppitz 1990–1992, 2: 587 Nr. 766; Oppitz 2011: 447; Kaufmann 2002, 3: 1537, Nr. 103. Das Schleswiger Fragment wurde erstmals von Oppitz (1990–1992, 2: 787; 2011: 447) erfasst. 2010 datierte und identifizierte der dänische Liturgieforscher Knud Ottosen neben 306 anderen Fragmenten aus der Abteilung 400.6 („Abgelöste Pergamentblätter") des Schleswiger Landesarchivs auch die Nr. 241. Er erkannte es vermutlich als ein Bruchstück des Richtsteig Landrechts, auch wenn er es nicht dementsprechend kategorisierte, da er für Nr. 241 angibt, das Frag-

die hauptsächlich auf die inhaltliche Erfassung des Codex discissus abzielten, und nahmen neben einer Beschreibung auch eine Transkription aller Fragmente mit der Einordnung in die entsprechenden mittelalterlichen Rechtstexte vor (Kannowski/ Kaufmann 2007). Darüber hinaus stellten sie Thesen zur Herkunft der Handschrift auf, die im ersten Teil der Untersuchung umrissen werden sollen. Die beiden Autoren gehen davon aus, dass es sich (1.) bei den Fragmenten um die Reste einer verlorenen Rechtshandschrift aus der Bordesholmer Klosterbibliothek handelt und dass diese (2.) mit einer Inkunabel zusammengebunden war, die sich heute in der Universitätsbibliothek Kiel befindet.

Das Anliegen dieses Beitrags soll es zum einen sein, die Thesen der beiden Autoren zu prüfen und aufzuzeigen, warum sie nicht haltbar sind. Zum anderen soll über eine linguistische und paläographische Analyse im zweiten Teil der Untersuchung ein Vorschlag für die Datierung und Lokalisierung der Handschrift gemacht werden.

1 Bei dem Codex handelt es sich um eine ehemalige Pergament-Handschrift, von der heute nur noch Doppelblätter, einzelne Blätter oder Pergamentstreifen erhalten sind. Die größten Blätter messen 330–335 × 245 mm, der Schriftspiegel weist eine Breite von 70–75 mm und eine Länge von 235–240 mm auf (vgl. auch Kannowski/ Kaufmann 2007: 86), der mittelniederdeutsche Text ist zweispaltig auf je 37 Zeilen geschrieben. Die Fragmentgruppe in Kopenhagen stellt den größten Teil des heutigen Codex discissus dar; insgesamt befinden sich zwölf Doppelblätter aus Pergament sowie sechs Pergamentstreifen, von denen drei abgelöst und drei noch in Konvolute mit Rechnungen eingenäht sind, im Reichsarchiv.[4]

Inhaltlich enthält der Codex nicht nur das sächsische Land- und Lehnrecht, also den Sachsenspiegel im eigentlichen Sinne, sondern auch Teile des Schwabenspiegels und des Richtsteig Landrechts. Die Kopenhagener Fragmente beinhalten Artikel aus

---

ment sei aus dem 14.–15. Jahrhundert und „Rechtlich und Administrativ", für Nr. 242 jedoch, es sei aus dem 16.–17. Jahrhundert und zwar ein „Rechtshandbuch: Richtsteig Landesrecht XI-XIII". Die Liste (Ottosen 2010) ist ausschließlich online einsehbar. Leider sind die Vorder- und Rückseite im Schleswig-Holsteinischen Landesarchiv vertauscht angegeben (fol. 1ʳ = 1ᵛ, 1ᵛ = 1ʳ), sie werden in der vorliegenden Arbeit berichtigt zitiert.

4 Kannowski/Kaufmann 2007: 83, Anm. 2 und 3. Die Signaturen ergeben sich wie folgt: „Ein jeder Bogen hat als offizielle Signatur eine arabische Ziffer (1076–1087); zur Spezifizierung der jeweiligen Seiten haben wir kleine Buchstaben hinzugefügt: die – nach heutiger Faltung – jeweils erste Seite eines Bogens trägt a, die zweite b, die dritte c und die vierte d. So ergeben sich die Signaturen Aftagne fragmenter 1076a–1087d. Ein jeder Streifen hat als offizielle Signatur eine arabische Ziffer (1072–74), die Vorderseite eines Streifens bezeichnen wir mit a, die Rückseite mit b. So ergeben sich die Signaturen Aftagne fragmenter 1072a–1074b. Einer der Streifen erhielt versehentlich beim Signieren zwei Ziffern (1074 und 1075). Dieser Fehler ist durch Streichung der Ziffer 1075 korrigiert worden. Das Fragment trägt nunmehr die Signatur 1074, die Signatur Aftagne fragmenter 1075 existiert aus diesem Grund nicht." Die Pergamentstreifen der Konvolute haben keine eigene Signatur, sie sind wie die Rechnungen bezeichnet.

dem zweiten Buch des glossierten Sachsenspiegel-Landrechts und des Lehnrechts (ohne Glosse) sowie „einzelne Artikel des Schwabenspiegel-Lehnrechts bzw. Teile einzelner Artikel, ohne daß eine Logik des Aufbaus in der Artikelfolge erkennbar ist" (Kannowski/Kaufmann 2007: 98). Die beiden Autoren haben in ihrem Beitrag ausführlich den Inhalt der Fragmente beschrieben und diese in der Reihenfolge, die die Fragmente nach der Ordnung der Bücher und Artikel hätten, aufgeführt (vgl. ebd.: 88–98). Das Kieler Fragment umfasst die Artikel 48 § 1 bis 51 § 1 des dritten Buches des Sachsenspiegel Landrechts mit artikelweise folgender Glosse zu Artikel 47 § 1 bis 50; das Fragment in Schleswig enthält die Artikel 11 § 1 bis 13 § 1 des Richtsteig Landrechts von Johann von Buch. Bei dem Richtsteig handelt es sich um ein Rechtsgangbuch, das „die verstreut stehenden Regeln über das Gerichtsverfahren zusammen[fasst] und [...] nach Gattungen und Arten der Rechtsansprüche" gliedert (Kaufmann 2002, 1: XXIIIf.). Der Verfasser des Richtsteig, der märkische Hofrichter Johann von Buch (1285/90 – nach 1356), war auch der erste Glossator des Sachsenspiegels (vgl. ebd.: XXIII sowie Oppitz 1990–1992, 1: 64).

Es handelt sich bei dem Codex discissus also um eine Rechtshandschrift mit Texten unterschiedlicher Natur, deren Überreste sich heute über den westlichen Ostseeraum verteilt finden. Die Provenienz der Kopenhagener Fragmentgruppe lässt sich bis ins 17. Jahrhundert zurückverfolgen (vgl. Kannowski/Kaufmann 2007: 84f.). Wie aus den Aufschriften des 17. Jahrhunderts auf einigen Fragmenten[5] nachzuvollziehen ist (vgl. Abb. 1), wurden die Doppelblätter als Bindematerial für Buchhaltungsunterlagen zweitverwertet (makuliert); die Streifen fanden vielleicht „als Einlegematerial wie eine Art Lesezeichen Verwendung" (ebd.). Das robuste Pergament umschloss die Geldregister für die Horsbüll- und Bökingharde[6] sowie für das Gut Sollwich, die alle drei Teil des Amtes Tondern gewesen waren. Der von den Fragmenten erfasste Zeitraum reicht von 1625 bis 1637, zu dieser Zeit gehörten die Verwaltungsbezirke zu den Besitztümern des Herzogs von Schleswig-Holstein-Gottorf.

Wahrscheinlich wurden die Kontounterlagen nach ihrer Fertigstellung in Tondern im 17. Jahrhundert jährlich zur Prüfung der herzoglichen zentralen Finanzverwaltung (Rentenkammer) nach Gottorf (Schleswig) übersandt und im dortigen Archiv verwahrt. Im Jahr 1713 beschlagnahmte der dänische König das Gottorfer Archiv, welches im folgenden nach Kopenhagen verbracht wurde. Dort war das Gottorfer Archiv anfänglich Teil der „Deutschen Kanzlei", ab 1855 gehörte es zu den Beständen des Reichsarchivs. Die Fragmente befanden sich in einem Papierumschlag. Nach der Handschrift auf diesem Umschlag zu urteilen, wurden sie im 19. Jahrhundert aus den Bindungen der Konten herausgelöst, vermutlich im Reichsarchiv kurz nach 1855. (Ebd.: 85f.)

---

5   Es handelt sich hierbei um die Fragmente 1076a, 1077a, 1078a, 1079a (nicht lesbar), 1080a, 1082a, 1083a, 1084a, 1085a, 1086a (Abb. 1) und 1087c.

6   Harde war die Bezeichnung von Gerichts- und Verwaltungsbezirken im Herzogtum Schleswig, vgl. Ibs/Dege/Unverhau 2004: 129.

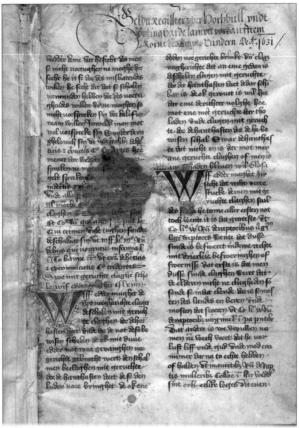

Abb. 1: Kopenhagen, Reichsarchiv: Aftagne fragment 1086a

Auf dem Kieler Fragment, das stärker beschnitten wurde als die Kopenhagener Gruppe, befindet sich über der rechten Spalte ebenfalls eine Aufschrift, bei der es sich um eine jener Buchhaltungsnotizen handeln könnte, die auch auf den Kopenhagener Fragmenten zu finden sind (vgl. Abb. 2). Emil Steffenhagen, wahrscheinlich Bezug nehmend auf Henning Ratjen, liest diese als „*fchenn* Harden de Anno 1633" und bringt sie mit den „Friesischen Harden" in Verbindung.[7] Es ist auffällig, dass das Jahr 1633 in der Mitte der durch die Kopenhagener Fragmente registrierten Periode liegt und die Schreibung der Jahreszahl mit denen der dänischen Pergamentblätter identisch ist.[8] Die Horsbüll- und die Bökingharde waren Harden der nordfriesischen

---

7   Vgl. Ratjen 1866: 517; Steffenhagen 1887: 340; 1891: 369: „Endlich hat H. Ratjen […] ein Kieler Fragment des glossierten Sachsenspiegels bekannt gemacht, dessen Provenienz auf die Friesischen Harden zurückgeht, welche durch ihre zeitweise Unterwerfung unter die Holsteinischen Grafen mit Holstein in Verbindung standen."

8   Auch bei den Aftagne fragmenter 1076, 1077, 1082, 1084, 1085 und 1086 ist über die Jahreszahl ein Balken gezogen, an den die *6* fast ganz heranreicht; vor allem Nr. 1076a und Cod. ms. SH 608 (Abb. 2) ähneln sich sehr stark.

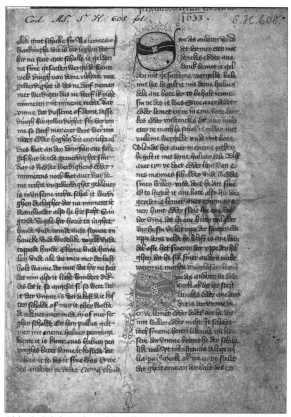

Abb. 2: Kiel, Universitätsbibliothek: Cod. ms SH 608, fol. 1r

Uthlande, die 1435 an den schleswigschen Herzog als Allodialbesitz gefallen waren (vgl. Falck 1825: 258). Ratjens und Steffenhagens Vermutung, das Kieler Fragment könnte von den Friesischen Harden stammen, erscheint plausibel.

Bis hierhin lässt sich die Provenienz der Handschrift gut verfolgen. Der auf diese Weise auseinandergerissene Codex mag außerdem ein Beispiel geben für das Schicksal, das viele Handschriften in einer Zeit erfahren haben, in der sie für die Zeitgenossen wertlos geworden und makuliert worden sind. Über Entstehung und Herkunft unserer Rechtshandschrift lassen sich abgesehen von dem Zeitpunkt der Makulatur nur wenig konkrete Angaben machen. Im Folgenden soll die These von Kannowski/Kaufmann (2007) zur Provenienz des Codex discissus erläutert und geprüft werden.

Im Jahre 1655 wurde die Klosterbibliothek des Augustiner-Chorherrenstiftes in Bordesholm durch Herzog Christian Albrecht aufgelöst und nach Kiel transferiert, um dort den Grundstock für die Universitätsbibliothek zu bilden (vgl. Steffenhagen 1887: 360). Dabei gelangte auch der Katalog der ehemaligen Klosterbibliothek nach Kiel. Der systematische Teil des Katalogs listet die Bestände der damaligen Klosterbibliothek nach Schränken auf (A–O), der vorangestellte alphabetische Teil umfasst 86 Seiten und nennt alle einzelnen Titel der Codices und Drucke.

Er verzeichnet im systematischen Teil unter der Signatur O.39 eine Ausgabe der „Summa de potestate ecclesiastica" von Augustinus de Ancona.[9] Dabei handelt es sich um eine 1475 in Köln hergestellte Inkunabel.[10] Der Frühdruck gelangte 1655 ebenfalls von Bordesholm nach Kiel und trägt heute die Signatur Cod. ms. Bord. 121, die ihn als aus dem Chorherrenstift stammend kennzeichnet. Der Katalog listet jedoch im alphabetischen Teil unter der Signatur O.39 auch einen „Landslöthel" (vgl. Merzdorf 1850: 20, Cod. ms. Bord. 1, fol. 81^r), einen „Rychtestych" (ebd., Cod. ms. Bord. 1, fol. 66^v) und die „Speculi saxonum summarie contenta" (ebd., Cod. ms. Bord. 1, fol. 73^v) auf.

Das bedeutet, dass die Signatur O.39 im alphabetischen Teil des Katalogs nicht nur die noch erhaltene Inkunabel bezeichnet, sondern auch drei Rechtstexte, die wahrscheinlich für sich, also unabhängig von ersterer, in einem Band zusammengebunden waren. Bereits 1884 hatte Steffenhagen die Frage aufgeworfen, inwieweit die Auflistung darauf schließen lasse, dass alle erwähnten Texte, sowohl der theologische als auch die drei juristischen, zusammen eine Bucheinheit bildeten (Steffenhagen/Wetzel 1884: 4, Anm. 5 u. 26). Mehrmals hat er auf den Verlust einer Handschrift des Richtsteig und des Sachsenspiegels aus der Bordesholmer Klosterbibliothek hingewiesen (Steffenhagen 1887: 359f.; 1891: 368f.). Er war der Meinung, dass Richtsteig und Sachsenspiegel aus dem Druck „herausgeschnitten" worden seien; der Band habe „vorne und hinten die entsprechenden Lücken."[11] Diese recht überraschende Aussage veranlasste Kannowski und Kaufmann dazu, sich die Inkunabel vorlegen zu lassen:

Die handschriftlichen Werke aus Bordesholm sollen sich in diesem [dem Druck des Augustinus de Ancona, J. W.] befunden haben und aus ihm herausgeschnitten worden sein. Wenn das zuträfe, könnte es sich dabei niemals um unsere Kopenhagener Fragmente handeln. Denn bei ihnen handelt es sich ja zum größten Teil um Doppelblätter; sie wurden also nicht herausgeschnitten, sondern herausgelöst. Auch würden die in dem Kieler Band zu findenden Reste der ehemals da-

---

9   Vgl. Cod. ms. Bord. 1, fol. 97^r. – Augustinus von Ancona (seit dem 16. Jahrhundert „Triumphus"), * 1270/72 in Ancona † 02.04.1328 in Neapel, stellte „sich Ende 1326 [mit der „Summa de potestate ecclesiastica"] in der Auseinandersetzung zw. Johannes XXII. und Ludwig dem Bayern entschieden auf die Seite des Papstes […]." Eckermann 1979: 742f. Vgl. auch Zumkeller 1980: 1230.

10 In dem sechs Blätter umfassenden „Catalogus Bibliothecae Bordesholmensis" aus dem 17. Jahrhundert, der dem Katalog von 1488 vorangestellt ist, findet sich in der Auflistung des systematischen Teils unter Ordo VIII, CXXI der Vermerk: *Augustinus de Ancona de Summa Potestate Ecclesiastica Colon. Agrip. 1475.* Vgl. Cod. ms. Bord. 1, fol. 2^r.

11 Steffenhagen/Wetzel 1884: 26. Den Landslöthel (Landschlüssel), der im Katalog ebenfalls als ein Teil der juristischen Sammelhandschrift genannt wird, lässt Steffenhagen dabei außer Acht. Bei diesem Text handelt es sich um „eine Gesamtverarbeitung des im Sachsenspiegel-Landrecht, der Landrechtsglosse und dem Schwabenspiegel […] enthaltenen Rechtsstoffes in alphabetischer Folge" (Oppitz 1990–1992, 1: 77).

rin befindlichen Blätter weder im Hinblick auf die Maße noch in Bezug auf das Material zu den Kopenhagener Fragmenten passen. [...] Das aber spricht nicht gegen die hier aufgestellte Vermutung der Identität unserer Fragmente mit der verlorengegangenen Bordesholmer Handschrift [...]. (Kannowski/Kaufmann 2007: 106f.)

Obwohl beide Autoren annehmen, dass „die von Steffenhagen genannten Werke sich niemals in diesem Einband befunden haben" (ebd.: 107), gehen sie gleichwohl davon aus, dass es sich bei der verlorenen Rechtshandschrift der Bordesholmer Klosterbibliothek um den Codex discissus handelt.

Die im Katalog aufgezählten Titel stimmen jedoch nicht alle mit den in den Fragmenten überlieferten Rechtstexten überein. Die Angabe „summarie contenta" hinter dem Titel „Speculi saxonum" weist darauf hin, dass es sich lediglich um eine vereinfachte Zusammenfassung oder Zusammenstellung des Sachsenspiegels handelt. Das Kieler Fragment sowie die Kopenhagener Gruppe überliefern jedoch den ausführlich glossierten Sachsenspiegel des Johann von Buch. Laut Kannowski/ Kaufmann beziehe sich dieser Titel daher auf das nur in Auszügen überlieferte Lehnrecht des Schwabenspiegels, denn: „Die Verwechslung von Schwabenspiegel und Sachsenspiegel liegt wiederum für eine Person, die über nur oberflächliche Kenntnis von deutschen Rechtsbüchern verfügt, nicht fern" (ebd.: 106). Ebenso sei die Verwechslung von Landschlüssel und Sachsenspiegel ein Fehler des Katalogschreibers:

Falls er, wie zu vermuten, aus dem klösterlichen Bereich stammte, sind tiefere Kenntnisse in Sachen deutsche Rechtsquellen unwahrscheinlich. [...] er war nicht in der Lage, das Abecedarium von einem (einfachen) glossierten Sachsenspiegel zu unterscheiden. Für einen in diesen Dingen kaum Versierten ist das auch nicht einfach. Vom äußeren Erscheinungsbild her können Handschriften der beiden Rechtsquellen sich täuschend ähnlich sehen. (Ebd.: 105f.)

Die Argumentation der beiden Autoren beruht also darauf, dass sie dem mittelalterlichen Bibliothekar des Augustiner-Chorherrenstiftes nicht zutrauen, die Bibliotheksbestände zu kennen und entsprechend zu inventarisieren.

Eine prosopografische Studie zum Bordesholmer Konvent und seiner Bibliothek von Kerstin Schnabel (2011) verdeutlicht jedoch, dass gerade um 1490 wahrscheinlich sechs der 14 Konventsmitglieder eine Universität besucht hatten. „Fünf Personen geben sich zugleich als Schreiber zu erkennen."[12] Schnabel untersucht das Verhältnis zu Büchern und das Sammelverhalten einiger Chorherren. Besonders der Klerikerjurist Marquard Brand, der in Prag, Erfurt und Bologna Recht studierte, und sein Famulus Jakob Smyd, der mit ihm zusammen in Bologna juristische Studienliteratur abschrieb, treten Mitte des 15. Jahrhunderts als Pröpste in Erscheinung, die die (juristischen) Bestände der Bibliothek erweiterten.[13] Der Klosterkatalog wurde

---

12 Schnabel 2011: 64: „Insgesamt sind ungefähr 60 Chorherren des 15. Jahrhunderts namentlich bekannt, von denen 14 als Schreiber tätig waren, also ungefähr 25%."

13 Ebd.: 69: „Smyd war von ca. 1448–1462, mit einer zeitweiligen Unterbrechung, Propst in Bordesholm."

wohl in Vorbereitung auf den Anschluss des Bordesholmer Konvents an die Windes-
heimer Reform um 1490 von Propst Johannes Reborch und Prior Johannes Meyer
erstellt, um den Bestand zu überprüfen und in einer „Tabula librorum bibliothecae"
festzuhalten (vgl. Stork 2009: 408). Johannes Meyer sei laut Friedrich Merzdorf
außerdem der Verfasser eines Verzeichnisses einer Lübecker Kirchenbibliothek (vgl.
Merzdorf 1894: 55). Der Katalog wurde also nicht von einem einfachen Konvents-
mitglied erstellt, und der Bestand der Bibliothek ist seit der Jahrhundertmitte sorgfältig gepflegt und erweitert worden.

Es lässt sich festhalten, dass von den drei im Katalog genannten Titel nur der
Richtsteig mit den überlieferten Texten der Fragmente übereinstimmt. Eine weitere
Frage ist die der gemeinsamen Überlieferung von Handschrift und Inkunabel in ei-
nem Einband, von der Kannowski/Kaufmann ausgehen:

> Trotz des Irrtums bei Steffenhagen steht allerdings – wenn man dem Katalog
> von 1488 Glauben schenkt – fest, daß damals der Druck von 1475, der sich
> heute noch in der Kieler Universitätsbibliothek befindet, sowie die juristischen
> Texte zusammengebunden waren. (Kannowski/Kaufmann 2007: 107)

Sollte dies tatsächlich der Fall gewesen sein, so müssten die Maße des Codex discissus weitgehend mit denen der Inkunabel übereinstimmen – die Fragmente sind
jedoch viel größer als der Wiegendruck. Selbst wenn der Buchblock des Drucks
für einen neuen Einband noch einmal beschnitten worden wäre, könnte dies nicht
den Größenunterschied zu den größten der Kopenhagener Fragmente erklären, die
über vier Zentimeter mehr messen als die Inkunabel. Überdies ist unwahrscheinlich,
dass eine ältere Rechtshandschrift mit einem neuen Wiegendruck des Augustinus de
Ancona zusammengebunden würde, um dann wenige Jahre später wieder aufgelöst
zu werden. Darüber hinaus ist auch die Vermutung anzuzweifeln, dass die Inkunabel
jemals aus ihrem ursprünglichen Einband gelöst wurde, der, wie Kannowski/Kauf-
mann selbst berichten, aus dem späten 15. Jahrhundert stammen soll (vgl. ebd.: 108,
Anm. 149).

Weder stimmen die in den Fragmenten überlieferten Rechtstexte mit den in dem
Klosterkatalog genannten Titeln überein, noch lässt sich bestätigen, dass der Codex
discissus jemals in der Bordesholmer Bibliothek gelegen hat. Es handelt sich bei den
noch erhaltenen Teilen unserer Handschrift nicht um Reste der unter der Signatur
O.39 aufgeführten Rechtshandschrift.

2   Im zweiten Teil soll nun über eine linguistische und paläographische Analyse der
Fragmente versucht werden, den Codex discissus räumlich und zeitlich einzuordnen.
Die Schreibsprache der Fragmente weist überwiegend die mittelniederdeutschen
(mnd.) Normalformen auf, die größtenteils dem nordniederdeutschen (nordnd.)
Sprachgebiet entsprechen. Im Folgenden werden daher Phänomene beschrieben,
die von der Normalform abweichen, etwas über die Entstehungszeit der Fragmente
aussagen oder aufgrund anderer Merkmale helfen, die Sprache der Fragmente bes-

ser einzuordnen. Die Häufigkeit der jeweiligen Form sowie Nebenvarianten werden nachfolgend in Klammern angemerkt.[14]

Im Vokalismus finden sich einige Formen aus der Frühzeit des Mnd., also aus dem 13. und 14. Jahrhundert. Der Kontinuant von westgermanisch (wg.) /a/ wurde vor den Konsonantenverbindungen /ld/, /lt/ schon früh zu /o/ verdumpft (vgl. Peters 2012b: 41 f.), und zwar besonders im nordnd. Sprachraum. In den Fragmenten wird neben der Normalform *holden* (5) 'halten' auch *halden* (7) verwendet. Die Längenbezeichnungen von /e:/ und /o:/ in geschlossenen (und offenen) Silben unterbleiben häufig, was ebenfalls ein Zeichen des frühen Mnd. ist (vgl. ebd.: 46). Das aus wg. /e:/ und /eo/ entstandene lang geschlossene /e:/ wird in geschlossener Silbe nur in einer Wortform als Digraphie wiedergegeben (*teen* [3] 'ziehen'), ansonsten ist <e> belegt. In offener Silbe ist die Längenbezeichnung ebenfalls selten: *he* (51) 'er' neben *hee* (2), der bestimmte Artikel *de* (48) neben *dee* (2). Die aus wg. /o:/ und dem wg. /au/ entstandenen langen ô-Vokale werden selten durch <oo> oder <oe> repräsentiert, <o> überwiegt: *mot* (4) 'muss', *dot* (1) neben *doet* (6) 'tut', *dot* (2) neben *doet* (1) 'tot', *soo* (1) 'so', *grot* (1) 'groß', *noth* (2) 'Not', *oghen* (1) 'Augen', *g(h)ekoft* (2) 'gekauft', *ok* (1) 'auch'. Die vermehrte Kürzung der Tonlängen vor *-el* und *-er*, jedoch kaum vor *-en*, *-ich* und *-ing* kann als Indiz für den nordnd. Sprachraum gesehen werden, in dem sich die aus dem Ostfälischen kommende Kürzung nur teilweise durchsetzen konnte (vgl. ebd.: 45): *reddeliken* (1) 'vernünftig' neben *redeliken* (1), *edder* (27) 'oder' neben *eder* (1), *bedderven* (1) 'rechtschaffen'.

Weitere frühe Formen im Konsonantismus sind die Realisierungen *then* (1) 'denn' für das vormnd. /þ/, das sich über <th> zu <dh> zu mnd. /d/ entwickelte (vgl. ebd.: 51) sowie das frühmnd. <sc> neben dem klassischen mnd. <sch>: *scal* (1) 'soll' neben *schal* (5). Die Seltenheit dieser beiden Varianten spricht jedoch dafür, dass sie von einer Vorlage übernommen wurden oder dass es sich um spezielle Gewohnheiten des Schreibers oder des Skriptoriums handelt. Die häufige Verwendung des Präfix *g(h)e-* sowie die überwiegende Endung der Verben im Pl. Präs. Ind. auf *-en* statt *-et* im morphologischen Bereich (letztere sind in den folgenden Beispielen unterstrichen) weisen auf das klassische Mnd. des 15. Jahrhunderts hin (vgl. ebd.: 52 f.): *gesatten* (2), *gewerdighet* (4), *g(h)ekoft* (2), *g(h)eweren* (2), *geschut*, *gebleven*, *angesat*, *ghesecht*, *gesacht*, *geredet*, *geboret*, *gedan*, *genomen*, *gestolen*, *getogen*, *gheervet*, *gehut* (jeweils 1). Die 3. Pers. Sg. Präs. Ind. von *hebbe* 'haben' ist synkopiert flektiert, entspricht also der nordnd. Normalform (*heft* [4]), das hochdeutsche (hd.) *hân* ist hingegen nicht belegt. Dies spricht gegen hd. Einflüsse des weiter fortgeschrittenen 15. Jahrhunderts.

Die morphologischen Varianten weisen zum größten Teil nordnd. Formen auf: 'sollen' wird mit initialem <sch> realisiert: *schal* (5), *schole* (9), *scholle* (4), *schulle* (4). Der Einheitskasus der 1. und 2. Pers. des Personalpronomens wird zumeist auf der Grundlage des Dativs gebildet: *mi* (1), *di* (4) (neben *dy* [1]), *uns-* (7), *iu* (2). Es

---

14 Die Analyse orientiert sich methodisch zum größten Teil an den 1987–1990 veröffentlichten linguistischen Forschungen des Mittelniederdeutschen von Robert Peters, die noch einmal gesammelt von Robert Langhanke herausgegeben wurden (Peters 2012a).

gibt allerdings auch ost- und westfäl. Varianten einiger Realisierungen. Das unregelmäßige Verb 'wollen' wird in der 2. Pers. Sg. Präs. Ind. *wultu* (3) flektiert, was vor allem als ostfäl. Variante gilt (vgl. Peters 2012b: 58). Für den Einheitskasus der 2. Pers. ist neben der Dativ-Form zudem die ostfäl. Akkusativ-Bildung *dik* (1) belegt. Für das Präteritopräsens 'sollen' ist für „den Pl. Präs. Ind. [...] die westfäl. Schreibung mit einfachem *l* in frühmnd. Zeit weiter verbreitet" (ebd.: 57). Da das Westfälische im Anlaut <s> oder <z> aufweist, könnten die Belege im Text einen Verweis auf die Frühzeit bedeuten: *schal* (5), *schole* (9). Die Form *gesacht* (1) im Part. Prät. von *seggen* sowie das umlautlose Präteritum auf /a/ gelten hingegen als westfäl. (vgl. ebd.: 55): *gesatten* (2) 'gesetzt'. Während die unregelmäßigen Verben 'gehen' und 'stehen' in der 2. und 3. Pers. Sg. Präs. Ind. nach der mnd. Normalform *g(h)eit* (2) und *steit* (4) gebildet werden, belegt die Form *doet* (2) für 'tun' statt *deit* wiederum einen westfäl. Einfluss (vgl. ebd.: 58f.).

Die Realisation der Pronomina entspricht den nordnd. Normalformen, nur die bereits beschriebene Form *dik* und das Demonstrativpronomen *dusseme* (1) 'dieser/ diese' weisen ostfäl. Reflexe auf. Die Form *also dane* (1) für das Demonstrativum 'solcher, -e, -es' „ist wohl im 14. Jahrhundert häufiger als in späterer Zeit" (ebd.: 87f.). Der Befund weist also darauf hin, dass der Schreiber des Codex discissus aus dem nordniederdeutschen Raum kam. Die Reflexe der ost- und westfälischen Varianten stammen sehr wahrscheinlich von einer oder mehreren Vorlagen, da sie nur vereinzelt auftreten, oder sind Gewohnheiten des Schreibers. Die frühmnd. Merkmale weisen darauf hin, dass sich die Schreibsprache noch in der Tradition des ausgehenden 14. Jahrhunderts oder im Übergang zum beginnenden klassischen Mnd. des 15. Jahrhunderts befindet.[15] Ein Vergleich der Fragmente mit den Schreibtraditionen in Lübeck, Kiel und Bordesholm zeigt ebenfalls, dass die Wortformen häufig mit dem Nordnd. übereinstimmen (vgl. Peters 2012c: 251f.): Sowohl im Codex discissus als auch in den drei Schreiborten gelten die Varianten *scholen, minsche, hilge*, die Pronomina *mi* und *di* (bzw. *my* und *dy*), *em(e), en(e), ere, desse* und *sulve*, die Adverbien *wo, wor* und *wol* sowie die Präposition *up(pe)*. Die Ordinalzahl *drudde* 'dritte' findet sich in Bordesholmer Urkunden und ist in Lübeck als Nebenvariante belegt; das Indefinitum *nên* 'nein' ist in Kiel und Bordesholm belegt, die Präposition *âne* 'ohne' hingegen nur in Lübeck.

Die nachfolgende paläographische Analyse soll die Schrift des Codex zunächst beschreiben und in einem zweiten Schritt einordnen und über einen Vergleich datieren.[16] Der Befund der Hauptschrift ergibt: Das *a* ist einbogig (Z. 1 *allike, Na*; Z. 2 *wardinghe, dar, dat*). Die Buchstaben *l, k, h, d, b* und *v* (Z. 1 *allike*; Z. 2 *wardinghe*; Z. 17 *gebleuen*; Z. 21 *vogele*) sind an den Oberschäften mit Schleifen versehen,

---

15 Dafür spricht auch die häufige Verwendung des postkonsonantischen <h>: *ieghen* (1), *-werdighe-* (6), *-dingh(e)* (7), *clegher-* (7), *iaghe-* (2), *then* (1), *secghen* (2), *penningh-* (5), *oghen* (1), *hilghen* (1), *volghet* (1), *gheit* (1), *ghe-* (8), *tho* (2), *tughen* (1), *-claghe-* (6), *vraghe* (13), *moghe* (4), *anevanghe* (1), *gherne* (1), *vorlegghen* (1), *langhe* (2), *ghud* (1), *uthkome* (1), *negher* (3), *-ghande* (2).

16 Die Beschreibungen beziehen sich auf Cod. ms. SH 608 fol. 1ʳ (Abb. 2) und 1ᵛ (Abb. 4) und bezeichnen bei keiner weiteren Angabe die linke Spalte der Vorderseite (Abb. 3).

beim *w* sind diese doppelt (Z. 2 *wardinghe*; Z. 4 *wergelde, wente*; Z. 6 *gewerdighet*). Das *g* ist zumeist offen und nach links unten ausgezogen (Z. 1 *grot*; Z. 2 *wardinghe*; Z. 5 *dingh*), allerdings findet sich auch die geschlossene Form (Z. 6 *gewerdighet*; Z. 12 *hogheren*). Die *f*- und *ſ*-Formen sind leicht verdickt (zwei Federstriche an den Oberschäften) und laufen spitz nach unten aus (Z. 1 *ſchulle, ſin*; Z. 3 *ſteit, ſcholle*; Z. 6 u. 7 *darf*; Z. 9 *of*). Wie das *p* und das *q* reichen *f* und *ſ* bis unter das Mittelband (Z. 32 *pullus*; Z. 33 *penninge*; fol. 1ʳᵇ, Z. 22 und 23 *uppe*). Das *e* ist einfach geformt und ähnelt dem *c* (Z. 1 *allike, iennes*; Z. 2 *ieghen*; Z. 3 *ſteit, men, ſcholle, gelden*). Ein doppeltes *n* oder ein einfaches oder doppeltes *m* sowie die aufeinander folgenden Buchstaben *n, i* oder *m* werden in einem Federzug geschrieben (Z. 1 *iennes*; Z. 4 *ſime*; Z. 5 *deme*; Z. 6 *neman*; Z. 8 *minnere mit mineme*; Z. 9 *vmme*). Am Wortende wird durchgehend das Rücken-*s* verwendet (Z. 1 *iennes*; Z. 6 *is, des*; Z. 7 *das*). Das *r* wird in zwei Zügen aus geradem Schaft und oben angesetzter Fahne gebildet (Z. 1 *grot*, Z. 2 *wardinghe, dar*; Z. 3 *hir*; Z. 5 *richtere*); außerdem beobachten lässt sich das aus der OR-Ligatur stammende runde ɔ (Z. 5 *voɔe*; Z. 19 *antwoɔder*; Z. 20 *hoɔet*). Bei *antwoɔder* steht die Ligatur zudem in Bogenverbindung (ebenso Z. 25 und Z. 26 *doɔ*); besonders häufig treten auch *de* in Bogenverbindung auf (Z. 3 *gelden*; Z. 4 *wergelde*; Z. 9 *deme*). Bei doppeltem *t* ist der zweite Schaft überhöht und mit einer Schleife versehen (Z. 4 *gesatten*; fol. 1ʳᵇ, Z. 5 *gesatteme*), eine Verbindung, die noch aus der ct-Ligatur herrührt. Das *h* wird unter die Zeile geführt und ist meist gerade, manchmal leicht nach links gezogen, gleiches gilt für das *n* (Z. 1 *ſchulle*; Z. 2 *wardinghe, ieghen*; Z. 3 *ſcholle, gelden*; Z. 4 *gesatten*). Einige *n* werden am Wortende noch einmal nach rechts umgezogen (fol. 1ᵛᵇ, Z. 2 *man*; Z. 15 *men*; Z. 20 *binnen*; Z. 30 *ſchillinghen*). Über dem *i* ist fast immer ein Strich gezogen (Ausnahmen beispielsweise Z. 1 *allike*, Z. 23 *werdelike*; fol. 1ʳᵇ, Z. 6 und 11 *ıt*, Z. 14 *ıt mıt*, Z. 23 *blıft*; fol. 1ᵛᵃ, Z. 34 *lıff*). Reicht ein Wort nicht bis an das Ende der Zeile heran, wird es häufig mit einem im Mittelband gezogenen Strich bis zum Zeilenende verlängert (Z. 1 *iennes–*; Z. 2 *dat–*; Z. 14 *ſint–*; Z. 15 *edder–*).

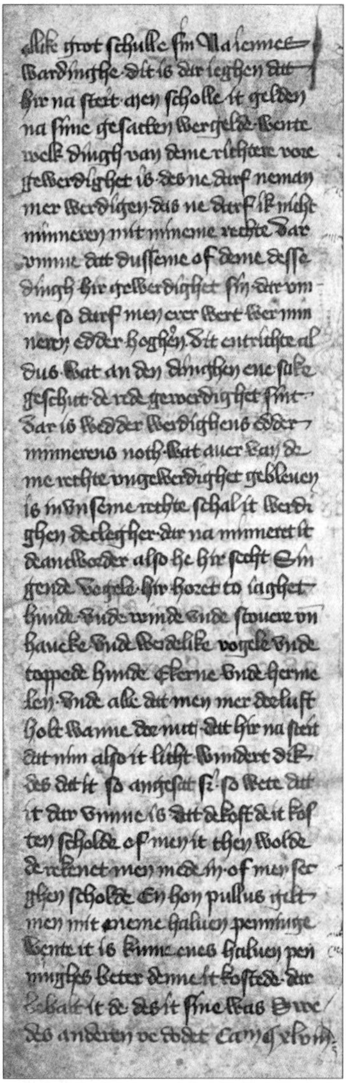

Abb. 3: Kiel, Universitätsbibliothek: Cod. ms SH 608, fol. 1ra

Bei der vorliegenden Schrift handelt es sich um eine Bastarda, die noch viele Merkmale der gotischen Kursive aufweist. Wichtigstes Distinktionsmerkmal ist das *r*, das in der gotischen Kursive einen tief gespaltenen Schaft aufweist und in einem Zug geschrieben wird. Das *r* dieses Codex wird hingegen aus einem geraden Schaft

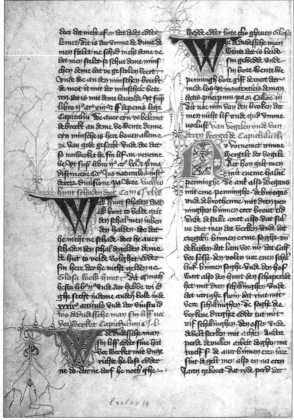

Abb. 4. Kiel, Universitätsbibliothek: Cod. ms SII 608, fol. 1v

und einer angesetzten Fahne gebildet. Die Schleifenbildung der Kursive bei *b*, *h*, *k*, *l* und dem Schaft des *d*, die sich in der Urkundenschrift entwickelt hatten, ist jedoch noch vorhanden (Bischoff 2009: 188). Auch *v* und *w* werden am Wortanfang mit Schleifen versehen – dies ist laut Bernhard Bischoff eine Erscheinung des Übergangs vom 14. zum 15. Jahrhundert.[17] Die Unterscheidung der Schriftformen und der Terminologie für diesen Zeitraum differiert;[18] die Schriften stehen sich nah, teilweise werden die geschleiften Bastarden sogar zu der gotischen Kursive gerechnet (vgl. Schneider 1999: 71).

Bischoff hebt bei seiner Beschreibung verschiedener europäischer Bastarden eine holländisch-niederdeutsche Form von den übrigen Bastarden Deutschlands ab. Sie sei schleifenlos, „meist schwerer und stumpfer wie die dortigen Schriften insge-

---

17 Bischoff 2009: 189: „Um die Wende vom XIV. zum XV. Jahrhundert sinkt die Bücherkursive in Deutschland zusammen: man will jetzt runde Schlingen schreiben; eine Folge ist die Möglichkeit der Verwechslung von *b* und *v*, von *lb* und *w*.“

18 Vgl. die Lieftinck'sche Nomenklatur (Bischoff/Lieftinck/Battelli 1954) mit der Einteilung von Derolez (2003).

samt; sie ist um 1425 geschaffen worden" (Bischoff 2009: 193). Schneider schließt sich dem an:

> Einige wenige formale Veränderungen, deren erstes Auftreten sich zeitlich einigermaßen festlegen läßt, wurden zwar nicht von allen Schreibern übernommen, erscheinen aber doch in den unterschiedlichen kalligraphischen Stilebenen der Bastarda, so daß sie als allgemeine, zum Datieren geeignete Schriftentwicklung gelten können. Dazu gehört in erster Linie die schleifenlose Bastarda. Die frühen Bastarden des deutschen Sprachraums haben bis etwa 1420 sämtlich die durchgezogenen Schleifen an den Oberschäften von b, h, l, k und am Schaft von d, die mit den Buchkursiven des 14. Jahrhunderts aufgekommen waren: diese frühen Bastarden weisen oft noch viel Ähnlichkeit mit den jüngeren Kursiven auf und erscheinen in zahlreichen Übergangsformen. [...] Schleifenlose Bastarda erscheint in ersten vereinzelten Beispielen kurz vor 1420, wird in den zwanziger Jahren häufiger und gewinnt vor allem in den Niederlanden und von dort in den deutschen Nordwesten ausstrahlend verbreitetere und konsequentere Anwendung als in anderen Ländern." (Schneider 1999: 71)

In der von Johan Gumbert untersuchten Utrechter Kartäuserbibliothek aus dem frühen 15. Jahrhundert (1974) werden etwa fünfzig Handschriften eingehend von ihm beschrieben und eingeordnet; all diese Codices sind vor 1430 entstanden (vgl. Gumbert 1974: 1). Die Untersuchung bietet Gelegenheit, die bereits innerhalb dieses eng gesteckten Rahmens auftretenden Differenzen der einzelnen Schriftformen zu beobachten.[19] Neben anderen (vgl. ebd.: Abb. 5–7, 9 und 13) weist besonders die Schrift des Schreibers 390A mit dem Codex discissus übereinstimmende Formen auf,[20] die Gumbert als „schöne zierliche Cursiva formata" (ebd.: 111) beschreibt und aufgrund der Schleifenbildung nicht der Hybrida (= Bastarda) zuordnet. Das Wirken des Schreibers 390A im Skriptorium des Klosters datiert Gumbert (ebd.: 116f.) um 1407 bis etwa 1414. Übertragen auf den Codex discissus kann also festgehalten werden, dass dieser bereits im frühen 15. Jahrhundert verfasst worden ist; insbesondere, da sich nach dem ersten Viertel des 15. Jahrhunderts vermehrt eine schleifenlose Bastarda beobachten lässt.

Im Zuge der Untersuchung der Fragmente dürfen auch die Initialen nicht außer Acht gelassen werden. Der Codex ist reich an Filigraninitialen,[21] die sich eindeutig einer Knospenform zuordnen lassen. Diese Form hatte sich in der zweiten Hälfte

---

19   Gumbert selbst unterscheidet nach der Lieftinck'schen Nomenklatur eine „Textualis" und eine „Cursiva", die er wiederum nach Niveau in „currens", „libraria" und „formata" unterteilt. Gumbert 1974: 204f.

20   Vgl. ebd.: Abb. 27f. und Abb. 33f. Neben der generellen Übereinstimmung der geschleiften Schäfte, den Doppelformen des *r*, den *i*-Strichen und dem offen ausgezogenen *g* lassen sich ebenfalls Doppelformen des *w* erkennen; bei geschleiftem *w* und doppeltem *l* verschmelzen die Schleifen genau wie beim Codex discissus.

21   Terminologisch ist der Begriff „Filigraninitiale" schwierig. Im Französischen selbst heißt es „majuscule" oder „lettre filigranée", im Italienischen daran angelehnt „iniziale filigranata", im Englischen wiederum spricht man von „(pen-)flourish initial". Im Deutschen

des 13. Jahrhunderts entwickelt und über Frankreich und Flandern bald in Europa
ausgebreitet. Für die weitere Entwicklung der Filigraninitiale im 14. Jahrhundert
scheinen es vor allem auf regionaler Ebene Skriptorien oder Werkstattbetriebe zu
sein, die individuelle Motive und Formen finden, die bis zu einem gewissen Punkt
ausformuliert werden und in ihrer Verwendung schließlich stagnieren. Solche Zent-
ren sind beispielsweise für das oberrheinische und niederösterreichische Gebiet untersucht worden.[22]

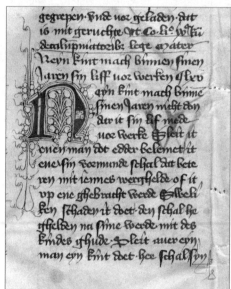

Abb. 5: Kopenhagen, Reichsarchiv: Aftagne
fragment 1086b (Detail)

Abb. 6: Utrecht, Universiteitsbibliotheek,
Ms. 313, Gerard Zerbolt: De spiritualibus
ascensionibus, fol. 2r (Detail)

Es gibt darunter übergreifend verwendete Motive, die sich auch bei den hier untersuchten Initialen wiederfinden lassen. Es sind vor allem die spiraligen und wiegen-
artigen Rankenformen der Knospen, die als stilbildend anzusehen sind. Außerdem
lassen sich immer wieder Perlenmotive, häufig mit Froschlaich gefüllt, und Fibrillen
finden.

Ein Vergleich mit der von Gumbert untersuchten Bibliothek zeigt erneut eine
große Übereinstimmung in der Formensprache des niederländischen Skriptoriums
mit dem Codex discissus. Besonders hervorheben lassen sich die Knospenbüschel
im Binnenfeld, die rautenförmigen Aussparungen in den Buchstabenkörpern und die
Verwendung der Fibrillen (vgl. Abb. 5 und 6).

---

    wird jedoch synonym zur „Filigraninitiale" meist der Begriff „Fleuronnée" verwendet.
    Vgl. Augustyn 1996; Jakobi-Mirwald 2008.

22   Vgl. Beer 1959 und Fingernagel/Roland 1997. Beide Untersuchungen beschränken sich
    dabei auf einen Zeitraum bis 1350, da laut Beer dieses Datum „als Beginn der Degene-
    ration und des Verfalls der hier zur Betrachtung herangezogenen Filigranornamentik" zu
    betrachten sei (Beer 1959: 5).

Zusammenfassung

Der vorliegende Beitrag beschäftigt sich mit einem norddeutschen Codex discissus, der erstmals 2007 von Kannowski/Kaufmann vorgestellt wurde. Es konnte gezeigt werden, dass die Theorie zur Herkunft der Handschrift aus dem Bordesholmer Augustinerchorherrenstift sich nicht bestätigen lässt. Aufgrund der heutigen Forschungslage gibt es kein Indiz dafür, dass der Codex derjenige ist, der einst im Bordesholmer Bibliothekskatalog mit der Signatur O.39 bezeichnet wurde.

Die sprachliche und paläographische Analyse konnte hingegen nachweisen, dass die Handschrift vermutlich im frühen 15. Jahrhundert im norddeutschen Raum entstanden ist. Über diese Erkenntnisse hinaus lassen sich nur schwerlich Vermutungen zum genaueren Entstehungskontext anstellen.

Literatur

Augustyn, Wolfgang u. a. (1996): Fleuronné. In: Reallexikon zur Deutschen Kunstgeschichte 9, Sp. 1113–1196.

Beer, Ellen Judith (1959): Beiträge zur oberrheinischen Buchmalerei in der ersten Hälfte des 14. Jahrhunderts unter besonderer Berücksichtigung der Initialornamentik. Basel.

Bischoff, Bernhard, Gerard Lieftinck und Giulio Battelli (1954): Nomenclature des écritures livresques du IXe au XVIe siècle (Sciences Humaines IV). Paris.

Bischoff, Bernhard (2009): Paläographie des römischen Altertums und des abendländischen Mittelalters. 4., durchges. und erw. Auflage. Berlin.

Derolez, Albert (2003): The Palaeography of Gothic Manuscript Books from the Twelfth to the Early Sixteenth Century. Cambridge.

Eckermann, Williges (1979): Augustinus Triumphus. In: Gerhard Krause und Gerhard Müller (Hgg.): Theologische Realenzyklopädie. Bd. 4. Berlin/New York, S. 742–744.

Falck, Niels (1825): Handbuch des schleswig-holsteinischen Privatrechts I. Altona.

Fingernagel, Andreas und Martin Roland (1997): Mitteleuropäische Schulen I (ca. 1250–1350) (Österreichische Akademie der Wissenschaften, phil.-hist. Klasse, Denkschriften 245). 2 Bde. Wien.

Gumbert, Johan (1974): Die Utrechter Kartäuser und ihre Bücher im frühen fünfzehnten Jahrhundert. Leiden.

Homeyer, Carl Gustav (1931): Die deutschen Rechtsbücher des Mittelalters und ihre Handschriften. Neu bearb. von Conrad Borchling, Karl August Eckhardt und Julius von Gierke. Zweite Abt.: Verzeichnis der Handschriften. Weimar.

Ibs, Jürgen H., Eckart Dege und Henning Unverhau (Hgg.) (2004): Historischer Atlas Schleswig-Holstein. Bd. 1: Vom Mittelalter bis 1867. Neumünster.

Jakobi-Mirwald, Christine (2008): Buchmalerei. Terminologie in der Kunstgeschichte. 3., überarb. und erw. Auflage. Berlin.

Kannowski, Bernd und Frank-Michael Kaufmann (2007): De glosen les mit vlite. Über neu aufgefundene Rechtsbücherfragmente aus Kopenhagen. In: Zeitschrift der Savigny-Stiftung für Rechtsgeschichte, Germanistische Abteilung 124, S. 82–119.

Kaufmann, Frank-Michael (Hg.) (2002): Glossen zum Sachsenspiegel-Landrecht. Buch'sche Glosse (MGH, Fontes Iuris Germanici Antiqui, Nova series VII). 3 Bde. Hannover.

Merzdorf, Johann Friedrich (1850): Bibliothekarische Unterhaltungen 2. Oldenburg.

Merzdorf, Johann Friedrich (1894): Beiträge zur Kenntnis älterer Bibliotheken. In: Serapaeum 10/4, S. 94–61.

Oppitz, Ulrich-Dieter (1990–1992): Deutsche Rechtsbücher des Mittelalters. 3 Bde. Köln/Wien.

Oppitz, Ulrich-Dieter (2011): Ergänzungen zu „Deutsche Rechtsbücher der Mittelalters und ihre Handschriften". In: Zeitschrift der Savigny-Stiftung für Rechtsgeschichte, Germanistische Abteilung 128, S. 440–454.

Ottosen, Knud (2010): Landesarchiv Schleswig-Holstein, Abt. 400.6, Abgelöste Pergamentblätter. Verzeichnis mit Inhaltsangaben und Digitalaufnahmen. URL: http://www.liturgy.dk/files/gottorp-final.html [Stand: 15.02.2017]

Peters, Robert (2012a): Mittelniederdeutsche Studien. Gesammelte Schriften von 1974–2003. Hg. von Robert Langhanke. Bielefeld

Peters, Robert (2012b): Katalog sprachlicher Merkmale zur variablenlinguistischen Erforschung des Mittelniederdeutschen Teil I–III. In: Ders., S. 39–114.

Peters, Robert (2012c): Zur Sprache der Bordesholmer Marienklage. In: Ders., S. 235–252.

Ratjen, Henning (1866): Verzeichnis der Handschriften der Kieler Universitätsbibliothek, welche die Herzogthümer Schleswig und Holstein betreffen III. Bd. 2. Kiel.

Schnabel, Kerstin (2011): Bücher im Leben der Augustiner-Chorherren von Bordesholm. Personengeschichtliche Aspekte der Bibliotheksforschung. In: Klaus-Joachim Lorenzen-Schmidt und Anja Meesenburg (Hgg.): Pfarrer, Nonnen, Mönche: Beiträge zur spätmittelalterlichen Klerikerprosopographie Schleswig-Holsteins und Hamburgs (Studien zur Wirtschafts- und Sozialgeschichte Schleswig-Holsteins 49). Neumünster, S. 59–79.

Schneider, Karin (1999): Paläographie und Handschriftenkunde für Germanisten. Eine Einführung. Tübingen.

Steffenhagen, Emil und August Wetzel (Hgg.) (1884): Die Klosterbibliothek zu Bordesholm und die Gottorfer Bibliothek: Drei bibliographische Untersuchungen. Zur Eröffnung des neuen Bibliotheksgebäudes der Universität Kiel. Kiel.

Steffenhagen, Emil (1887): Die Entwicklung der Landrechtsglosse des Sachsenspiegels VIII. In: Sitzungsberichte der philosophisch-historischen Klasse der (kaiserlichen) Akademie der Wissenschaften (Wien) 114, Abh. 2, S. 309–370.

Stork, Hans-Walter (2009): Die Bibliothek des Augustinerchorherrenstiftes Neumünster-Bordesholm. In: Andrea Rapp u.a. (Hgg.): Zur Erforschung mittelalterlicher Bibliotheken. Chancen – Entwicklungen – Perspektiven. Trier, S. 395–420.

Steffenhagen, Emil (1891): Die Verbreitung des Sachsenspiegels in Holstein. In: Zeitschrift der Gesellschaft für schleswig-holsteinische Geschichte 21, S. 365–371.

Zumkeller, Adolar (1980): Augustinus von Ancona. In: Auty, Robert u.a. (Hgg.): Lexikon des Mittelalters. Bd. 1, München/Zürich, Sp. 1230.

Literatur der Altmark in Mittelalter und Früher Neuzeit

Eine Skizze[1]

Volker Honemann, Berlin

1 Einleitung

Strodachi, Sch[n]aphani, Knapkesi, sunt in Marchia multi,
Si tu videres glaucas nostras mulieres
Fl[e]res, pietatem si tu haberes,
Non venias ad nos, quia sumus in insula Pathmos

'Strohdächer, Wegelagerer und Hungerleider[2] (?) gibt es hier in der Mark viele. Und wenn Du unsere grauen Frauen sähest, würdest Du weinen, wenn Du ein wenig Mitleid in Dir hättest. Du solltest also nicht zu uns kommen, denn wir leben hier auf der (Verbannungs-)Insel Patmos.' So lautete in makkaronischem Latein die Warnung eines unbekannten misogynen märkischen Humanisten des 16. oder 17. Jahrhunderts vor dem Besuch der Mark,[3] dieser „abgelegen wirkende[n] Region im Norden Sachsen-Anhalts", wie die gleich näher vorzustellende Publikation (Fajt/Frenzen/Knüvener 2011: 15) einleitend bemerkt.

Die Region wird zu Unrecht vernachlässigt, ist die Altmark doch für Kunst- und Kulturhistoriker wie alle an Geschichte und Kultur Interessierten ein überaus attraktives Reiseziel, das in den letzten Jahren massiv in den Fokus gerückt ist. Eine

---

1 Für die Drucklegung überarbeitet, ergänzt und um den Anhang erweitert von Gunhild Roth (GR). Das Autor-Ich bezieht sich i. d. R. auf den Vortragenden VH.

2 *Knapkese* ist nach Lübben/Walther (1888, s. v.) ein 'kleiner harter Käse'. Bei Schiller/Lübben (1875–1881) fehlt das Lemma. Sind Menschen gemeint, die nur einen kleinen Hartkäse zu essen haben?

3 Diese Verse wohl zuerst bei Entzelt (1579: o. S. [C IVa]), dann wieder, zusätzlich noch in einer ausführlicheren Fassung, bei Grässe (1868: 19). Grässe gibt als Quelle unserer Fassung an: H. Ammersbach: Churbrandenburgische, Märkisch=Magdeburgische und Halberstädtische Chronica. Halberstadt 1682, S. 683. – Bei Entzelt steht *Schaphani* und *Flores*.

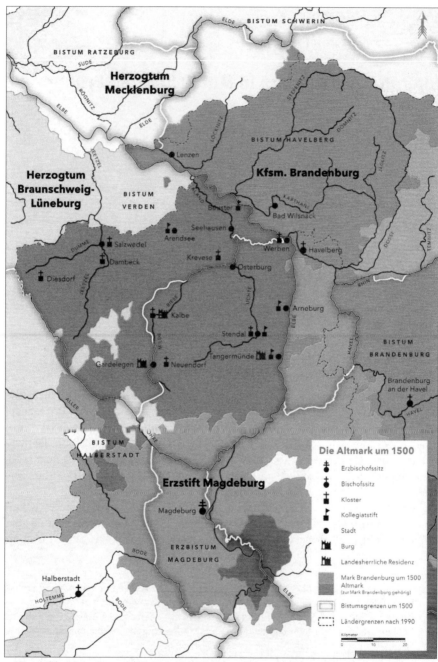

Karte: Die Altmark um 1500 (aus: Fajt/Knüvener/Frenzen 2011: 19)

2008 in Stendal veranstaltete Tagung, deren Vorträge und Diskussionen sich in dem prächtigen, sehr reich bebilderten Band „Die Altmark von 1300 bis 1600" (Fajt/ Frenzen/Knüvener 2011) von nicht weniger als 570 Seiten niederschlugen, hat für das Spätmittelalter gezeigt, welch bedeutende Rolle dieser Raum für die Geschichte (Ost-)Mitteleuropas spielte, als Kaiser Karl IV. die Burg Tangermünde zu einer seiner Residenzen wählte und prächtig ausbauen ließ, und welche Schätze sie bis heute birgt. „Dieser Raum", das meint die *Marchia transalbeana alio nomine antiqua Marchia dicitur et est pars Marchie Brandenburgensis tendens versus occidentem usque ducatum Brunswicensem*[4] ('die Mark jenseits der Elbe, auch als Alte Mark bezeichnet, die sich gen Westen hin bis zum Herzogtum Braunschweig erstreckt'), mit den Städten Tangermünde und Stendal im Südosten, Gardelegen und Kalbe an der Milde im Zentrum, Salzwedel im Nordwesten, Seehausen und Beuster im Norden, Werben bei Havelberg, Osterburg und Arneburg im Nordosten und Osten. Als Orte mittelalterlichen Geisteslebens treten neben diese Städte mit ihren Konventen die ländlichen Klöster, ich nenne hier Neuendorf und Diesdorf, Krevese und Dambeck, schließlich, ganz im Norden, Arendsee.

Der erwähnte Tagungsband hat, aufbauend auf einer Fülle älterer Studien und Darstellungen, gezeigt, welch große Zahl bedeutender Werke der Kunst in all ihren Spielarten – Architektur, Malerei, Plastik und anderes – in der spätmittelalterlichen Altmark entstand und zu sehr großen Teilen bis heute bewahrt blieb; eine Kunst vielfach ganz eigener Prägung, stark vom großen Zentrum Böhmen beeinflusst und neben herausragenden Bauten eine reiche Fülle von Altarretabeln, Chorgestühlen, Glasgemälden, Fresken, Reliquiaren und liturgischem Gerät hervorbringend – wir sind heute noch weit davon entfernt, diesen Reichtum zu erfasssen.

Wie aber steht es mit der Literatur dieses Raumes in Mittelalter und Früher Neuzeit? Als ich den genannten Band durchsah, fand ich zu meiner leichten Verwunderung kein Kapitel „Mittelalterliches Schrifttum der Altmark" o. Ä. Mein folgender Beitrag versucht, dem wenigstens durch Setzung einiger Akzente abzuhelfen. Ich drücke mich hier sehr vorsichtig aus, weil es nämlich bis heute keine „Literaturgeschichte der Altmark" oder Vergleichbares gibt. Es war deshalb direkt aus den Quellen zu arbeiten – und einiges Wenige soll hier vorgestellt werden. „Einiges Wenige": das könnte darauf schließen lassen, dass es auch nicht (mehr) viel gibt, und spontan kommt einem Johann Joachim Winckelmann für Stendal in den Sinn und für Tangermünde Theodor Fontanes schöne Novelle Grete Minde – aber vielleicht nicht viel mehr.[5]

---

4 Vgl. Fajt/Frenzen/Knüvener 2011: 17, das Zitat nach Schultze 1940: 62.

5 Ergänzung GR: Die Altmark scheint durch die Reformation, die damit verbundenen Klosterauflösungen sowie diverse Kriege besonders getroffen worden zu sein, was Bücherverluste betrifft, vgl. dazu Guth 2003 (Allgemeines, Abschnitt Reformationszeit und Dreißigjähriger Krieg). Erst in nachreformatorischer Zeit beginnt der (erneute) Ausbau der Bibliotheken. Das Brandenburgische Klosterbuch vermerkt bei Ortsbeschreibungen für Klöster und Stifte der Altmark lakonisch: „über eine Bibliothek ist nichts bekannt" zu Beuthen, Diesdorf, Neuendorf und Stendal (Kollegiatstift); „existieren keine Informationen" zu Arneburg (Benediktiner); „existierte wahrscheinlich nicht" zu Arneburg (Kol-

Im Folgenden gehe ich chronologisch vor, fasse den Begriff der „Literatur" sehr weit und schließe das Lateinische ein.

2 Anselm von Havelberg

Ich beginne ganz am östlichen Rande, dort, wo seit dem 12. Jahrhundert ein mächtiger Dom das steile Flussufer überragt: in Havelberg also. Vor fast 900 Jahren, im Jahre 1129, wurde ein Prämonstratensermönch namens Anselm, den wir als Anselm von Havelberg kennen, durch den Magdeburger Erzbischof Norbert, den Gründer dieses Ordens, zum Bischof dieses Grenzbistums geweiht, ein Mann, der in den folgenden Jahrzehnten zu einem sehr bedeutenden Kirchenpolitiker und theologischen Schriftsteller seiner Zeit wurde. Im Gefolge und im Dienst mehrerer Kaiser, Lothars III., Konrads III. und Friedrich Barbarossas, nachzuweisen, wurde er von diesen immer wieder zur Lösung schwieriger kirchenpolitischer und allgemein politischer Probleme herangezogen. Höhepunkte waren zwei Gesandtschaftsreisen an den oströmischen Kaiserhof, nach Konstantinopel-Byzanz also, das heutige Istanbul, in den Jahren 1135/36 und 1155. Wie es scheint, sollte Anselm „Verhandlungen wohl wegen eines Bündnisses gegen das aufsteigende Normannenreich" führen (Braun 1978, Sp. 384f.).

A[nselm] nutzte diesen Aufenthalt, um sich auch an gelehrten theologischen Diskussionen über Lehre und Ritus der griech. Kirche zu beteiligen […], die schließlich zu einer offiziellen, von Kaiser Johannes II. Komnenos und dem Patriarchen Leon Stypes gebilligten […] öffentlichen Disputation führten. A[nselm]s Kontrahent war der Erzbischof Niketas von Nikomedien […], nach A[nselm] der damals hervorragendste Gelehrte des Ostens […]. (Ebd.: 385)

Die erste Diskussion fand am 10. April 1136 in der Kirche der heiligen Irene statt, die zweite sogar in der Hagia Sophia (ebd.). All dies wissen wir aus Anselms theologischem Hauptwerk, dem sog. „Anticimenon", das er um 1149/50 in Havelberg niederschrieb[6] – dort nämlich hielt er sich nun für ein bis zwei Jahre ziemlich ununterbrochen auf, weil er bei Kaiser Konrad III. in Ungnade gefallen war. Seine Verhältnisse änderten sich aber bald darauf: Friedrich Barbarossa nahm ihn in seine Dienste, und Anselm starb, dafür belohnt, als Erzbischof von Ravenna 1158 bei der Belagerung von Mailand. – Mit seinem „Anticimenon" (wörtl. 'Gegensatz') hat Anselm ein einzigartiges literarisches Zeugnis hinterlassen, nämlich neben dem Traktat selbst die sehr frühe Wiedergabe einer theologischen Diskussion. Erörtert wurden die alten Streitfragen zwischen Ost- und Westkirche, so z. B. das Problem des Pri-

---

legiatstift); „liegen keine Forschungen vor" zu Arendsee; „haben sich nicht erhalten" zu Dambeck und Stendal (Franziskaner); „die Existenz einer Bibliothek läßt sich nur vermuten" zu Krevese (s. a. Anhang). – Allerdings ist die Lage im Bereich der Archivalien nicht wirklich bedeutend besser, verhältnismäßig wenig Mittelalterliches liegt heute in den Archiven von Magdeburg, Berlin oder anderenorts.

6   Die erzählte Episode ist auch in der Edition von Sieben (2010, 76–78) nachzulesen.

mats des römischen Papstes, die Frage, ob der heilige Geist vom Vater u n d vom Sohne ausgehe (so die Westkirche) oder nur vom Vater (so die Ostkirche).

Für uns interessanter aber ist, dass Anselm zu Beginn seines Werkes die Modalitäten einer solchen Diskussion genau beschrieben hat (Anticimenon: Sp. 1163ff.): Anselm nennt die Teilnehmer, darunter den berühmten Gelehrten Burgundio von Pisa, vor allem aber einen Mose von Bergamo, der sowohl das Lateinische wie das Griechische beherrschte und von Allen gewählt wurde, um als *fidus interpres*, als „getreuer Dolmetscher", zu dienen – was nötig war, weil Anselm natürlich kein Griechisch konnte. Nachdem alle, nach Nationen getrennt, ihre Sitze eingenommen hatten, wurde Ruhe geboten, und Anselm eröffnete die Konferenz mit einem kurzen Grußwort: Nicht zum Streit sei er hergekommen, sondern zu untersuchen (*ad inquirenda*) und zu erkennen, wie es sich mit dem Glauben der Griechen im Vergleich mit dem der Römer verhalte. Darauf antwortete, in gleichermaßen versöhnlicher Weise, der griechische Verhandlungsführer Nechytes/Nicetus: Im Gespräch und in Demut sich austauschend werde man die Wahrheit viel eher herausfinden, als wenn man hochmütig versuche, den anderen zu überwinden. Im übrigen aber solle der Dolmetscher Moses das, was einer gesagt habe, im Folgenden getreulich von Wort zu Wort wiedergeben.

Das nun stieß sogleich auf Anselms Widerspruch: Er habe nicht diesen Usus des Sprechens, weil man so den Sinn des Gesagten gar nicht recht erkennen könne; er sei der Meinung, dass die Übersetzung einen Mittelweg wählen und so vorgehen solle, dass der S i n n jeweils klar hervortrete. – Daraus erwuchs nun keine Kontroverse, weil Nechytes sogleich erklärte, das solle so geschehen, es gefalle ihm, weil es Anselm gefalle. Anselm bittet dann, eine kurze Erklärung abgeben zu dürfen: Er sei, erst vor ganz kurzem zu dieser Zusammenkunft gebeten, nicht recht vorbereitet, so schwierige theologische Fragen zu diskutieren, und er bitte die sitzenden wie die stehenden Zuhörer (beide gab es also), dann, wenn ihm einmal ein Wort entschlüpfe, das ihre Ohren beleidigen könne, nicht gleich mit Missfallenskundgebungen zu reagieren, sondern das Ende seiner Rede abzuwarten. Auch das wird ihm zugesagt, und nun beginnt die Diskussion über die Frage nach dem Ausgang des heiligen Geistes.

Anselms Vorrede zu seinem Dialog gewährt uns so einen tiefen Einblick in die Welt der theologischen Auseinandersetzung des 12. Jahrhunderts – und das vom abgelegenen Havelberg aus, seinem Bischofssitz, den er, anders als man früher meinte, kräftig förderte, auch wenn er sich dort nur selten aufhalten konnte. Anselms „Anticimenon" ist im übrigen von einer sehr positiven Weltsicht erfüllt: die Menschen schritten je länger je mehr in der Erkenntnis Gottes voran (die neuen Orden bewiesen das), und so werde die Welt besser und besser; auch die Einheit des Glaubens werde bald erreicht werden.

3 Chronistik und Rechtsschrifttum

Wenn so um die Mitte des 12. Jahrhunderts der Atem der Weltpolitik und Weltliteratur unseren Raum streifte, so führen uns die nächsten Schritte mitten hinein in die Altmark – und in die mittelalterliche Chronistik. Dazu ist gleich zu sagen, dass

es mittelalterliche Chroniken aus der Altmark, und auch zu einzelnen Städten derselben, anscheinend nicht gibt: jedenfalls sind sie heute nicht nachzuweisen. Frühere
Texte als die Chroniken der Entzelt (1579), Bekmann[7] (1751–1753) und Lenz (1747,
1748), die im 16. und 18. Jahrhundert entstanden, sind mir jedenfalls nicht bekannt
geworden. Wohl aber gibt es Erwähnungen der Altmark in der Magdeburger Chronistik, konkret der berühmten niederdeutschen Schöppenchronik (ca. 1360–1372;
siehe dazu einführend Keil 1985). In deren annalistischem Teil liest man zum Jahre
1203 (Schöppenchronik: 125) das folgende:

> *Ein wunderteiken bi Stendale. Dar na in dem 1203 jare sat to Ossemer bi Sten-
> dal de perner des midwekens in den pingsten bi deme danze und vedelde sinen
> buren. do quam ein blixemen und ein donreslach und sloch dem perner sinen
> arm af mit dem vedelbogen und 24 lude dot.*

Hieran zeigt sich, wie gefährlich und sündig das Tanzen ist – und ein Pfarrer, der
seinen Bauern dazu aufspielt, wird schrecklich gestraft.

Zum Jahre 1204 vermeldet die Schöppenchronik (S. 127), wie die Altmark an
den Markgrafen Otto von Brandenburg kam:

> *Dissen markgreven Otten van Brandeborch den dede bischop Ludolf* [Erzbf.
> Ludolf von Magdeburg] *to banne umme ichteswelke sake. den ban sloch de
> markgreve vor nicht. he sat to einer tid an sime dische und sprak: „ik hebbe
> gehort, we in dem banne si, mit dem hebben de hunde neine meinschop." he nam
> ein stucke vleisches unde warp ed vor de hunde. de hunde wolden des nicht und
> lepen dar af. he heit sinem kemerer dat he einen hunt beschlute mit dem stucke
> vleisches in einer kameren. dat schach. dar na aver dre dage quam de markgre-
> ve und sach den hunt und dat stucke vleisches unbegnaget. he quam to herten
> und sochte gnade und bat den bischop: de leit on ut dem banne. he hadde den
> bischop sedder den male ser vor ougen und heit on sinen pawes und keisere, und
> deinde dem godeshuse mit allen truwen und gaf al sin gut hir in dat godeshus
> und entpfeng dat van dem bischope: dat was Soltwedel Stendal Gardelegen und
> alle de Olden Mark.*

Meine nächste „Station" fürt uns hinein in den altmärkischen Alltag des 14. Jahrhunderts. Im Jahre 1334 begann in Stendal der dortige Stadtschreiber Johannes damit, in
niederdeutscher Sprache eine Sammlung von Rechtsurteilen anzulegen, die wir heute „Stendaler Urteilsbuch" nennen. Bis 1340 entstand so ein großformatiges Heft,
die heutige Berliner Pergamenthandschrift Ms. Boruss. fol. 481, das nicht weniger
als 31 (teils mehrere Entscheidungen umfassende) Urteile zusammenstellte. Worum
es sich genau handelt, macht eine lateinische Überschrift zu Beginn des Ganzen
klar: *Incipiunt jura sigillo scabinorum Magdeburgensium approbata* ('hier begin-
nen die Gesetze, die durch das Siegel der Schöffen von Magdeburg bestätigt sind').
Der Band stellt also Rechtsentscheidungen für Fälle zusammen, die das Stendaler
Stadtgericht nicht entscheiden konnte und deshalb beim zuständigen „Oberhof", hier

---

7   Man findet ihn in der Literatur als Bekmann, Becmann oder Beckmann.

dem im nahegelegenen Magdeburg, um eine (nicht verbindliche, von den Fragenden in der Regel aber befolgte) Rechtsauskunft bat. Als konkretes Beispiel möge Spruch Nr. XXVII (ed. Behrend 1868: 112f.) dienen:

Den wysen mannen den schepen to Stendal enbieden dy schepen to Magd[eborg] eren willgen dienst. Gy hebben uns ghescreven in alsusdenen worden: Mit uns sint ghekomen eyn jode unde eyn jodinne vor deme ghehegeden dinge und hebben gheclaghet over eynen kersten man, dat hie sie hebbe gheslaghen blut wunden unde ok brun unde blaw. Nu is die kersten man ghekomen in deme selven ghehegeden dinge unde heft des bekant. Des vraghe gy uns, wat nu sine broke [Gesetzesbruch] sy und wo hie to rechte betern schal die blut wunden unde die anderen sleghe die brun und blaw sint. Hir up spreke wie vor eyn recht: Beschuldeghet eyn jode unde eyn jodinne eynen kerstenen man in gheheghedeme dinge, dat hie sie gheslaghen hebbe blut wunden unde ok brun unde blaw unde bekant hie des in dem gheheghhеden dinge, hie schal en ere bute gheven, deme joden drittich scillinghe to bute, der jodinne eyn halve bute, dat sint vefteyn scillinghe von rechtes weghene.

Es handelt sich übrigens um genau den Betrag, den auch ein Christ erhalten würde.

Das Stendaler Urteilsbuch ist eine sog. „Schöffenspruchsammlung", wie sie im mittelalterlichen deutschen Reich vielfach entstanden (s. Johanek 1992), wobei sich das Magdeburger Schöffenkollegium seit der 2. Hälfte des 13. Jahrhunderts als das bei weitem bedeutendste etablierte; Magdeburgisches Recht breitete sich in den europäischen Osten bis hinein nach Russland aus. Unser Stendaler Buch ist unter den erhaltenen besonders wichtig, denn es ist zum einen das wohl älteste überhaupt, und zum andern hat der Stadtschreiber Johannes es besonders geschickt angelegt: Am Ende jeder der Magdeburger Rechtsweisungen (die er zu Beginn nur auszugsweise, in Form eines Regests, wiedergab) habe er, so sagt er im Vorwort, ein bestimmtes Zeichen angebracht, und dieses finde sich auch auf den Originalurkunden, die die Magdeburger Schöffen nach Stendal geschickt hätten – so konnte man in Zweifelsfällen rasch nachsehen, was die Magdeburger Schöffen denn tatsächlich geschrieben hatten.[8]

Als der Stadtschreiber Johannes in Stendal sein Urteilsbuch zusammenstellte, hatte ein aus Buch bei Tangermünde stammender Rechtsgelehrter seine Arbeit an

---

8 Ergänzung GR: Bei Lenz (1747: 15) findet sich der Hinweis zum Jahr 1275, „daß die Burgemeister zu Stendal in Rechts-Sachen, wie ein Schöppen-Stuhl, zu sprechen und Responsa zu ertheilen pflegen, auch Stendal sein eigen recht gehabt, auf welches vielmahls andere Städte gewiesen worden, als Witstock, Kyritz, Wilsnack, denen das Stendalische Stadt-Recht gegeben worden […]". Für Wittstock sind laut Gengler (1866: 554ff. [Nr. CCCLXXXV]) Verleihungen des Rechtes, „quo utuntur incole Stendalenses" für 1248 und 1285 belegt, s. a. CDB 1, 1: 395, 401f. (mit Verweis auf Rechtszug nach Stendal bzw. Magdeburg). Zu Kyritz, das 1237 „mit Stendalischem Stadtrechte bewidmet" wurde, siehe CDB 1, 1: 347 und CDB 1, 3: 341f. (Nr. VII). Zu Wilsnack siehe CDB 1, 2: 166–168 (Nr. XXIX): Bestätigung von Privilegien durch Bf. Johann von Havelberg 1513, dort Abs. 1 (S. 167) mit Verweis auf Rechtszug nach Wittstock.

zwei gewaltigen Rechtskompendien gerade abgeschlossen: nämlich Johann von Buch, die überragende, in ihrer Bedeutung für das Rechtswesen des Reiches im Spätmittelalter kaum zu überschätzende Persönlichkeit. Um 1290 aus ritterbürtiger, wohlhabender Familie der Altmark geboren, studierte Johann ab 1305 in Bologna, also an der bedeutendsten juristischen Fakuktät seiner Zeit. Seine hohe soziale Stellung erhellt daraus, dass er über Jahrzehnte hinweg, zwischen 1321 und 1356, in einer Fülle von brandenburgischen Urkunden genannt wird. Das liegt auch daran, dass er zunächst im Dienst des Hzg. Otto des Milden von Braunschweig stand, der ab 1323 Mitregent der Mark war; er war es auch, wie man dem Prolog des Werkes entnehmen kann, der Johann zur Abfassung seines ersten Werkes anregte. 1333 trat Johann in den „Dienst des neuen wittelsbachischen Markgrafen, Ludwig von Brandenburg" (Buchholz-Johanek 1983: Sp. 552) ein. Bis 1340 erscheint er als dessen *Heimlicher* (*familiaris consiliarius, secretarius*), als Hofrichter und anderes; 1335–1340 ist er außerdem *capitaneus generalis*, also Hauptmann der (gesamten) Mark. Seine finanzielle Stellung zeigt sich daran, dass er dem Markgrafen immer wieder große Geldbeträge leihen kann. Trotz all seiner vielfältigen Verpflichtungen hat Johann von Buch es vermocht, zwei sehr umfangreiche juristische Grundlagenwerke zu schaffen: Zum einen die sog. Glosse, einen Kommentar zum Landrecht des Sachsenspiegels (um 1325), und zum anderen den „Richtsteig Landrechts" (um 1335), ein Buch, das den Rechtsgang, also den Ablauf von Gerichtsverfahren, im einzelnen darstellte.[9] Beide wurden „Bestseller": Die Landrechtsglosse liegt noch heute in mindestens 136 Handschriften und mehreren frühen Drucken (zuerst Basel 1474) vor – in Stendal wurde sie 1488 gedruckt; ein letzter Druck erschien 1614. Der niederdeutsche Text wurde im Zug der Überlieferung auch ins Mittel- und Oberdeutsche umgesetzt. Eine moderne Edition, die es seit kurzem gibt (Kaufmann 2002), umfasst nicht weniger als drei Bände, hinzu tritt ein dreibändiges Glossar (Kaufmann/Neumeister 2015); es ist der wohl wichtigste Beitrag zur mittelniederdeutschen Lexikographie seit langem.

Die Ursache für diesen enormen Erfolg liegt vor allem darin, dass Johann, wie er in seinem Versprolog (278 lateinische und deutsche Verse) sagt (V. 171–208), „die Übereinstimmung des S[achsenspiegel]s", also des maßgeblichen deutschrechtlichen Rechtsbuchs des Eike von Repgow, „mit dem Kaiserrecht und dem Kirchenrecht" darlegte, „so daß das sächsische Recht im Gericht, auch im geistlichen, vorgebracht werden kann und bei Appellationen bis zum apostolischen Stuhl Bestand hat" (Buchholz-Johanek 1983: Sp. 554). Das ist, angesichts der sehr großen Bedeutung des römischen wie des kanonischen Rechts im Reich, von zentraler Wichtigkeit gewesen: Johanns Glosse führte die beiden Sphären des Rechts, die germanischdeutsche und die römische zusammen und verschaffte so dem führenden deutschen Rechtsbuch, dem Sachsenspiegel, Eingang in Gerichsverfahren, die nach weltlichem oder geistlichem römischen Recht ausgetragen wurden. Darüber hinaus ging es Johann auch darum, „den ‚S[achsenspiegel]‘ von Fehlern [zu] reinigen, die sich [...] eingeschlichen haben" (ebd.). Die Kommentierung des Sachsenspiegels erfolgte im

---

9 Vgl. (immer noch) grundlegend Buchholz-Johanek (1983). Siehe auch Neumeister 2011.

einzelnen so, dass Johann den Text des Sachsenspiegels in Gestalt von Stichworten oder Kurzfassungen der einzelnen Artikel reproduzierte und dazu „sowohl reine Sach- und Worterklärungen wie, in Form von kleinen Abhandlungen, kritische Erörterungen zu ganzen Artikeln, Institutionen oder Problemen" (ebd.: Sp. 555) brachte. In selbständigen Abhandlungen und Einschüben fügte Johann Parallelen aus den gelehrten römischen Rechten, und zwar aus dem gesamten Corpus Iuris Civilis und dem Corpus Iuris Canonici bei.

Kaum weniger bedeutend war Johanns zweites Werk, der „Richtsteig Landrechts", auch als „dy lere und der weg des gerichtes", „scheveclot", „schepenclot" u. ä. benannt. Hier folgte Johann, wie er erklärt, einer Bitte von Verwandten, Konrad und Siegfried von Buch, nämlich „zu lehren, wie man sich im Gericht als Richter, Kläger und Beklagter verhalten müsse" (ebd.: Sp. 557). All dies war im Sachsenspiegel nicht systematisch, sondern über den ganzen Text verstreut dargestellt und so kaum aufzufinden. Johann schuf damit die erste „systematische Darstellung des sächsischen Prozeßrechtes, wie sie für das römische Recht bereits vorlag" (ebd.). Auch dieser Text ist in mehr als 100 Handschriften und zahlreichen Drucken (ab Basel 1474 bis Leipzig 1528) überliefert.

Eine letzte Bemerkung zu Johann von Buch: Dieser überragende Jurist war auch ein bedeutender Stilist. Seiner Sachsenspiegelglosse hat er eine sprachlich anspruchsvolle strophische Vorrede von 280 Versen und danach ein metrisches lateinisches Prohemium von 558 Versen vorangestellt, neben die er eine niederdeutsche Version gleichen Umfanges gestellt hat. Johann legt hier dar, worin er seine Aufgabe sieht, und stellt allgemeine Überlegungen zum Verhältnis der Menschen zum Recht an. Die erste Strophe lautet (Kaufmann 2002, I: 81, V. 1–8):

> *Ick tymmere, so men saget, by wege; / des moͤth ick mengen meyster han. / Ick hebbe bereydet nütte stege, / dar mennich by begynnet gan. / Ick en kan de lüde maken nicht / vornunfftich algemeine, / Al lere ick se des rechtes plicht, / mi en helpe got de reyne.*

Im weiteren finden sich Aussagen Johanns ganz allgemeiner, überzeitlicher Art: *Mannich schynet gerne gudt, / wo wandelbar dat he sy; / Nu en kan men leyder den valschen moͤth / nicht sien* (ebd., V. 25–28).

Ein allerletzter Aspekt, auf den die Herausgeber des Glossars aufmerksam machen, ist die nicht selten „ironisch-kritische Ausdrucksweise" ihres Verfassers.

> Dieses Stilmittel kann Richterkollegen betreffen, aber auch bei der Beurteilung kirchenrechtlicher Gegebenheiten blitzt hie und da ein Körnchen Ironie auf: *Vnde de hilge kerke, de alle dingh deyt van rade des hilgen gestes, de vulbordede deme eghenen so zere nicht, dat men den eghenen vt der wyginge wedder sineme heren antwerde.* ‚Und die heilige Kirche, die ja alle Dinge auf Geheiß des Heiligen Geistes tut, die erlaubte dem Leibeigenen nichts so sehr, als daß man den Leibeigenen aus der Weihung seinem Leibherrn wieder überantworte.' (Kaufmann/Neumeister 2015, I: XXIII).

Die niederdeutsche Philologie sollte, und das war ein Ziel dieses Hinweises, das Werk des Johann von Buch auch als l i t e r a r i s c h e n Text in den Blick nehmen.

Nur ganz knapp hinweisen kann ich, und dies zeigt erneut die überragende Stellung des Rechtsschrifttums innerhalb der altmärkischen Literatur des Mittelalters, auf die sog. „Stendaler Glosse", die in zwei Breslauer Handschriften überliefert ist: Hier wurden zwischen 1374 und 1410 dem Rechtstext lateinische und niederdeutsche gelehrte Glossen beigefügt. Diese gelehrte Glosse ist weitgehend unabhängig von Johann von Buch; sie benutzte eine „Vielzahl von gelehrten, v. a. italienischen juristischen Schriften des 12.–14. Jahrhunderts zum römischen und kanonischen Recht" (Buchholz-Johanek 1995: Sp. 288). „Stendaler Glosse" heißt sie, weil sie vielfach auf „altmärkische und speziell Stendaler Rechtsgewohnheiten" (ebd.: Sp. 287) rekurriert. Sie dürfte also in Stendal entstanden sein, und man wüsste gerne, wer sie verfasst hat – es kann nur jemand mit einer entsprechenden Bibliothek bzw. Zugang zu einer solchen gewesen sein, vielleicht ein Stadtschreiber oder Bürgermeister.

Auch einen weiteren Text kann ich nur knapp erwähnen: In den Jahren 1273 und 1278 hatten die Markgrafen Otto und Albrecht der Stadt Salzwedel ihr Stadtrecht erneuert (es ist die früheste Fassung, die wir haben). Dieser lateinische Text wurde, neu gegliedert, im 15. Jahrhundert ins Mittelniederdeutsche übertragen und, wie die noch heute im dortigen Archiv ruhende Handschrift (Sign.: Nr. 1560) zeigt, in Salzwedel auch intensiv benutzt. Der Text umfasst insgesamt 87 Paragraphen, darunter z. B. einen gegen Zauberei (CDB 1, 14: 21 [Nr. 64]); hier heißt es:

We myt touerie vmme geit. Welk kersteman myt touerie vmme gad edder touerin-nen, edder de myt vngelouen vmme gat vnde wycker vnde wickerinnen vnde alle de wedder den cristen louen syn vnde de cristenheit krenket, vnde des openbar vorwunnen werden, de schal me alle vp der hord barnen.[10]

4 Bücherbesitz(er) in der Altmark

Ich verlasse damit endgültig die Welt des Rechtsschrifttums und frage in einem Zwischenschritt, wie es denn mit dem B ü c h e r b e s i t z in der mittelalterlichen Altmark aussah. Um das Ergebnis gleich vorweg zu nehmen: Offensichtlich sehr bescheiden. Sieht man den Band „Sachsen-Anhalt" des Handbuchs der historischen Buchbestände (Fabian 2003) durch, so zeigt sich, dass es natürlich eine ganze Reihe von Kloster- und Kirchenbibliotheken[11] gab (und teils gibt), die teils auch schon lange

---

10 CDB 1, 14: 15–23 (Nr. XIX), dt. Redaktion; die lat.: ebd.: 14f. (Nr. XVIII); Wiederabdruck der Edition von Danneil 1840: 94.

11 Ergänzung GR: Vgl. Guth 2003 (Allgemeines, Abschnitt Kirchenbibliotheken): „Im Gebiet des heutigen Sachsen-Anhalt hat der Kirchliche Zentralkatalog (KZK) in den Jahren 1967 bis 1996 Bestände von 189 Kirchenbibliotheken registriert, die sich in der Mehrheit noch an ihren ehemaligen Standorten befinden. Allein aus der Propstei Altmark sind 28 Bibliotheken nachgewiesen. Genannt seien die vorreformatorischen Anfänge kirchlicher Büchersammlungen in Salzwedel (St. Katharinenkirche, St. Marienkirche) und die St. Marienbibliothek in Stendal sowie historische Bestände aus der zweiten Hälfte des 16. Jahrhunderts in der durch Bombenschäden stark beeinträchtigten Dombibliothek Stendal

bestanden.[12] Mittelalterliche Bestände besitzen sie heute aber fast nirgends oder nur in verschwindendem Maße.[13]

Die Bibliothek von St. Nikolai in Gardelegen, 1580 eingerichtet als „planmäßige und geschlossene [...] protestantische Kirchenbibliothek" (Czubatynski 2003a, Abs. 2.1), hat von früheren Beständen dieser Kirche nichts bewahrt; vielleicht stammt ein gedrucktes Missale Magdeburgense von 1480, das heute im Gardelegener Stadtmuseum aufbewahrt wird,[14] von dort. Die Kirchenbibliothek von St. Katharinen in Salzwedel, 1467 und 1474 bezeugt, besitzt zwar etwa 400 Bände des 16. und 17. Jahrhunderts – aber keinerlei mittelalterliche Bestände. Ganz ähnlich steht es in Seehausen[15] und auch in Stendal: Es sind keinerlei Bücher des 1188 gegründeten Kollegiatsstifts am „Dom" St. Nikolai erhalten. Die Kirchenbibliothek von Tangermünde schließlich besitzt lediglich ein 1522 in Leipzig gedrucktes Breviarium Stendalense.

Das alles legt die Vermutung nahe, dass man mit der Reformation die alten, nun als unnütz erachteten Bücher entfernte, und dass man dabei in der Altmark recht radikal vorging. Denn etwas mehr, als die heutigen Reste erkennen lassen, gab es.[16]

(gegr. 1540), in der Kirchenbibliothek Kalbe/Milde (nach 1579) sowie der St. Nikolaibibliothek Gardelegen (1580). Hinzu kommen historische Titel aus der Ephorie Osterburg, z.B. in Düsedau, Groß-Möhringen, Krevesee [!], Meßdorf, Schmersau, Späningen, Uchtenhagen und Walsleben. [...] Ältere Einzelstücke z.B. aus der Stadtkirche St. Stephani Tangermünde, die gegenwärtig nur noch einige jüngere Werke des 18. und 19. Jahrhunderts besitzt, finden sich im Stadtarchiv und im Heimatmuseum, Bücher aus der Stadtkirche St. Laurentius Havelberg (1581) im dortigen Prignitz-Museum. " Siehe auch Anhang.

12 Ergänzung GR: Vgl. Treuter 2003 (Allgemeines, Abschnitt Kirchenbibliotheken): „Als älteste, urkundlich hinreichend gesicherte brandenburgische Kirchenbibliothek wird im Jahre 1467 die Bibliothek der Katharinenkirche in Salzwedel erwähnt. Diese bescheidenen Anfänge wurden allerdings durch die bedeutende Buchkultur der Klöster überschattet. Die Blütezeit der Kirchenbibliotheken begann erst nach der Reformation. Nachdem die Bestände der Klosterbibliotheken nur in geringen Resten gerettet worden waren, begann um 1580 eine Welle von Bibliotheksgründungen."

13 Ergänzung GR: Ob einzelne Bände sich in anderen Institutionen erhalten haben, wie das Beispiel Seehausen vermuten lässt (s. u.), kann hier nicht überprüft werden. GW und ISTC geben diverse Exemplare für Orte der Altmark an, ob sie tatsächlich aus den eigenen spätmittelalterlichen Beständen herrühren? Zu den einzelnen Inkunabeln siehe Anhang. – Wir danken Falk Eisermann für den Hinweis auf die Exemplare.

14 Ergänzung GR: GW M 24521, siehe Anhang. Siehe auch Czubatynski 2003a, Abs. 2.4: „Das Stadtmuseum verwahrt neben einem Missale Magdeburgense von 1480 auch einige Reste der ehemaligen Ratsbibliothek, darunter zwei in Venedig 1502 gedruckte Bände der Digesten aus dem justinianischen Corpus iuris civilis."

15 Ergänzung GR: Zur Grundausstattung des Dominikanerklosters Seehausen gehörte ein Geschenk von 100 Mark des Stifters Otto III. von Brandenburg für die Bibliothek, die im Zuge der Reformation zerstreut wurde. Einzelne Bände befanden sich im 19. und 20. Jahrhundert in Bibliotheken u. a. in Dortmund, Paderborn, Minden und Trier (vgl. Mindermann 2007: 1095). Siehe auch unten im Anhang.

16 Ergänzung GR: Zwei weitere Hinweise finden sich bei Lenz 1747. – Der erste Verweis zum Jahr 1404 (ebd.: 31) lautet: „Hat jemand in Stendal ein Buch de bello Trojano ge-

Der Codex Diplomaticus Brandenburgensis (CDB) überliefert immerhin die Testamente zweier Salzwedeler Pfarrer des 15. Jahrhunderts, die über kleine Büchersammlungen verfügten.

Im 1442 angelegten Nachlassinventar des Priesters Johann Mechow (CDB 1, 14: 270f. [Nr. CCCXLIV]) liest man das Folgende (ich übersetze gleich aus dem Lateinischen):

> In einer gewissen Kiste fanden die Testamantsvollstrecker ein Viaticum, geschrieben, in Papier [also ein Büchlein mit den Texten, die ein Priester beim Versehgang bzw. der Sterbekommunion brauchte], weiterhin ein Messbuch, mit eigener Hand [wohl der des Johann Mechow] geschrieben, ein altes Messbuch, ein Predigtbuch, benannt „Recapitulatio sermonum ewangelii", ein in der Volkssprache geschriebenes Buch benannt „De zeletrost" [also eine Handschrift des bekannten großen „Seelentrostes"], Dicta des Kirchenvaters Ambrosius „Von den Gebräuchen der Kirche", ein Passional [ein neues Buch], das „Sapientia patris" heißt, das Doctrinale des Alexander [sicher das bekannte Werk des Alexander von Villadei, das Grundkenntnisse der lateinischen Grammatik vermittelte], Predigten, die mit den Worten „Venite post me" beginnen, […].

Es folgen noch 16 weitere Bücher, offenbar sämtlich in Latein, darunter als einziger weltlicher Text die Fabeln des Äsop. Johann Mechow besaß also eine teils von ihm

---

schrieben, so sich noch in der Bibliothec zu Mäntz finden soll." Die erwähnte Handschrift gehörte zum Bestand der Mainzer Dombibliothek, ihre Existenz ist der Trojabuch-Forschung anscheinend entgangen, und sie ist leider kriegsbedingt nicht mehr erhalten. Ich danke Dr. Annelen Ottermann, Mainz, für die Nachforschung. – Der zweite Verweis zum Jahr 1584 mag exemplarisch für die nachreformatorische Zeit stehen. In seinem Sendschreiben von 1524, „An die Burgermeyster und Radherrn allerley stedte ynn Deutschen landen", forderte Martin Luther auch dazu auf, „gutte librareyen odder bücher heuser" einzurichten (Luther 1524 [1995]: 49), was dazu führte, dass Bibliotheken neu gegründet wurden: „Um diese Zeit ist die Bibliothec, so hier zu Stendal sonst war, von Herrn Joachim von Alvensleben, Gebhards Sohn, zu Erxleben gestiftet worden […], so nun von da weggenommen, und nach Hundesburg [Schloss Hundisburg] gebracht worden." (Lenz 1747: 49f.) Vgl. dazu Guth 2003 (Allgemeines, Abschnitt Bibliotheken im Zeitalter von Humanismus und Reformation bis zum Anfang des Dreißigjährigen Krieges): „Die Anfänge der sogenannten von Alvenslebischen Lehnsbücherei Erxleben gehen auf die kleine, vermutlich mit mehreren Wiegendrucken sowie einer ansehnlichen Summe zur Bestandsvermehrung ausgestatteten Bibliothek von Busso IX. von Alvensleben († 1534) zurück. Der eigentliche Initiator der Büchersammlung, Joachim I. (1514–1588), der die meisten Inkunabeln und Drucke des 16. Jahrhunderts erwarb, veranlaßte 1579 die Abtrennung von theologischen und kirchengeschichtlichen Werken und ihre Unterbringung in der Schloßkapelle (als sogenannte Kapellenbibliothek). Die neu gegründete Lehnsbücherei nichttheologischer Literatur wurde zu breiterer öffentlicher Nutzung 1610 zunächst in der Alten Dechanei im Dom zu Stendal aufgestellt, danach 1679 bis 1811 auf Schloß Hundisburg. 1811 gelangte sie wieder nach Erxleben, wo die Fideikommißbibliothek 1905 einen Neubau erhielt. Nach neuerlicher Sortierung der Kapellenbibliothek erhöhte sich der Umfang der Lehnsbücherei bis 1940 auf 6 000 Bände."

selbst geschriebene Handbibliothek von etwa 25 Bänden, die fast alle seiner Vorbereitung auf Predigt und Gottesdienst und deren Durchführung dienten.

Weit kleiner war der Bücherbesitz des Heinrich Olsleger, Vikar zu St. Katharinen in der Neustadt von Salzwedel, wie sein am 6. November 1478 angelegtes Nachlassverzeichnis (CDB 1, 14: 384f. [Nr. CCCCLV])[17] erkennen lässt: Auch hier fand sich ein – als alt bezeichnetes – Missale, weiter ein Buch, das „Jacobus Petrus" begann, eines, das mit „Abba [CDB: alba] glosa" anfängt (sicher das Abba-Glossar), eines, das mit „Ex quo" beginnt – das dürfte das bekannte lateinisch-deutsche Wörterbuch gewesen sein –, weiter ein Band mit Briefen des Hieronymus, ein Vocabularius Bibliae, nicht gebunden, dann „duo vrinalia, duo vetera communia" und anderes, darunter auch ein kirchenrechtlicher Text, die „Summa Pisana".

Weitere Bücherlisten haben sich bei der Durchsicht der einschlägigen Bände des „Codex diplomaticus Brandenburgensis" nicht gefunden, allerdings gibt es zusätzliche (sicher nicht vollständige) Nachrichten über Bücherschenkungen, die hier chronologisch angeführt seien:[18]

Im November 1451 verfügt der Tangermünder Propst und Stiftsherr in Stendal, Nicolaus Vloghel[19], dass seine juristischen und liturgischen Bücher – *libros meos Juridicales et duos magnos libros pro horis canonicis* – an denjenigen seiner drei Neffen gehen sollen, der studieren wird, außerdem setzt er eine Art Stipendium für diesen Fall aus (Priebatsch 1899/1900: 107, vgl. CDB 1, 5: 216 [Nr. CCCXXX]).

Am 22. Juli 1466 schenkt der Kurfürst Friedrich II. dem Domstift Tangermünde einen Betrag Geldes, *das sy bücher In die Capelle daruor bestellen sollen* (CDB 1, 16: 95).[20]

---

17 Siehe auch CDB 1, 14: 365f. (Nr. CCCCXXXV): Testament Olslegers, in dem er nur „Jacobum de Voragine et Holtnicker in duobus voluminibus" als Geschenk „ad librariam ecclesie", nämlich St. Katharina in Salzwedel, nennt.

18 Bücherschenkungen bzw. Testamente sind Ergänzung GR.

19 Auch: Vlogel, Vlogell; vgl. zu ihm Popp 2007b: 19, 306.

20 Ergänzung GR: Zu weiteren testamentarisch vermachten Büchern vgl. Popp 2007c: 1266: „Konkrete Nachrichten über eine Stiftsbibliothek [Tangermünde] fehlen, allerdings gibt es in der urkundlichen Überlieferung mehrfach Hinweise auf Bücherbesitz des Kapitels und einzelner seiner Mitglieder. So vermachte beispielsweise der Scholaster der Halberstädter Kirche, Dr. Heinrich von Angern, 1406 dem Kapitel seine juristischen Werke, ebenso ein Magister Huth 1407." – Ebenfalls gingen die teilweise von ihm selbst geschriebenen Handschriften des Gerardus Rodevoß nach seinem Tod 1463 in die Bibliothek des Domstifts Havelberg ein (vgl. Anhang). – Die Herrenmeister des Johanniterordens in Werben bestimmten 1423 und 1448, dass die Bücher der verstorbenen Brüder zum gemeinen Gebrauch an die Bibliothek fallen sollen; vgl. Czubatynski 1998: 26. – Die „Bücherarmut" und „Bildungsferne" der Mark zeigt sich auch bei der Durchsicht der Visitationsprotokolle von 1540–1542; für die Städte, Klöster und Kirchen der Altmark gibt es kaum Buch-Befunde (vgl. auch Czubatynski 1998: 71–75, der zum gleichen Ergebnis für die Atmark kommt, wohingegen im Bistum Magdeburg in den Abschieden auch Buchbestände verzeichnet worden sind). Zwar wird jeweils der mobile Kirchenschatz (v. a. Altargerät) verzeichnet, ebenso Immobilien und Lehen, Zinseinnahmen und Einkünfte der gegenwärtigen sowie Gehälter der künftigen Amtsträger; Bücher erschei-

1467 trifft der Salzwedler Stadtschreiber Jacob Rambow, der den Nachlass Olslegers verzeichnet hatte, die Auswahl bei einem weiteren Vermächtnis (vgl. Priebatsch 1899/1900: 107, vgl. CDB 1, 14: 333f. [Nr. 406]): „Die Ratmannen der
Salzwedler Neustadt erhalten 1467 aus dem Nachlasse des Meister Hermann Win-
kelmann die drei besten Bücher. Diese will der Rat in der Liberei der Katharinenkirche an Ketten anbringen lassen."

Im gleichen Jahr erhält einer der Altäre der Katharinenkirche eine Bücherspende
in Gestalt eines „Tyden bock" (CDB 1, 14: 333 [Nr. 405]).

Im April 1471 behandelt ein Vertrag ebenfalls ein „Tydebok": Zwischen Bru-
der Arend Böke und seinem Johanniterkonvent in Werben wird vereinbart, dass der
Bruder das von ihm für „dre rynsche gulden" von Priestern des Konvents gekaufte
Buch weder mit sich fortnehmen noch versetzen oder verkaufen darf, er habe es dem
Konvent zuvor zum gleichen Preis anzubieten (vgl. Priebatsch 1899/1900: 107, vgl.
CDB 1, 6: 68 [Nr. XCVI]).

In seinem Testament vom 13. Oktober 1507 vermacht der Dekan Heinrich Belitz
mehrere (unspezifizierte) Bücher verschiedenen Personen (vgl. Popp 2007b: 19 und
CDB 1, 25: 480 [Nr. 403]).

---

nen nur wegen ihres wertvollen Einbandes und sind eher lästig, weil ihr Wert nicht in
Mark aufgewogen werden kann (vgl. z. B. für das St. Niklas Stift Stendal Müller/Parisius
1889–1929, H. 2: 144: „2 Bücher daraus man das Evangelium und die Epistel singt, mit
Silber beschlagen, können nicht gewogen werden" und ebd.: 145: „Item 2 Bücher, daraus
man liest das Evangelium und die Epistel, mit Silber vermacht können nicht werden zu-
gewogen"). Selbst bei der expliziten Nennung von Schulen nebst Lehrern und künftigen
Schulzielen werden keine Bücher   weder vorhandene noch anzuschaffende   erwähnt,
obwohl laut Luther die Schulen damit ausgetattet werden sollten (s. o.). Als (nachreformatorische) Pflichtlektüre werden explizit Katechismus, Bibel und Kirchenordnungen
angegeben, und zwar sowohl für Schüler als auch für die (ehemaligen) Nonnen. Vgl.
Müller/Parisius 1889–1929, H. 4: 200f. z. B. zu Kloster Neuendorf. Als Beispiel einer
nachreformatorisch (1580) aufgebauten (und gut erforschten) Bibliothek nennt Czubatynski (1998: 75ff.) Gardelegen. – Einzige Ausnahme bei den Inventarlisten stellen bei
einigen Kirchen die Angaben zum vorhandenen Viaticum dar, vgl. etwa Müller/Parisius
1889–1929, H. 2 sowie H. 3 zu Stendal und umliegenden Ortschaften: zu Stendal: „Bei
den Vicarien in der Kirche gefunden 1 Kelch, […], 1 Viaticum pro infirmis und 1 unctio-
nale […]" (1891: 145); zur Kirche von Röxe: „Hat einen Kelch, ein Pacem [Kußtafel],
ein Viaticum [1578 nicht mehr vorhanden], […]" (1895: 162); zu Tornow: „ein silbern
Viaticum" (1895: 165); zu Großen Moring: „ist noch ein Viaticum da [1578 nicht mehr
vorhanden]" (1895: 167); zu Lütke Moring: „ein Viaticum silbern" mit Anmerkung zum
Zusatz der Visitation von 1551: „hat Levin von der Schulenburg, wie die Leute sagen, an
sich genommen" (1895: 167). Da das Viaticum aber zur Grundausstattung eines Pfarrers
bzw. Altars gehört, verwundert eher, dass nicht mehr genannt werden. – Anders sieht es
in den Visitationsprotokollen der ernestinischen Lande aus, dort wurde seit der ersten
Visitation 1528/29 der Buchbesitz der Pfarrer und Gemeinden mitverzeichnet, über „alt-
gläubige" Bücher bestimmt und festgelegt, was der Grundstock einer Pfarrbibliothek zu
sein habe, siehe dazu Jadatz 2014.

Eine weitere Quelle möglicher Bücherfunde könnten Klosterrechnungen sein. So haben die Nonnen in Diesdorf 1483 ein gedrucktes Stundenbuch erworben (Priebatsch 1899/1900: 107):

> Die [...] Bibliohekskataloge verzeichnen nur Handschriften und nur einmal einen Druck. Doch buchen die Diesdorfer Klosterrechnungen im Jahre 1483 die Ausgabe: item iii R. gulden, de maken vj marcas, deme commissarien to Soltwedel vor de nyen imprimereden boke horarum.[21]

Mitunter findet sich aber auch Unerwartetes: So bewahrt die Dombibliothek des brandenburgischen Fürstenwalde ein um 1490 entstandenes, mit 19 Seiten recht umfangreiches Fragment von „Arnt Buschmanns Mirakel", und zwar in altmärkischer Sprache, weswegen es hier zu nennen ist.[22] Der Text muss im 15. Jahrhundert also in der Altmark verfügbar gewesen sein. Es handelt sich dabei um ein ganz außergewöhnliches Werk: Sein Verfasser, der niederrheinische Großbauer Arnt Buschmann, um 1411/12 auf dem Buschmannshof bei Duisburg-Meiderich geboren, hatte

> von November 1437 bis Frühsommer 1438 eine Reihe von Visionen, bei denen sich ihm der Geist seines verstorbenen Großvaters Heinrich offenbarte und um Erlösung aus den Qualen des Fegefeuers bat. [...] Um seine Mitmenschen vor den Qualen von Hölle und Fegefeuer zu warnen, verfasste Arnt 1444, nachdem er (wohl im nahegelegenen Prämonstratenserkloster Hamborn) schreiben gelernt hatte, einen schriftlichen Bericht über seine Visionen, den er 1450 auf einer Romfahrt in lat. Übersetzung Papst Nikolaus V. überreichte. (Beckers 1978: Sp. 1143)

„Arnt Buschmanns Mirakel" ist in zahlreichen Handschriften und Frühdrucken im gesamten deutschen und niederländischen Sprachraum verbreitet, weswegen es nicht verwundert, dass der Text auch in der Altmark zu finden ist. Seine Existenz zeigt, dass für die Erforschung mittelalterlicher Literatur in der Altmark noch sehr viel zu tun ist.

5 Literatur aus der Altmark: Busso von Erxleben

Man könnte jetzt fragen: Gab es denn gar nichts an Literatur, das in der Altmark selbst entstanden ist? Dafür kann ich wenigstens ein Beispiel geben: Am 3. November 1372 wehrten die Bürger von Stendal bei dem heute nicht mehr existierenden Dorf Merize erfolgreich den Überfall einer Gruppe von Adeligen des östlichen Harzgebietes ab – diese hatten es vor allem auf die reichen Viehbestände der Stadt

---

21 Möglicherweise GW 13012: Horae, niederdeutsch. Seven tyde Unser Liever Vrauwen. [Magdeburg: Albert Ravenstein und Joachim Westval, um 1483/84]. 8° (Der Druck firmiert bei BC 24 unter Bedebok [Lübeck: Lucas Brandis, um 1478].) – Dank an Falk Eisermann für den Hinweis .

22 Siehe Horstkötter 2016: 50f. Ich danke Norbert Nagel, Münster, für den Hinweis auf Horstkötter und dessen Untersuchung,

abgesehen. Dabei kamen auf Seiten der Angreifer viele Adelige, darunter Busso von Erxleben, aber auch eine Reihe Stendaler Bürger und auf ihrer Seite der Ritter Werner von Kalbe ums Leben. „Zu Stendal auf dem Rathause fand sich", wie der Herausgeber des gleich zu besprechenden Liedes mitteilt, „ein auf Holz geheftetes Pergament [...] welches eine von Rathmannen und Gildemeistern gemachte Stiftung beurkundete" (von Liliencron 1865–1869, I: 84). Der Text auf der Pergamenttafel verzeichnete zum einen die soeben referierten Fakten und bestimmte zum weiteren, dass jährlich am Sonnabend nach Allerheiligen die dazu bestimmten Consules (also die Ratmannen) *debent dare stypam* [also ein Almosen] *in honorem dei et b[eate] matris et omn[ium] sanctor[um].*[23] Der Text dieser Tafel war offenbar in Latein abgefasst, er ist in Bekmanns Beschreibung der Chur- und Mark Brandenburg wiedergegeben (Bekmann 1751–1753, 2: 5. Theil, I. Buch, II. Kapitel, Sp. 222f.):

> Die Geschichte hiervon, wie sie auf einem pergament so auf einer hölzernen tafel geheftet, beschrieben worden, wird noch auf dem Rahthause gezeiget und bestehet in folgenden worten:
>
> Anno domini MCCC Septuagesimo Secundo Tertia die Mensis Novembris, hoc fuit feria quarta proxima post festum Omnium Sanctorum Burgenses nostri bellaverunt apud Villam Menitze [!] contra illos de Wernigerode, de Regensten, de Egelen & de Arxsleve & plures alias. Et ex gracia Dei omnipotentis obtinuerunt victoriam & triumphaverunt contra eos. Et propter hoc donum Dei Consules & Guldarum Magistri concordantes statuerunt, quod omni Anno feria sexta post omnium Sanctorum duo Consules, qui a Consilio ad hoc ordinantur, debent dare Stypam in honorem Dei & beate Marie & omnium Sanctorum. Et hanc Stypam comparabunt et dabunt de illa marca, que recipitur pro Censu de Domo in Ponte sartorum quam Petrus Heling inhabitavit, que quondam fuit Gulde Panniscidarum: Item de illis triginta solidis, qui recipiuntur pro Censu de Stupa Civitatis. Et de illo talento, quod recipitur de libra Civitatis sub Lobio. Summa hujus est una Marca & tertium dimidium Talentum, que omni anno ut predictum est, ad Stypam debent erogari. Et in predicto bello interfectus est *Wernerus de Kalve Civis noster* & multi alii ex utraque parte. Amen.[24]

Es handelt sich um eines der in sehr vielen Städten des Mittelalters nachzuweisenden Schlachtgedenken, das wie üblich durch eine an einem öffentlichen Ort, hier im Rathaus, aufgehängte Schrifttafel dokumentiert wurde. Im Zusammenhang damit aber entstand zu einem unbekannten Zeitraum, ich vermute das 15. oder frühe 16. Jahrhundert, eine der sehr vielen historisch-politischen Lieddichtungen der Zeit. Eine Melodie ist nicht überliefert, so bleibt uns nur der niederdeutsche Text, dessen erste drei (von zehn) Strophen folgendermaßen lauten:

---

23 Siehe auch den Abdruck in CDB 1, 15: 177f. (Nr. CCXXVIII).
24 Bekmann fügt hinzu, dass „Angelus S. 100 und vor ihm Entzelt Q III a" diese Geschichte irrtümlich z. J. 1243 brächten. – Zu dem Busse-von-Erxleben-Lied als Lied s. a. Honemann 2005: 80f., mit Abdruck des gesamten Liedtextes und weiteren Erläuterungen.

Her busse von Erxleven sik vermat / wel up dem huse, da he sat: / „were ik vifhundert starke, / ik wolde so vele köe weghalen, / wel ut der olden marke.“ //

„Wuste ik wer unse forman wolde sin / wol to der olden marke henin, / en perd wolde ik em geven.“ / „En perd wolde ik vordienen“, / sprack Gebhard von Runstede. //

„Jk wolde sei furen in ein vull land / dat is unberovet un unvorbrand, / dar is so väle to nemen / wir hebben so väle starke wapener, / wer wolde uns dat weren?“

Es ist dies, soweit ich sehe, das einzige in der Altmark entstandene politische Lied des späten Mittelalters, was auch ein Zeichen dafür ist, dass die „olde marke“ von dramatischen politischen Ereignissen in dieser Zeit weitgehend verschont blieb; auch der für die Stadtgeschichte Stendals sehr wichtige Aufstand gegen die Biersteuer des Kurfürsten Johann Cicero von 1488 hat sich, soweit zu sehen, nicht in einem Liede niedergeschlagen, wird aber in den frühneuzeitlichen Chroniken der Entzelt, Lenz, Bekmann usw. ausführlich dargelegt.

6 Buchdrucker aus und in Stendal

Das 15. Jahrhundert, in dem das Busse-Lied wohl entstand, ist in ganz Europa eine Zeit sozialer Umbrüche, wirtschaftlichen und kulturellen Aufschwungs, und, damit einhergehend, auch gesteigerter Mobilität. Mit der Altmark hat das insofern viel zu tun, als wir in den Jahren 1473–1476 in Padua und Venedig auf einen Buchdrucker stoßen, der sich durchweg „Albrecht von Stendal“ nennt. Es handelt sich sicherlich um ein unternehmungslustiges Kind dieser Stadt, das, wie bald viele weitere deutsche Drucker, seinen Verdienst im blühenden Oberitalien suchte, wo er die gut 20 Jahre früher durch Johannes Gutenberg in Mainz entwickelte Kunst des Buchdrucks feilbot. Wir haben von ihm mindestens 13 Drucke. Ihre Inhalte zeigen, dass Albrecht ein gutes Gespür dafür hatte, was sich verkaufen ließ: Der früheste Druck scheint der in Padua am 5. Oktober 1473 herausgebrachte Teil I der „Summa theologiae“ des Thomas von Aquin (GW M 46452 und 46454) zu sein, dem wichtigsten theologischen Grundlagenwerk der Zeit. Es folgten die „Psalmi poenitentiales“, also die Bußpsalmen-Dichtung des Francesco Petrarca, sieben kurze Gebete in rhythmischer Prosa (GW M 31612), dann die dem antiken Tyrannen Phalaris (fälschlich) zugeschriebenen Briefe (GW M 32864), mehrere Werke des Franziskanertheologen Johannes Duns Scotus (GW 09067 und 09081), zwei medizinische Schriften des Antonius Guainerius (GW 10497 und 11584), zwei lateinische Grammatiken (GW M 27822 und M 31202), schließlich eine italienische „Confessione di S. Maria Maddalena“ (GW 07376) und das bekannte Traumbuch des Daniel (GW 07904). Eine inhaltliche Spezialisierung lässt sich nicht erkennen; wie es scheint, ging die Kunst dieses unternehmungslustigen Stendalers, über dessen Lebensumstände wir gar nichts wissen, nach Brot, d. h. er druckte, was ihm einen guten Absatz versprach.

Gleiches lässt sich von einem weiteren Drucker sagen, nämlich Joachim West-val.[25] Dieser Sohn des wohlhabenden Stendaler Kaufmanns Albrecht Westval druck-te zunächst mit Albert Ravenstein, der sich selbst einmal als Magister bezeichnet, in Magdeburg; wo er und Joachim die Kunst des Druckens erlernt haben, wissen wir nicht. Interessant ist, dass die beiden sich in einem ihrer Drucke „fratres" nennen, also vielleicht Brüder vom gemeinsamen Leben waren und damit Mitglieder einer im 15. Jahrhundert von den Niederlanden ausgehenden, sich rasch verbreitenden Frömmigkeitsbewegung für Laien.[26] Die beiden besaßen nur eine einzige Texttype, was zeigt, dass ihre Offizin klein war. In Magdeburg druckten sie in den Jahren 1483 und 1484 einen Traktat von den sieben Sakramenten, dann ein „Officium missae", dazu Almanache, ein Beichtbüchlein, die lateinische „Historia Salomonis et Marcol-fi", zweimal eine „Infirmorum visitatio" (die den Priester darüber belehren sollte, was er beim Versehgang zu beachten hatte), des Johannes von Freiburg Instruktion für Beichtväter (lateinisch), niederdeutsche Tagzeiten Unserer lieben Frau, Prognos-tiken auf die Jahre 1486 und 1488 und schließlich, als umfangreichstes und aufwen-digstes ihrer Druckwerke, das erste niederdeutsche Plenarium, also d a s geistliche Hand- und Hausbuch für Laien. Insgesamt sind es nicht weniger als 15 Drucke; soweit sie firmiert sind, nennen sich in allen Ravenstein und Westval gemeinsam als Drucker.

Um Weihnachten 1486 war Westval wieder in seiner Vaterstadt, wo er von jetzt an – aber wohl erst ab 1488 – druckte. „Er wohnte zunächst in seinem väterlichen Haus am Markt, später in der Brüderstraße." (Geldner 1968: 273) Mehrere seiner selbständigen Drucke sind nicht datiert, weshalb es nicht möglich ist, eine genaue Reihenfolge seiner Produktion zu ermitteln. Um 1488 druckte er jedenfalls, als sein umfangreichstes Stendaler Druckwerk, das von mir bereits erwähnte Landrecht des Sachsenspiegels samt der Glosse (GW 09262) sowie den „Donatus moralisatus" des Ps.-Johannes Gerson (GW 10868), ein vor 1500 vielfach aufgelegtes Werk, das die Grammatik des Donat – ein Standardlehrbuch der Zeit – geistlich allegorisierte, was es zum Erbauungsbuch machte. Wohl früh im Jahre 1488 oder noch 1487 druckte Westval das Prognostikon des bekannten Astronomen, Astrologen und Mediziners Johannes Virdung auf das Jahr 1488 (GW M 50715): So konnten auch die Stenda-ler erfahren, was das Jahr 1488 bringen würde. In die gleiche Richtung zielte ein undatierter Druck eines niederdeutschen Losbuches (GW M 18775), eines der im Spätmittelalter sehr verbreiteten Traum- und Wahrsagebücher.

Wohl für die Stendaler Lateinschüler war ein weiterer Druck bestimmt: der la-teinisch-deutsche „Modus teutonisandi" des Westfalen Heinrich von Keppel (GW M 25067). Dies ist der einzige Druck und überhaupt die einzige Überlieferung des Werkes, und man wüsste gern, wie Westfal an die Druckvorlage kam.[27] All dies

25   Siehe zu ihm Götze 1929: 299–302; dort auch urkundliche Nachweise (in den Schossre-
     gistern) für Westvals Stendaler Zeit.
26   Ergänzung GR: Auch in Rostock wurde die erste (um 1475 bis 1533 bestehende) Drucke-
     rei von zwei Brüdern vom gemeinsamen Leben errichtet (vgl. Reske 2007: 792f.).
27   Zu Autor und Werk siehe Töns 2004, zum „Modus" ebd.: 58–62. – Ulrich Töns hat die-
     sen zuvor völlig unbekannten Autor entdeckt!

waren kleine, wenig umfangreiche und rasch herzustellende Drucke, die auch einer kleinen Offizin wie der des Joachim Westval ein gewisses Auskommen versprachen.

7 Schwankliteratur

Das gilt auch für die folgenden Werke: 1488 oder 1489 druckte Westval – als erster Drucker überhaupt – die „Historia von Broder Rusche" (GW 12745, 8 Bll.),[28] einen Teufelsschwank: Der Teufel als Koch im Kloster, der dort „Unfrieden stiftet und die Mönche zur Völlerei verführt, schließlich aber bei einer nächtlichen Teufelsversammlung belauscht und daraufhin vom Abt entlarvt und vertrieben wird" (Harmening 1978: Sp. 1043f.).

Westvals wohl letzter Stendaler Druck war dann die „Historia von Salomon und Marcolf" (GW 12788), dem Kolophon zufolge *Gedruckt in der werdigen staed Stendal van Jochim Westfael in dem lxxxlx iare.*[29] Im lateinischen Original hatte Westval den „Salomon und Markolf" bereits in Magdeburg zum Druck gebracht. Das Schwankbuch vom frech-cleveren Bauern Marcolf, der mit seinen Fragen die Weisheit des Königs Salomon zuschanden macht, war ein sehr beliebter, vielfach und in verschiedenen Fassungen oft gedruckter Text,[30] der immer wieder derb, ja mitunter skatologisch daherkommt. So heißt es in dem Dialog beispielsweise: Salomon: *Vier ewangelisten holden de werlt*, worauf Markolf antwortet: *Vier sulen holden dat schithuuß.* Fast all diese Drucke sind, ich habe es bereits erwähnt, klein im Umfang und auch im Format (meist Oktav), und man gewinnt den Eindruck, dass Westval sehr genau wusste, woran seine Stendaler Mitbürger interessiert waren. Nach 1489 hören wir nichts mehr von ihm; ob und warum er Stendal verlassen hat oder wohin er gezogen ist, ist bisher unbekannt geblieben.[31]

Die beiden Schwankbücher von „Bruder Rausch" und „Salomon und Markolf" aber erinnern uns daran, dass auch das berühmteste Schwankbuch der Zeit, der 1510

---

28 Siehe Harmening (1978: Sp. 1043) zu den weiteren acht Drucken des 16. Jahrhunderts. – Faksimileausgabe: Priebsch 1919. Siehe jetzt auch Eichenberger 2015: 476–480.

29 Götze (1929: 302) erwähnt noch eine „Sammlung lateinischer Briefe. Quart, 30 durchlaufende Zeilen. Breite des Schriftsatzes 9,1 cm, Signaturen." Davon seien aber nur noch „zwei halbe Bogen und die größere Hälfte eines dritten übrig"; sie „dienen als Vorstoßblätter in dem in der Bibliothek des Rittergutes Kläden befindlichen Exemplare des Sachsenspiegels". Es handelt sich hierbei aber in Wirklichkeit um den Probedruck von sechs einseitig bedruckten Blättern der „Epistolae" des Gasparinus Barzizius ([Erfurt, Drucker des Aeristeas, um 1483], GW 0367710 N) – ich danke Falk Eisemann für den Hinweis.

30 Siehe Griese (1999: 63) zur Collationes-Fassung und (ebd.: 211) zu den oben genannten Drucken.

31 Ergänzung GR: Hofstetter/Nitzsche (2007: 19) vermuten, dass im Zusammenhang der „Bierziese" (Aufstand gegen Steuern) 1488 die Gegenmaßnahmen des Kurfürsten und der damit verbundene Austritt Stendals aus der Hanse auch Joachim Westval zum Verlassen der Stadt wegen der geschwächten Wirtschaftsleistung ihrer Bürger veranlasst hat. Das ist aber ebenso spekulativ wie die Vermutung Götzes (1929: 299), der oben genannte Albrecht von Stendal könne ein älterer Bruder des Joachim gewesen sein (dessen Vater allerdings ebenfalls Albrecht hieß, Leitnamenprinzip?).

erstmals in Straßburg gedruckte „Eulenspiegel", mit Stendal in Verbindung steht: Die außerordentlich lange Historie 51 spielt in Stendal. Es ist der Schwank vom Stendaler „Wullenweber", mit dem sich Eulenspiegel erst darüber auseinandersetzt, ob und wann an einem Feiertag gearbeitet werden soll, wann aber nicht, und der Eulenspiegel dann auffordert, die Wolle *wol ein wenig höher [zu] schlagen*: Das tut Eulenspiegel, indem er auf eine Leiter steigt. Die Frage an den Wullenweber, ob dies hoch genug sei, kommentiert dieser so: *Trüwen, stundest uff dem dach, so wärst du noch höher.* Eulenspiegel nimmt das, nach seiner Gewohnheit, wörtlich, so, wie er es auch im weiteren tut, wenn der entsetzte Wullenweber (der seine Wolle davonfliegen sieht), ihm zuruft: *Wilt du Wollen schlahen, so schlags, wilt du Narretei treiben, so treibs! Steig vom Dach und scheis in die Hurt*, was Eulenspiegel auch sofort tut.[32]

Ich bin damit am Ende meiner Bemerkungen zur mittelalterlichen Literatur in der Altmark angekommen. Von den Höhen politischer theologischer Disputation im Byzanz des 12. Jahrhunderts führte der Weg über eine Großtat juristischen Schrifttums im 14. Jahrhundert und das politische Lied vom Busse von Erxleben im 15. Jahrhundert bis hin zu den in Stendal um 1500 gedruckten und rezipierten Schwankbüchern – eine Ernte, die bescheiden zu nennen ist und die Früchte sehr verschiedener Art zusammensammelte. Dies alles ist freilich nur der Ertrag eines allerersten Zugriffes: Es ist zu hoffen, dass gründliche Erforschung der literarischen Hinterlassenschaft der Altmark zwischen dem 12. und frühen 16. Jahrhundert eine reichere Ernte einfahren wird.[33]

Literatur

Abb, Gustav (1925): Märkisches Buch- und Bibliothekswesen in seinen Anfängen. In: Forschungen zur brandenburgischen und preußischen Geschichte 37, S. 194ff.

Anticimenon = Anselm von Havelberg: Anticimenon. In: Patrologia latina 188. Paris 1890, Sp. 1139–1248.

Badstübner, Ernst und Christian Popp (2007): Stendal. Kollegiatstift. In: Brandenburg. Klosterbuch II, S. 1197–1213.

---

32 Die Zitate nach Lindow 1966: 148–151.

33 Ergänzung GR: Vermutlich ist dies eine trügerische Hoffnung. Nicht mehr ausgewertet hat Honemann die Arbeiten von Czubatynski (1998 und 2013), erstere geht in den Anhang ein. Ob eine Durchsicht der bei Czubatynski (2013) genannten, teils entlegen erschienenen Schriften und Chroniken Erfolg zeitigen würde, ist zweifelhaft. Einige Stichproben (z. B. Götze 1865 zu Seehausen und Beuster bzw. Abb 1925 zum märkischen Buch- und Bibliothekswesen oder F. Zimmermann 1930 zu Stendal) haben leider keinerlei weitere Erkenntnisse zu mittelalterlichen Büchern oder Bibliotheken erbracht, meist beziehen sich die Arbeiten auf nachreformatorische bzw. neuzeitliche Gründungen. Czubatynski selbst hat in seiner Arbeit von 1998 bereits vieles ausgewertet und die Brosamen zusammengesucht.

Bark, Gabriele und Silke Junker (2011): Kunst des Mittelalters und der frühen Neuzeit. Eine Sonderpräsentation im Altmärkischen Museum Stendal. In: Fajt/Frenzen/Knüvener, S. 522f.

BC = Conrad Borchling und Bruno Claussen: Niederdeutsche Bibliographie. Gesamtverzeichnis der niederdeutschen Drucke bis zum Jahre 1800. 3 Bde. Neumünster 1931, 1935, 1957.

Beckers, Hartmut (1978): Buschmann, Arnt. In: ²VL 1, Sp. 1142–1145.

Bekmann, Johann Christoph (1751–1753): Historische Beschreibung der Chur und Mark Brandenburg nach ihrem Ursprung, Einwohnern, Natürlichen Beschaffenheit, Gewässer, Landschaften, Stäten, Geistlichen Stiftern [...], ergänzt, fortgesetzt und hg. von Bernhard Ludwig Bekmann. 2 Bde. Berlin. URN: urn:nbn:de:gbv:3:1-727845 [Stand : 31. 10. 2017].

Behrend, Jacob Friedrich (Hg.) (1868): Ein Stendaler Urtheilsbuch aus dem 14. Jahrhundert als Beitrag zur Kenntniss des Magdeburger Rechts. Berlin. URL: http://www.mdz-nbn-resolving.de/urn/resolver.pl?urn=urn:nbn:de:bvb:12-bsb 10550636-6 [Stand : 24.04.2017].

Bergstedt, Clemens u. a. (2007): Havelberg, Prämonstratenser-Domkapitel. In: Brandenburg. Klosterbuch I, S. 573–592.

Borrmann, Eberhard, Joachim Stephan und Tilo Schöfbeck (2007): Diesdorf, Augustiner-Chorfrauen. In: Brandenburg. Klosterbuch I, S. 412–420.

Brandenburg. Klosterbuch = Heinz-Dieter Heimann u. a. (Hgg.) (2007): Brandenburgisches Klosterbuch. 2 Bde. (Brandenburgische Historische Studien 14). Berlin.

Brandis, Tilo und Herwig Maehler (1967): Die Handschriften der S. Petri-Kirche Hamburg – Die Handschriften der S. Jacobi-Kirche Hamburg (Katalog der Staats- und Universitätsbibliothek Hamburg IV). Hamburg.

Braun, Johann Wilhelm (1978): Anselm von Havelberg. In: ²VL 1, Sp. 384–391.

Brückner, Sigrid und Uwe Czubatynski (2003): Tangermünde. Bibliothek des Heimatmuseums. In: Fabian > Deutschland > Sachsen-Anhalt.

Buchholz-Johanek, Ingeborg (1983): Johann von Buch. In: ²VL 4, Sp. 551–559.

Buchholz-Johanek, Ingeborg (1995): ‚Stendaler Glosse'. In: ²VL 9, Sp. 287f.

Bünger, Fritz (1926): Zur Geschichte und Mystik der märkischen Dominikaner (Veröffentlichungen des Vereins zur Geschichte der Mark Brandenburg 21). Berlin.

CDB 1 = Riedel, Adolph Friedrich (Hg.) (1838–1863): Codex diplomaticus Brandenburgensis: Sammlung der Urkunden, Chroniken und sonstigen Quellenschriften für die Geschichte der Mark Brandenburg und ihrer Regenten. Haupttheil 1: Geschichte der geistlichen Stiftungen, der adlichen Familien, so wie der Städte und Burgen der Mark Brandenburg. 25 Bde. Berlin. – Alle Bände digitalisiert vom Münchener Digitalisierungszentrum der Bayerischen Staatsbibliothek:

    Bd. 1:   URL: http://www.mdz-nbn-resolving.de/urn/resolver.pl?urn=urn:nbn:de:bvb:12-bsb10001017-7 [Stand: 12. 05. 2017].

    Bd. 2:   URL: http://www.mdz-nbn-resolving.de/urn/resolver.pl?urn=urn:nbn:de:bvb:12-bsb10001018-2 [Stand: 12. 05. 2017].

    Bd. 3:   URL: http://www.mdz-nbn-resolving.de/urn/resolver.pl?urn=urn:nbn:de:bvb:12-bsb10000981-0 [Stand: 12. 05. 2017].

Bd. 5:   URL: http://www.mdz-nbn-resolving.de/urn/resolver.pl?urn=urn:nbn:
          de:bvb:12-bsb10000983-1 [Stand: 22.07.2017].
Bd. 6:   URL: http://www.mdz-nbn-resolving.de/urn/resolver.pl?urn=urn:nbn:
          de:bvb:12-bsb10000984-6 [Stand: 22.07.2017].
Bd. 14:   URL: http://www.mdz-nbn-resolving.de/urn/resolver.pl?urn=urn:nbn:
          de:bvb:12-bsb10001030-0 [Stand: 02.05.2017].
Bd. 15:   URL: http://www.mdz-nbn-resolving.de/urn/resolver.pl?urn=urn:nbn:
          de:bvb:12-bsb10001031-5 [Stand: 12.05.2017].
Bd. 16:   URL: http://www.mdz-nbn-resolving.de/urn/resolver.pl?urn=urn:nbn:
          de:bvb:12-bsb10001032-1 [Stand: 12.05.2017].
Bd. 25:   URL: http://www.mdz-nbn-resolving.de/urn/resolver.pl?urn=urn:nbn:
          de:bvb:12-bsb10001003-0 [Stand: 30.10.2017].
Czubatynski, Uwe (1998): Armaria ecclesiae. Studien zur Geschichte des kirch-
     lichen Bibliothekswesens (Veröffentlichungen der Arbeitsgemeinschaft der Ar-
     chive und Bibliotheken in der Evangelischen Kirche 24). Neustadt an der Aisch.
Czubatynski, Uwe (2003a): Gardelegen. Kirchenbibliothek St. Nikolai. In: Fabian >
     Deutschland > Sachsen-Anhalt.
Czubatynski, Uwe (2003b): Havelberg. Bibliothek des Prignitz-Museums. In: Fabi-
     an > Deutschland > Sachsen-Anhalt.
Czubatynski, Uwe (2003c): Salzwedel. Kirchenbibliothek St. Katharinen. In: Fabian
     > Deutschland > Sachsen-Anhalt.
Czubatynski, Uwe (2003d): Seehausen (Altmark), Kirchenbibliothek. In: Fabian >
     Deutschland > Sachsen-Anhalt.
Czubatynski, Uwe (2003e): Stendal. Dombibliothek St. Nikolai. In: Fabian >
     Deutschland > Sachsen-Anhalt.
Czubatynski, Uwe (2013): Bibliographie zur Kirchengeschichte in Berlin und Bran-
     denburg. Bd. 1: Allgemeines und Altmark. Nordhausen.
Danneil, Johann Friedrich (1840): Das Salzwedelsche Stadtrecht. In: Neue Mit-
     theilungen aus dem Gebiet historisch-antiquarischer Forschungen IV, H. 1,
     S. 77–98. URL: http://zs.thulb.uni-jena.de/receive/jportal_jparticle_00266887
     [Stand : 24.04.2017].
Eichenberger, Nicole (2015): Geistliches Erzählen. Zur deutschen religiösen Klein-
     epik des Mittelalters. Berlin.
Entzelt, Christoph (1579): Chronicon oder Kurtze einfeltige vorzeichenus Darinne
     begriffen / Wer die Alte Marck vnd nechste Lender darbey sind der Sindtfluth
     bewonet hat [...]. Magdeburg (ND Potsdam 2011).
Fabian, Bernhard (Hg.) (2003): Handbuch der historischen Buchbestände in
     Deutschland, Österreich und Europa. Digitalisiert von Günter Kükenshöner.
     Hildesheim. URL: http://fabian.sub.uni-goettingen.de/fabian?Home [Stand:
     31.07.2017]. – In der Printausgabe Bd. 22: Sachsen-Anhalt, Hildesheim 2000;
     Bd. 16: Mecklenburg-Vorpommern und Brandenburg, Hildesheim 1996.
Fajt, Jiří, Wilfried Frenzen und Peter Knüvener (Hgg.) (2011): Die Altmark von
     1300 bis 1600. Eine Kulturregion im Spannungsfeld von Magdeburg, Lübeck
     und Berlin. Berlin.

Geldner, Ferdinand (1968): Die deutschen Inkunabeldrucker. Ein Handbuch der deutschen Buchdrucker des XV. Jahrhunderts nach Druckorten. Bd. 1: Das deutsche Sprachgebiet. Stuttgart.

Gengler, Heinrich G. P. (1866): Deutsche Stadtrechte des Mittelalters teils verzeichnet, teils vollständig oder in Probeauszügen mitgeteilt. Nürnberg (ND Aalen 1964).

Götze, Ludwig (1865): Kirchengeschichte der Stadt Seehausen in der Altmark und des Collegiatstiftes S. Nicolai zu Beuster bis zur Reformationszeit. In: Zu der öffentlichen Prüfung der Klassen des Progymnasiums zu Seehausen in der Altmark [...] [Schulprogramm des Progymnasiums Seehausen]. Stendal 1865, S. 1–34. URN: urn:nbn:de:hbz:061:1-373879

Götze, Ludwig (1929): Urkundliche Geschichte der Stadt Stendal. Stendal.

Grässe, Johann Georg Theodor (1868): Sagenbuch des Preussischen Staates. Bd. I. Glogau 1868 (unv. ND Hildesheim 1977).

Griese, Sabine (1999): Salomon und Markolf. Ein literarischer Komplex im Mittelalter und in der frühen Neuzeit (Hermaea N. F. 81). Tübingen.

Guth, Waltraut (2003): Bibliotheken in Sachsen-Anhalt. Allgemeines. In: Fabian > Deutschland > Sachsen-Anhalt.

Guth, Waltraut (2004): Bibliotheksgeschichte des Landes Sachsen-Anhalt (Schriften zum Bibliotheks- und Büchereiwesen in Sachsen-Anhalt 85). Halle.

GW = Datenbank Gesamtkatalog der Wiegendrucke. URL: http://gesamtkatalogder wiegendrucke.de/ [Stand: 31.05.2017].

Harmening, Dieter (1978): ‚Bruder Rausch'. In: ²VL 1, Sp. 1043–1045.

Heckmann, Marie-Luise (2009): Zeitnahe Wahrnehmung und internationale Ausstrahlung. Die Goldene Bulle Karls IV. im ausgehenden Mittelalter mit einem Ausblick auf die frühe Neuzeit. In: Ulrike Hohensee u. a. (Hg.): Die Goldene Bulle. Politik – Wahrnehmung – Rezeption (Berichte und Abhandlungen, Sonderband 12). Bd. 2. Berlin, S. 933–1042.

von Heinemann, Otto (1886): Die Handschriften der Herzoglichen Bibliothek zu Wolfenbüttel. Erste Abtheilung: Die Helmstedter Handschriften II, Wolfenbüttel. (ND: Die Helmstedter Handschriften. Bd. 2: Codex Guelferbytanus 501 Helmstadiensis bis 1000 Helmstadiensis [Kataloge der Herzog-August-Bibliothek Wolfenbüttel 2]. Frankfurt a. M. 1965). URL: http://diglib.hab.de/ drucke/15-4f-10-1b-2/start.htm [Stand: 31.10.2017].

von Heinemann, Otto (1900): Die Handschriften der Herzoglichen Bibliothek zu Wolfenbüttel. Zweite Abtheilung: Die Augusteischen Handschriften IV. Wolfenbüttel. (ND: Die Augusteischen Handschriften. Bd. 4: Codex Guelferbytanus 77.4 Augusteus 2° bis 34 Augusteus 4° [Kataloge der Herzog-August-Bibliothek Wolfenbüttel 7]. Frankfurt a. M. 1966). URL: http://diglib.hab.de/drucke/ f4f-539-7/start.htm [Stand: 31.10.2017].

Hofstetter, Eva und Ina Nitzsche (2007): Buchherstellung in Stendal im 15. Jahrhundert. In: Buch-Geschichten: 500 Jahre Drucker, Verleger und Bibliotheken in Stendal [Ausstellungskatalog]. Ruhpolding u. a., S. 18–26.

Höhle, Michael (2004): Herkunft, Bestand und Verbleib der Kirchenbibliothek Kyritz. In: Mitteilungen des Vereins für Geschichte der Prignitz 4, S. 89–123.

Holder-Egger, Oswald (1892): Ueber eine erweiterte Recension der Chronica principum Saxoniae und verlorene Annalen von St. Blasien. In: Neues Archiv der Gesellschaft für ältere deutsche Geschichtskunde 17, S. 159–184.

Holder-Egger, Oswald (1896): Chronica principum Saxoniae ampliata (MGH SS. 30/1). Hannover, S. 27–34.

Honemann, Volker (2005): Herzog Casimir von Pommern und Busse von Erxleben: Zwei politische Lieder des deutschen Spätmittelalters im Vergleich. In: Michael Zywietz, Volker Honemann und Christian Bettels (Hgg.): Gattungen und Formen des europäischen Liedes vom 14. bis zum 16. Jahrhundert (Studien und Texte zum Mittelalter und zur frühen Neuzeit 8). Münster, S. 71–88.

Horstkötter, Ludger (Hg.) (2016): Arnt Buschmanns Mirakel. Untersuchungen zu Textentstehung und Verbreitung mit einer Edition der Hamborner Handschrift. Münster.

ISTC = Incunabula Short Title Catalogue. The international database of 15th-century European printing. URL: http://data.cerl.org/istc/_search [Stand : 31.05.2017].

Jadatz, Heiko (2014): Mitteldeutsche Pfarr- und Kirchbibliotheken im 16. Jahrhundert. Befunde in den Akten der evangelischen Kirchenvisitationen. In: Enno Bünz, Thomas Fuchs und Stefan Rhein (Hgg.): Buch und Reformation: Beiträge zur Buch- und Bibliotheksgeschichte Mitteldeutschlands im 16. Jahrhundert. Leipzig, S. 277–286.

Johanek, Peter (1992): Schöffenspruchsammlungen. In: ^{2}VL 8, Sp. 800–810.

Kaufmann, Frank-Michael (Hg.) (2002): Glossen zum Sachsenspiegel-Landrecht. Buch'sche Glosse. 3 Bde. (MGH Fontes iuris germanici antiqui, N.S. 7). Hannover.

Kaufmann, Frank-Michael und Peter Neumeister (Hgg.) (2015): Glossar zur Buch'schen Glosse. 3 Bde. (MGH Fontes iuris germanicia antiqui N.S. 10). Wiesbaden

Keil, Gundolf (1985): ‚Magdeburger Schöppenchronik'. In: ^{2}VL 5, Sp. 1132–1142.

Krämer, Sigrid (1998–1999): Handschriftenerbe des deutschen Mittelalters (Mittelalterliche Bibliothekskataloge Deutschlands und der Schweiz. Erg.-Bd. 1). 3 Bde. München.

Kruppa, Nathalie und Joachim Stephan (2007): Salzwedel, Augustiner-Chorfrauen. In: Brandenburg. Klosterbuch II, S. 1067–1072.

Kruppa, Nathalie, Joachim Stephan und Peter Knüvener (2007): Salzwedel, Augustiner-Chorherren. In: Brandenburg. Klosterbuch II, S. 1055–1066.

Lenz, Samuel (1747): Anweisung zu einer Chronicke der Alt-Märckischen Haupt-Stadt Stendal. Halle. URL: http://resolver.sub.uni-goettingen.de/purl?PPN6610 59340 [Stand: 24.04.2017].

Lenz, Samuel (1748): Fortgesetzte Anweisung zu einer Stendalschen Chronick, betreffend die Kirchen- und Reformations-Historie derselben Stadt […]. Halle 1748. URL: http://resolver.staatsbibliothek-berlin.de/SBB0000503C00000000 [Stand: 24.04.2017]).

von Liliencron, Rochus (1865–1869): Die historischen Volkslieder der Deutschen vom 13. bis 16. Jahrhundert. 4 Bde. Leipzig.

Lindow, Wolfgang (1966): Ein kurtzweilig Lesen von Dil Ulenspiegel. Nach dem Druck von 1515. Stuttgart.

Lübben, August und Christoph Walther (1888): Mittelniederdeutsches Handwörterbuch. Leipzig.

Luther, Martin (1524 [1899]): An die Burgermeyster und Radherrn allerley stedte ynn Deutschen landen. In: D. Martin Luthers Werke. Kritische Gesammtausgabe, 15. Band. Weimar 1899, S. 27–53.

Manuscripta Mediaevalia: URL: www.manuscripta-mediaevalia.de [Stand: 31.07. 2017].

Mindermann, Arend (2007): Seehausen/Altmark. Dominikaner. In: Brandenburg. Klosterbuch, Bd. II, S. 1091–1098.

Mindermann, Arend u.a. (2007): Arendsee, Benediktinerinnen. In: Brandenburgisches Klosterbuch I, S. 106–126.

Müller, Julius und Adolf Parisius (Hgg.) (1889–1929): Die Abschiede der in den Jahren 1540–1542 in der Altmark gehaltenen ersten General-Kirchen-Visitation, mit Berücksichtigung der in den Jahren 1551, 1578–79 und 1600 gehaltenen Visitationen. 8 Hefte. Magdeburg u.a. 1889, 1891, 1895, 1898, 1907, 1912, 1922, 1929. Nachdruck (in 2 Bdn.) Potsdam 2012.

Neumeister, Peter (2011): Johann von Buch. Ein altmärkischer Rechtsgelehrter im Dienste der Wittelsbacher. In: Fajt/Frenzen/Knüvener, S. 150–155.

Nitzsche, Ina und Erhardt Mauersberger (2003): Stendal. Bibliothek des Altmärkischen Museums. In: Fabian > Deutschland > Sachsen-Anhalt.

Oefelein, Cornelia (2007): Neuendorf. Zisterzienserinnen. In: Brandenburg. Klosterbuch II, S. 903–914.

Oppitz, Ulrich-Dieter (1990): Deutsche Rechtsbücher des Mittelalters. Bd. II: Beschreibung der Handschriften. Köln/Wien.

Partenheimer, Lutz und Peter Knüvener (2007): Werben. Kommende des Johanniterordens. In: Brandenburg. Klosterbuch II, S. 1289–1304.

Pohl, Joachim (2007): Krevese, Benediktinerinnen. In: Brandenburg. Klosterbuch I, S. 687–706.

Polthier, Wilhelm (1928): Die ehemalige Domstiftsbibliothek in Havelberg. In: Gustav Abb (Hg.): Von Büchern und Bibliotheken. Dem ersten Direktor der Preussischen Staatsbibliothek […] Ernst Kuhnert als Abschiedsgabe dargebracht […]. Berlin, S. 163–176.

Popp, Christian (2007a): Arneburg, Kollegiatstift. In: Brandenburg. Klosterbuch I, S. 131–137.

Popp, Christian (2007b): Das Bistum Halberstadt 1. Das Stift St. Nikolaus in Stendal (Germania sacra N.F. 49). Berlin/New York.

Popp, Christian (2007c): Tangermünde, Kollegiatstift St. Johannes. In: Brandenburg. Klosterbuch II, S. 1263–1269.

Priebatsch, Felix (1899/1900): Märkische Bibliotheken im Mittelalter. In: Zeitschrift für Bücherfreunde 3, S. 105–108.

Priebsch, Robert (1919): Bruder Rausch. Facsimile-Ausgabe des ältesten niederdeutschen Druckes (A) nebst den Holzschnitten des nd. Druckes (J) vom Jahre 1596 (Zwickauer Faksimiledrucke No. 285). Zwickau.

Reske, Christoph (2007): Die Buchdrucker des 16. und 17. Jahrhunderts im deutschen Sprachgebiet. Wiesbaden.

Römer, Cristof (2007): Arneburg, Benediktiner. In: Brandenburg. Klosterbuch I, S. 127–130.

Rose, Valentin (1901–1905): Verzeichniss der Lateinischen Handschriften der Königlichen Bibliothek zu Berlin. Zweiter Band: Die Handschriften der Kurfürstlichen Bibliothek und der Kurfürstlichen Lande (Die Handschriften-Verzeichnisse der Königlichen Bibliothek zu Berlin 13). 3 Teilbde. Berlin 1901, 1903, 1905 (ND Hildesheim/New York 1976)

Schiller, Karl und August Lübben (1875–1881): Mittelniederdeutsches Wörterbuch. 6 Bde. Bremen.

Schipke, Renate und Kurt Heydeck (2000): Handschriftencensus der kleineren Sammlungen in den östlichen Bundesländern Deutschlands. Bestandsaufnahme der ehemaligen Arbeitsstelle „Zentralinventar mittelalterlicher Handschriften bis 1500 in den Sammlungen der DDR" (ZIH) (Staatsbibliothek zu Berlin – Preußischer Kulturbesitz. Kataloge der Handschriftenabteilung. Sonderband). Wiesbaden. URL: http://bilder.manuscripta-mediaevalia.de/hs//kataloge/HSK0533. htm [Stand: 31.10.2017].

Schmies, Bernd (2007): Stendal. Franziskaner. In: Brandenburg. Klosterbuch II, S. 1214–1220.

Schmies, Kirsten (2007): Stendal. Franziskanerinnen. In: Brandenburg. Klosterbuch II, S. 1225–1231.

Schmies, Bernd, Kirsten Schmies und Rosemarie Leineweber (2007): Salzwedel, Franziskaner. In: Brandenburg. Klosterbuch II, S. 1040–1054.

Scholz, Michael (2007): Kalbe/Milde, Benediktinerinnen. In: Brandenburg. Klosterbuch I, S. 671–675.

Scholz, Michael und Tatjana Ceynowa (2007): Dambeck, Benediktinerinnen. In: Brandenburg. Klosterbuch I, S. 393–411.

Scholz, Michael und Tilo Schöfbeck (2007): Beuster, Kollegiatstift. In: Brandenburg. Klosterbuch I, S. 202–211.

Schöppenchronik = Die Magdeburger Schöppenchronik (Die Chroniken der deutschen Städte vom 14. bis ins 16. Jahrhundert 7; Die Chroniken der niedersächsischen Städte, Magdeburg Bd. 1). Leipzig 1869 (unv. ND Göttingen 1962).

Schultze, Johannes (Hg.) (1940): Das Landbuch der Mark von 1375. Berlin.

Schulz-Grobert, Jürgen (1998): „der wirdig Arnolff Pfaffenmeier". Zur literarhistorischen Bedeutung eines Protagonisten der Braunschweiger Stadtgeschichte. In: Jahrbuch der Oswald von Wolkenstein-Gesellschaft 10, S. 341–348.

Schulze, Carl (1936): Das Dominikanerkloster in Seehausen. In: Seehäuser Wochenblatt 79, Nrr. 176–182.

Sieben, Hermann Josef (Hg.) (2010): Anselm von Havelberg: Anticimenon – Über die Einheit der Kirche. (Über die Einheit der Kirche von Abel bis zum letzten Erwählten und von Ost bis West). Eingeleitet, übersetzt und kommentiert von Hermann Josef Sieben (Archa verbi. Subsidia 7). Münster. – Einleitung und Teile der Edition auch online: URL: http://www.ku-eichstaett.de/filead min/110301/12.07._-_1.1_Anticimenon.pdf [Stand: 24.04.2017]).

Stahl, Irene (1993): Handschriften in Nordwestdeutschland. Aurich – Emden – Oldenburg (Mittelalterliche Handschriften in Niedersachsen. Kurzkatalog 3), Wiesbaden. URL: http://bilder.manuscripta-mediaevalia.de/hs//kataloge/HSK0440. htm [Stand: 31.10.2017].

Stier-Meinhof, Renate (1992): Die Geschichte der Bibliothek der St. Katharinenkirche in der Neuen Stadt Salzwedel. In: Uwe Czubatynski, Adolf Laminski und Konrad von Rabenau (Hgg.): Kirchenbibliotheken als Forschungsaufgabe. Neustadt, S. 47–68.

Töns, Ulrich (2004): Leben und Werk des münsterischen Domherrn Heinrich von Keppel (ca. 1400–1476). In: NdW 44, S. 45–76.

Treuter, Ina-Maria (2003): Bibliotheken in Brandenburg. Allgemeines. In: Fabian > Deutschland > Brandenburg.

Väth, Paula (2001): Die illuminierten lateinischen Handschriften deutscher Provenienz der Staatsbibliothek zu Berlin Preußischer Kulturbesitz: 1200–1350 (Kataloge der Handschriftenabteilung Reihe 3: Illuminierte Handschriften Bd. 3) Wiesbaden.

VD 16 = Datenbank Verzeichnis der Drucke 16./17. Jahrhunderts (VD16 / VD17). URL: https://opacplus.bib-bvb.de/TouchPoint_touchpoint/start.do?SearchProfile=Altbestand&SearchType=2 [Stand : 31.05.2017].

²VL = Die deutsche Literatur des Mittelalters. Verfasserlexikon. Hg. von Kurt Ruh u.a. 14 Bde. Berlin/New York 1978–2008.

Wollesen, Ernst (1898): Chronik der altmärkischen Stadt Werben und ihrer ehemaligen Johanniter-Komturei. Werben a. d. Elbe.

Zimmermann, Alfred und Uwe Czubatynski (2003a): Kalbe. Kirchenbibliothek St. Nicolai. In: Fabian > Deutschland > Sachsen-Anhalt.

Zimmermann, Alfred und Uwe Czubatynski (2003b): Stendal. Bibliothek der Schönbeckschen Stiftung in der Marienkirche. In: Fabian > Deutschland > Sachsen-Anhalt.

Zimmermann, Franz (1930): Wiederentdeckung einer alten Bibliothek in Stendal. In: Montagsblatt. Wissenschaftliche Beilage zur Magdeburger Zeitung 72 (Nr. 20 v. 19.05.1930), S. 155–157.

Anhang:
Spurenlese Altmärkischer Bibliotheken und Bücher

Im Folgenden werden die Handschriften und Inkunabeln zusammengestellt, die sich in Bibliotheken der Altmärkischen Kloster- oder Kirchenbibliotheken befunden haben bzw. noch heute befinden.

Ausgewertet wurden für die Handschriften die online-Datenbank Manuscripta Mediaevalia, Czubatynski 1998, Krämer 1998–1999. Ergänzt wird die Liste durch Hinweise auf Bücher/Bibliotheken aus den einschlägigen Artikeln des Brandenburgischen Klosterbuches sowie Fajt/Frenzen/Knüvener (2011) und dem „Fabian". Die Einträge verzeichnen lediglich die nötigsten Angaben zur jeweiligen Handschrift: Bibliotheksort, Signatur (wenn bekannt), Inhaltsabriss, Datierung, ggf. Schreiber, Vorbesitzer, ggf. Entstehungsort sowie Literatur zur Handschrift.

Alle Angaben sind leicht gekürzt übernommen, angegeben werden (soweit jeweils bekannt) neben Standort und Signatur (ggf. Nr. bei Rose 1901–1905) Stichworte zum Inhalt (bei Sammelhss. Haupttext), Datierung, Schreibsprache; Personen (Schreiber, Vorbesitzer); Entstehungsort; vorbesitzende Institutionen. Quellen hierfür sind entweder die angegebene Literatur oder die Datenbank Manuscripta Mediaevalia (mit Angabe des URLs der Beschreibung). Hierbei entfällt dann i. d. R. der Verweis auf weitere Literatur, da in den Angaben dort enthalten; Suchworte waren a) Vorbesitz: Havelberg bzw. b) Freitext: [Ortsname] (nicht alle angegebenen Handschriften waren auf diesem Weg zu ermitteln, in vielen Fällen führte erst der Weg über Krämer 1998–1999 [Handschriftenerbe] zum Ziel). Mehrere Links verweisen auf unterschiedliche Beschreibungen der jeweiligen Handschrift. Für online gestellte Handschriften wird ebenfalls das Link genannt.

Für die Drucke wurden außer Czubatynski (1998) die Datenbanken GW und ISTC sowie Borchling/Claussen (BC) ausgewertet, alle verzeichnen etliche Inkunabeln bzw. frühe Drucke, die sich im Besitz von Bibliotheken der Altmark befanden (befinden?). Angegeben werden Autor/Titel, Drucker, Ort, Jahr, Format sowie GW-, ISTC-, BC- bzw. VD16-Nummer, für weitere Details sei auf die Druckrepertorien verwiesen. Da die dort gebotenen Informationen zum Teil noch aus Inventaren stammen, die vor dem Zweiten Weltkrieg erstellt wurden, ist zu vermuten, dass sich nicht mehr alle genannten Drucke an dem genannten Ort befinden, eine Überprüfung war nicht möglich.

Zur Beachtung:
1. Es wird nach dem heutigen Bibliotheksort sortiert. In manchen Fällen mag dieser identisch sein mit dem spätmittelalterlichen. Es werden erst die Handschriften, dann die Drucke aufgelistet.
2. Es ist nicht immer eindeutig, ob eine Handschrift oder Inkunabel bereits vor der Reformation am jeweiligen Ort war, ggf. wird, soweit dies bekannt ist, vermerkt, ob es sich um eine Neuerwerbung handelt.
3. Die Zeitgrenze wird nicht streng bei 1500 gezogen, sondern es werden Werke bis etwa 1550 aufgenommen, da erst nach dieser Zeit von gezielten Bibliotheks-Neugründungen auszugehen ist.
4. Informationen zur Bibliothek bzw. deren Bestand werden beim jeweiligen Ort genannt, gelegentliche Doppelungen mit dem Aufsatzteil sind beabsichtigt. Diese Informationen werden auch gebracht, wenn kein materieller Zeuge der Bibliothek, insbesondere bei aufgelassenen Klöstern, verzeichnet werden kann.

Arendsee, Kloster (Benediktinerinnen)

Czubatynski 1998: 174 mit Anm. 31: „Ähnlich wie auch ein Teil der Havelberger Handschriften zunächst dem Geh. Staatsarchiv überwiesen worden war, sollen dorthin auch zu einem unbekannten Zeitpunkt Handschriften des altmärkischen Klosters Arendsee gelangt sein." Mindermann u. a. 2007: 118: „Über das Schicksal der mittelalterlichen Bibliothek liegen bisher keine Forschungen vor." Da „bereits 1232 eine bedeutende Schule bezeugt" ist (ebd.: 114), muss eine Bibliothek vorhanden gewesen sein.

Arneburg, Benediktiner

Vgl. Römer 2007: 129: „Über Klosterarchiv und eine Klosterbibliothek existieren keine Informationen."

Arneburg, Kollegiatstift

Vgl. Popp 2007a: 135: „Eine Stiftsbibliothek existierte wahrscheinlich nicht."

Berlin, Staatsbibliothek zu Berlin – Preußischer Kulturbesitz[34]

Ms. boruss. fol. 481 (olim Ms. germ. fol. 283)
Magdeburgische Schöffenurteile 1329–1340. 1333
sog. Stendaler Urteilsbuch
URL: http://www.manuscripta-mediaevalia.de/dokumente/html/obj31255307

Ms. boruss. fol. 717 (Rose 845f) siehe Ms. boruss. fol. 719 = Ms. lat. fol. 719

Ms. boruss. fol. 720 (Rose 845a), siehe Ms. lat. fol. 305
Juristisch-homiletische Sammelhandschrift, um 1425, um 1448, um 1445, 1449/1450, lateinisch & mitteldeutsch & obersächsisch & niederdeutsch & südmärkisch.
Schreiber: Rodevoß, Gerardus
Entstehungsort: Leipzig
Vorbesitzer: Havelberg, Stiftsbibliothek; Berlin, Geheimes Ministerialarchiv
URL: http://www.manuscripta-mediaevalia.de/dokumente/html/obj31278819

Ms. boruss. fol. 720a (ehem. Geh. StaatsA, Pr.Br. Rep. 10 II Nr. 7a,b), siehe Ms. lat. fol. 305
De successionibus – Quaestiones de vasallitate – Theodericus de Bocksdorf, um 1450/1452, lateinisch & mitteldeutsch & obersächsisch & niederdeutsch
Schreiber & Rubrikator: Rodevoß, Gerardus
Entstehungsort: Leipzig
Vorbesitzer: Havelberg, Stiftsbibliothek; Berlin, Geheimes Ministerialarchiv; Berlin, Geheimes Preußisches Staatsarchiv; Potsdam, Staatsarchiv; Berlin, Deutsche Staatsbibliothek
URL: http://www.manuscripta-mediaevalia.de/dokumente/html/obj31014490 [„Havelberger Rechststudien in Leipzig"]
URL: http://www.manuscripta-mediaevalia.de/dokumente/html/obj31278890

Ms. boruss. fol. 720b (ehem. Geh. StaatsA, Pr.Br. Rep. 10 II Nr. 7a,b), siehe Ms. lat. fol. 305
Acta concilii Basiliensis (Auszüge) – De modo visitationis praepositorum in synodo, um 1445, lateinisch

---

34 Streng genommen gehört Havelberg nicht zur Altmark, sondern zur Prignitz.

Schreiber: Rodevoß, Gerardus
Entstehungsort: Leipzig
Vorbesitzer: Havelberg, Stiftsbibliothek; Berlin, Geheimes Ministerialarchiv; Berlin, Geheimes Preußisches Staatsarchiv; Potsdam, Staatsarchiv; Berlin, Deutsche Staatsbibliothek
URL: http://www.manuscripta-mediaevalia.de/dokumente/html/obj31278909

Ms. germ. fol. 389
Weichbildrecht mit Glosse, 1401/1500, mitteldeutsch
Vorbesitzer: Havelberg, Domstift
URL: http://www.manuscripta-mediaevalia.de/dokumente/html/obj31250353,T
Hss. online: Persistente URL: http://resolver.staatsbibliothek-berlin.de/SBB00003D9100000 000
METS Daten: http://digital.staatsbibliothek-berlin.de/metsresolver/PPN644055421

Ms. germ. fol. 390
Sachsenspiegel, nach 1368, lateinisch und niederdeutsch
Vorbesitzer: Havelberg, Domstift
URL: http://www.manuscripta-mediaevalia.de/dokumente/html/obj31250354,T

Ms. germ. fol. 391
Sächsische Rechtsbücher, 1382, niederdeutsch und lateinisch
Vorbesitzer: Havelberg, Domstift
URL: http://www.manuscripta-mediaevalia.de/dokumente/html/obj31250355,T

Ms. germ. fol. 392
Kaiserrecht, 1401/1500, mitteldeutsch
Vorbesitzer: Havelberg, Domstift.
URL: http://www.manuscripta-mediaevalia.de/dokumente/html/obj31250356,T

Ms. germ. qu. 453
Glosse zum Landrecht des Sachsenspiegels, 1382, niederdeutsch
Vorbesitzer: Havelberg, Domstift; Riedel, Adolph Friedrich; Heringa, C.
URL: http://www.manuscripta-mediaevalia.de/dokumente/html/obj31251740,T

Ms. lat. fol. 180 (Rose 926)
Egidius Parisiensi: Aurora (Fragment) – Liber actuum apostolorum, 13. Jh., lateinisch
Vorbesitzer: Havelberg, Domstift
URL: http://www.manuscripta-mediaevalia.de/dokumente/html/obj60001891,T

Ms. lat. fol. 181 (Rose 303)
Augustinus: De civitate dei (Fragment), 13. Jh., lateinisch
Vorbesitzer: Havelberg, Domstift
URL: http://www.manuscripta-mediaevalia.de/dokumente/html/obj60001158,T

Ms. lat. fol. 182 (Rose 671)
Repertorium Iuris Canonici, 14. Jh., lateinisch
Vorbesitzer: Havelberg, Domstift
URL: http://www.manuscripta-mediaevalia.de/dokumente/html/obj60001573,T

Ms. lat. fol. 217 (Rose 687)
Processus Urbach, 1448, lateinisch
Vorbesitzer: Havelberg, Domstift
URL: http://www.manuscripta-mediaevalia.de/dokumente/html/obj60001589,T

Ms. lat. fol. 218 (Rose 524)
Conradus Soltow, Quaestiones super quattuor libros sententiarum, 15. Jh., lateinisch
Vorbesitzer: Havelberg, Domstift
URL: http://www.manuscripta-mediaevalia.de/dokumente/html/obj60001418,T

Ms. lat. fol. 219 (Rose 901)
Chirurgie des Lanfrancus nebst Anatomie des Ricardus und Henrici, 14. Jh., lateinisch
Vorbesitzer: Havelberg, Domstift
URL: http://www.manuscripta-mediaevalia.de/dokumente/html/obj60001864,T

Ms. lat. fol. 220 (Rose 846)
Rechts-Studien unter Bf. Wedego (Petrus Hoveman), 15. Jh., lateinisch
Vorbesitzer: Havelberg, Domstift
URL: http://www.manuscripta-mediaevalia.de/dokumente/html/obj60001767,T

Ms. lat. fol. 221 (Rose 688)
Ioannes Petri de Ferrariis, Practica iudicialis moderna, 15. Jh., lateinisch
Vorbesitzer: Havelberg, Domstift
URL: http://www.manuscripta-mediaevalia.de/dokumente/html/obj60001590,T

Ms. lat. fol. 222 (Rose 683)
Sammelhs. über Gerichtsverfahren, 2. H. 14. Jh. (1340), lateinisch
Vorbesitzer: Havelberg, Domstift
URL: http://www.manuscripta-mediaevalia.de/dokumente/html/obj60001585,T

Ms. lat. fol. 295 (Rose 858)
Ekkehart von Aura (B), um 1200, lateinisch.
Entstehungsort: Berge bei Magdeburg
Vorbesitzer: Sigebodus (Bischof, Havelberg); Havelberg, Stiftsbibliothek
URL: http://www.manuscripta-mediaevalia.de/dokumente/html/obj31278379
Hss. online: Persistente URL: http://resolver.staatsbibliothek-berlin.de/SBB0001B8C200000
000
METS Daten: http://digital.staatsbibliothek-berlin.de/metsresolver/PPN838353231

Ms. lat. fol. 296 (Rose 865)
Arnoldus Lubecensis, 1276/1300; lateinisch
Entstehungsort: Nordostdeutschland
Vorbesitzer: Havelberg, Domstift
URL: http://www.manuscripta-mediaevalia.de/dokumente/html/obj31278382

Ms. lat. fol. 297 (Rose 845d; ehem. Ms. boruss. fol. 297), siehe Ms. lat. fol. 305
Guilelmus Durantis, 1430/1440, lateinisch
Entstehungsort: Leipzig?
Vorbesitzer: Rodevoß, Gerardus; Havelberg, Stiftsbibliothek; Berlin, Geheimes Ministerial-
archiv
URL: http://www.manuscripta-mediaevalia.de/dokumente/html/obj31278385

Ms. lat. fol. 298 (Rose 845c), siehe Ms. lat. fol. 305
Ordo in electione Romani regis (Bulla aurea) – Acta concilii Basiliensis (Bulla precum prima-
riarum), 1440/1450, lateinisch
Schreiber: Rodevoß, Gerardus
Entstehungsort: Leipzig
Vorbesitzer: Havelberg, Stiftsbibliothek; Berlin, Geheimes Ministerialarchiv
Literatur: Heckmann 2009: 1022f. (Nr. 127).
URL: http://www.manuscripta-mediaevalia.de/dokumente/html/obj31278388

Ms. lat. fol. 299 (Rose 845b), siehe Ms. lat. fol. 305
Speculum Saxonum, 1448, 1380/1390, 1426/1450, lateinisch & niederdeutsch & südmärkisch
& elbostfälisch & mitteldeutsch & obersächsisch.
Schreiber: Rodevoß, Gerardus;
Entstehungsort: Leipzig
Vorbesitzer: Havelberg, Stiftsbibliothek; Berlin, Geheimes Ministerialarchiv
URL: http://www.manuscripta-mediaevalia.de/dokumente/html/obj31278391

Ms. lat. fol. 300 (Rose 681)
Guilelmus Durantis, um 1300, lateinisch.
Glossator: Gerardus Rodevoß
Entstehungsort: Havelberg
Vorbesitzer: Havelberg, Stiftsbibliothek; Berlin, Geheimes Ministerialarchiv Berlin
URL: http://www.manuscripta-mediaevalia.de/dokumente/html/obj31278394

Ms. lat. fol. 301 (Rose 656)
Guilelmus Durantis – Quaestiones sive Reportationes super Decretalibus Gregorii IX et Sex-
to – Paulus de Liazariis, um 1300, 1334/1366, lateinisch
Entstehungsort: Havelberg
Vorbesitzer: Havelberg, Stiftsbibliothek
URL: http://www.manuscripta-mediaevalia.de/dokumente/html/obj31278397

Ms. lat. fol. 302 (Rose 845e), siehe Ms. lat. fol. 305
Regulae cancellariae Nicolai V. Papae, 1447/1452, lateinisch
Schreiber: Rodevoß, Gerardus
Vorbesitzer: Havelberg, Stiftsbibliothek; Berlin, Geheimes Ministerialarchiv
URL: http://www.manuscripta-mediaevalia.de/dokumente/html/obj31278400
Hss. online: Persistente URL: http://resolver.staatsbibliothek-berlin.de/SBB0001C44E00000
000
METS Daten: http://digital.staatsbibliothek-berlin.de/metsresolver/PPN84678999X

Ms. lat. fol. 303 (Rose 896)
Constantinus Africanus, 1267/1300, lateinisch
Entstehungsort: Paris
Vorbesitzer: Havelberg, Stiftsbibliothek; Berlin, Geheimes Ministerialarchiv
URL: http://www.manuscripta-mediaevalia.de/dokumente/html/obj31278403

Ms. lat. fol. 304 (Rose 895)
Expositio titulorum iuris civilis – Excerpta Institutionum Justiniani – Commentarius in Adami
Magistri Summula de Summa Raimundi – Salutaris Poeta (Frgm.), um 1475, lateinisch
Entstehungsort: Leipzig

Vorbesitzer: Havelberg, Stiftsbibliothek; Berlin, Geheimes Ministerialarchiv
URL: http://www.manuscripta-mediaevalia.de/dokumente/html/obj31278406

Ms. lat. fol. 305 (Rose 845)
Kanonistisch-legistische Sammelhandschrift, um 1445, um 1448, 1449–1450, um 1425, lateinisch & niederdeutsch
Teil eines zeitgenössischen Sammelbandes (mit Berlin, SB, Ms. lat. fol. 297–299, 302 sowie Ms. boruss. fol. 719–720 und 720a-b) (2. Link)
Schreiber/Vorbesitzer: Rodevoß, Gerardus
Entstehungsort: Leipzig
Vorbesitzer: Havelberg, Stiftsbibliothek; Berlin, Geheimes Ministerialarchiv
URL: http://www.manuscripta-mediaevalia.de/dokumente/html/obj60001760,T
URL: http://www.manuscripta-mediaevalia.de/dokumente/html/obj31278409

Ms. lat. fol. 306 (Rose 621)
Collectio Decretalium – Breviarium Extravagantium Bernardi Papiensis (Fragmente), 1237/1266, lateinisch
Entstehungsort: Havelberg
Vorbesitzer: Havelberg, Stiftsbibliothek; Berlin, Geheimes Ministerialarchiv
URL: http://www.manuscripta-mediaevalia.de/dokumente/html/obj31278412

Ms. lat. fol. 307 (Rose 956)
Mathematisch-naturwissenschaftliche Sammelhandschrift (Fragment), 1160/1170, lateinisch
Entstehungsort: Paris
Vorbesitzer: Havelberg, Stiftsbibliothek; Berlin, Geheimes Ministerialarchiv
URL: http://www.manuscripta-mediaevalia.de/dokumente/html/obj31278415
Persistente URL: http://resolver.staatsbibliothek-berlin.de/SBB0001044D00000000
http://digital.staatsbibliothek-berlin.de/metsresolver/PPN770364497

Ms. lat. fol. 717 (ehem. Ms. boruss. fol. 717; Rose 845f), siehe Ms. lat. fol. 305
Akten des Femeprozesses um Johannes Lange, um 1444, niederdeutsch & südmärkisch
Schreiber: Rodevoß, Gerardus
Entstehungsort: Leipzig
Vorbesitzer: Havelberg, Stiftsbibliothek; Berlin, Geheimes Ministerialarchiv
URL: http://www.manuscripta-mediaevalia.de/dokumente/html/obj31278861

Ms. lat. fol. 965 (ehem. Geh. StaatsA, Pr.Br. Rep. 10 II Nr. 2)
Bartholomaeus de s. Concordio, 14. Jh., lateinisch
Vorbesitzer: Havelberg, Domstift
Krämer 1989–1999, 1: 324.
URL: --

Ms. lat. fol. 966 (ehem. Geh. StaatsA, Pr.Br. Rep. 10 II Nr. 6)
In Gregorii IX decretali u. a., 14. Jh., lateinisch
Krämer 1989–1999, 1: 324.
URL: --

Ms. lat. qu. 110 (Rose 645)
Raymundus de Penaforte, 13. Jh., lateinisch
Vorbesitzer: Bf. Johannes von Havelberg; Havelberg, Domstift
URL: http://www.manuscripta-mediaevalia.de/dokumente/html/obj60001545,T

Ms. lat. qu. 208 (Rose 903)
Johannes de s. Amando, 1342, lateinisch
Vorbesitzer: Havelberg
URL: http://www.manuscripta-mediaevalia.de/dokumente/html/obj60003063,T

Ms. lat. qu. 209 (Rose 674)
Decretalen u. a., 14. Jh., lateinisch
Vorbesitzer: Havelberg, Domstift
Krämer 1989–1999, 1: 323.
URL: http://www.manuscripta-mediaevalia.de/dokumente/html/obj31100757

Ms. lat. qu. 996 (ehem. Geh. StaatsA, Pr.Br. Rep. 10 II Nr. 4)
Hugo de Sancto Victore: De sacramentis christianae fidei liber II, 1201/1250, lateinisch
Vorbesitzer: Havelberg, Domstift
Krämer 1989–1999, 1: 324.
URL: http://www.manuscripta-mediaevalia.de/dokumente/html/obj31019821

Ms. lat. qu. 997 (ehem. Geh. StaatsA, Pr.Br. Rep. 10 II Nr. 3)
Tancredus: Ordo iudicarius et Summa de matrimonio – Magister Schullehot (?): Computus orbicularis, 1201/1300, lateinisch
Vorbesitzer: Havelberg, Domstift
URL: http://www.manuscripta-mediaevalia.de/dokumente/html/obj31019822

Ms. lat. oct. 74 (Rose 923)
Gualterius de Castilione, 14. Jh., lateinisch
Vorbesitzer: Havelberg, Domstift
Krämer 1989–1999, 1: 323.
URL: http://www.manuscripta-mediaevalia.de/dokumente/html/obj60001888,T

Ms. lat. oct. 491 (ehem. Geh. StaatsA, Pr.Br. Rep. 10 II Nr. 5)
Hugo Ripelin u. a., 14. Jh., lateinisch
Krämer 1989–1999, 1: 323.
URL: --

Ms. lat. oct. 492 (ehem. Geh. StaatsA, Pr.Br. Rep. 10 II Nr. 1)
Aegidius de Fuscarariis u. a., 13. Jh., lateinisch
Vorbesitzer: Havelberg, Domstift
Krämer 1989–1999, 1: 324.
URL: --

Ms. theol. lat. fol. 315 (Rose 502)
Konrad von Halberstadt, 2. H. 14. Jh., lateinisch
Vorbesitzer: Havelberg, Domstift
Krämer 1989–1999, 1: 323.
URL: http://www.manuscripta-mediaevalia.de/dokumente/html/obj60001391,T

Ms. theol. lat. fol. 316 (Rose 273)
Sermones, 1419, lateinisch
Vorbesitzer: Havelberg, Domstift
Krämer 1989–1999, 1: 323.
URL: http://www.manuscripta-mediaevalia.de/dokumente/html/obj60001123,T

Ms. theol. lat. fol. 317 (Rose 568)
Antiphonar, 1. H. 15. Jh.
Vorbesitzer: Havelberg, Domstift
Krämer 1989–1999, 1: 323.
URL: http://www.manuscripta-mediaevalia.de/dokumente/html/obj60001486,T

Ms. theol. lat. fol. 318 (Rose 711)
Antiphonar, 14. Jh.
Vorbesitzer: Havelberg, Domstift
Krämer 1989–1999, 1: 323.
URL: http://www.manuscripta-mediaevalia.de/dokumente/html/obj60001619,T

Ms. theol. lat. fol. 319 (Rose 710)
Antiphonar, 1. H. 15. Jh., lateinisch
Vorbesitzer: Havelberg, Domstift
Entstehungsort: Havelberg – Brandenburg
Krämer 1989–1999, 1: 323; Väth 2001: 42f., Nr. 27 mit Abb. 72-79
URL: http://www.manuscripta-mediaevalia.de/dokumente/html/obj60001618,T
URL: http://www.manuscripta-mediaevalia.de/dokumente/html/obj90751428,T

Ms. theol. lat. fol. 320 (Rose 427)
Albertus Magnus u. a., 13. Jh., lateinisch
Vorbesitzer: Havelberg, Domstift
Krämer 1989–1999, 1: 323.
URL: http://www.manuscripta-mediaevalia.de/dokumente/html/obj60001314,T

Ms. theol. lat. fol. 321 (Rose 494)
Nicolaus de Lyra u. a., 15. Jh., lateinisch
Vorbesitzer: Havelberg, Domstift
Krämer 1989–1999, 1: 323.
URL: http://www.manuscripta-mediaevalia.de/dokumente/html/obj60001383,T

Ms. theol. lat. fol. 421 (Rose 283)
Ambrosius u. a., 1. H. 14. Jh., lateinisch
Entstehungsort: Havelberg oder Brandenburg
Vorbesitzer: Havelberg, Domstift
Krämer 1989–1999, 1: 323; Väth 2001: 44, Nr. 29 mit Abb. 80-81
URL: http://www.manuscripta-mediaevalia.de/dokumente/html/obj90751738,T
URL: http://www.manuscripta-mediaevalia.de/dokumente/html/obj60001135,T

Ms. theol. lat. fol. 422 (Rose 275)
Lukas- und Johannes-Evangelium mit Glossen, 13. Jh., lateinisch
Schreiber: Thiebaldus in Sconenhusen
Vorbesitzer: Havelberg, Domstift
Krämer 1989–1999, 1: 323.
URL: http://www.manuscripta-mediaevalia.de/dokumente/html/obj60001125,T

Ms. theol. lat. fol. 423 (Rose 779)
Vitas patrum, 2. H. 13. Jh., lateinisch
Entstehungsort: Havelberg oder Brandenburg
Vorbesitzer: Havelberg, Domstift

Krämer 1989–1999, 1: 323; Väth 2001: 43f., Nr. 28 mit Abb. 82
URL: http://www.manuscripta-mediaevalia.de/dokumente/html/obj60001691,T
URL: http://www.manuscripta-mediaevalia.de/dokumente/html/obj90751749,T

Ms. theol. lat. fol. 424 (Rose 714)
Johannes Marchesinus: Mammotrectus u. a., 1454, lateinisch
Vorbesitzer: Havelberg, Domstift
Krämer 1989–1999, 1: 324.
URL: http://www.manuscripta-mediaevalia.de/dokumente/html/obj60001623,T

Ms. theol. lat. qu. 85 (Rose 423)
David von Augsburg u. a., 15. Jh., lateinisch
Vorbesitzer: Salzwedel, Franziskaner; Brandenburg, Franziskaner
Krämer 1989–1999, 1: 703.
URL: http://www.manuscripta-mediaevalia.de/dokumente/html/obj60001310,T

Ms. theol. lat. qu. 90 (Rose 604)
Postillae evangeliorum dominicalium, 15. Jh., lateinisch
Schreiber: Jac. Rathenow
Vorbesitzer: Salzwedel, Franziskaner; Brandenburg, Franziskaner
Krämer 1989–1999, 1: 703.[35]
URL: http://www.manuscripta-mediaevalia.de/dokumente/html/obj60001504,T

Ms. theol. lat. qu. 160 (Rose 778)
Gregorius Magnus, Dialogi, 13. Jh., lateinisch
Vorbesitzer: Havelberg, Domstift
Krämer 1989–1999, 1: 324.
URL: http://www.manuscripta-mediaevalia.de/dokumente/html/obj60001690,T

Ms. theol. lat. qu. 161 (Rose 325)
Paterius u. a., 1. H. 13. Jh. lateinisch
Schreiber: Johannes (?)
Vorbesitzer: [Bf.] Theodericus (?) v. Havelberg; Havelberg, Domstift
Krämer 1989–1999, 1: 324 [mit fehlerhafter Sign. 616]
URL: http://www.manuscripta-mediaevalia.de/dokumente/html/obj60001184,T

Beuster, Kollegiatstift

Vgl. Scholz/Schöfbeck 2007: 206: „Das zweifellos vorhandene Stiftsarchiv muss als verloren gelten. Über eine Bibliothek ist nichts bekannt."

---

35   Die bei Krämer (1989: 703) ebenfalls genannte Handschrift Ms. theol. lat. oct. 189, Psalter, 1. H. 15. Jh., lateinisch, Vorbesitzer: Salzwedel, Franziskaner; Brandenburg, Franziskaner stammt aus dem Kloster Medingen, kam dann erst spät an das Gymnasium in Salzwedel und von dort an die Königl. Bibl., vgl. die Beschreibung unter: URL: http://www.manuscripta-mediaevalia.de/dokumente/html/obj31101550.

Dambeck, Kloster (Benediktinerinnen)

Vgl. Scholz/Ceynowa 2007: 404: „Klosterarchiv und -bibliothek haben sich nicht erhalten. Unklar ist, ob sie im Dreißigjährigen Krieg oder zu einem anderen Zeitpunkt zugrundegegangen sind. [...] Ein Pergamentbogen einer aus dem Kloster stammenden lateinischen Handschrift aus dem 14. oder 15. Jh. ist als Einband des im BLHA befindlichen Exemplars des Dambecker Erbregisters von 1573 [...] erhalten. Der Text wurde bisher noch nicht identifiziert."

Diesdorf, Kloster (Augustiner-Chorfrauen)

„de nyen imprimereden boke horarum", vermutlich Stundenbuch, gedruckt, 1483 erworben, vermutlich niederdeutsch.
Möglicherweise GW 13012: Horae, niederdeutsch. Seven tyde Unser Liever Vrauwen. [Magdeburg: Albert Ravenstein und Joachim Westval, um 1483/84]. 8°
Literatur: Priebatsch 1899/1900: 107.
Siehe auch Borrmann/Stephan/Schöfbeck (2007: 418): „Über die Existenz einer Bibliothek ist nichts bekannt."

Gardelegen, Kreisheimatmuseum

Missale Magdeburgense (Magdeburg). [Magdeburg]: Bartholomaeus Ghotan und Lucas Brandis, 1480. 2°.
GW M24521. ISTC im00671000.

Gardelegen, St. Nikolai-Kirche

(Die Kirche wurde durch Bomben schwer beschädigt und 1977 entwidmet, Teile des Inventars an die Marienkirche abgegeben. Mindestens das Missale von 1480 befindet sich heute im Museum, s.o. Die Neugründung der Bibliothek als Schulbibliothek Ende des 16. Jahrhundert ist gut erforscht, siehe Czubatynski 1998: 75ff.)
Literatur: Czubatynski 1998: 75: „Die eigentliche Gründung der Bibliothek erfolgte 1580. Aus der Zeit davor sind nur einzelne Stücke vorhanden, nämlich zwei Handschriften und vier Inkunabeln sowie zwei Postinkunabeln. [s.u.]." Ebd. S. 129: „Einige andere Einzelstücke warten noch immer auf ihre Erschließung, so etwa zwei Handschriften in Gardelegen und eine in Seehausen."
Krämer 1989–1999: --

B II 1 (1) / B II 1 (2) / B II 1 (2a)
Breviarium Halberstadense. [Speyer: Peter Drach, vor 8.VII.1482]. 4°.
GW 5348. ISTC ib01162210.
Czubatynski 1998: 135.

B II 2
Herolt, Johannes: Sermones Discipuli de tempore et de sanctis. Köln: Ulrich Zell, 25.III.1477. 2°.
GW 12342. ISTC ih00099000.
Czubatynski 1998: 135.

B II 3 (alte Signatur, 1995 vermisst)
Psalterium cum hymnis. Leipzig: Melchior Lotter, 28.IX.1498. 4°.

GW M36140. ISTC ip01057470.
Czubatynski 1998: 135.

B II 4
Missale Halberstadense. [Speyer: Peter Drach] 1511.
VD 16 M5577.
Czubatynski 1998: 135.

B II 5
Astesanus: Summa de casibus conscientiae. Köln: Heinr. Quentell 1479.
GW 2755 [nicht diese Ex.].
Czubatynski 1998: 135.

Psalterium cum hymnis. Leipzig: Melchior Lotter, 28.IX.1499. 4°.
GW M36143. ISTC ip01057745.

Hamburg, Staats- und Universitätsbibliothek

Jacobi 12
Vocabularius Brevilogus, 1401, lateinisch
Schreiber: Magister Thidericus in Zehusen
Literatur: Czubatynski 2003d, Abs. 1.1.
Brandis/Maehler 1967: 163f.

Havelberg, Prämonstratenser-Domkapitel bzw. Domstift

Czubatynski 1998: 22: „Für Havelberg ergibt sich eine Gesamtzahl von 48 Handschriften. Hinzu kommt eine bisher in der Forschung nicht berücksichtigte Pergamenthandschrift eines um 1400 geschriebenen Antiphonars. Sie wird noch heute im Domarchiv aufbewahrt und ist bereits 1981 restauriert worden."
Vgl. Bergstedt u. a. 2007: 583f. zum Schicksal der Bibliothek und summarisch zu erhaltenen Hss. und Drucken. Ebd.: 584: „Die 48 erhaltenen Handschriften Havelberger Provenienz befinden sich in der SBB PK [s. o.] und in der HAB Wolfenbüttel. [...] Der in der HAB Wolfenbüttel erhaltene Codex 2867 [s. u.] enthält den Ordo officium ecclesiasticorum in ecclesia usitatorum sowie den Ordo praebendarum des Kapitels (15. Jh.)."
Zum Profil der Bibliothek mit den Schwerpunkten in Theologie und Jura, aber auch aus den Bereichen Naturwissenschaft, Medizin und (wenig) Geschichte vgl. Polthier 1928: 164–168.

Havelberg, Prignitz-Museum

Czubatynski 2003b, Abs. 2.1: „Der historische Bestand umfaßt ca. 300 Titel, darunter eine Inkunabel, 4 Drucke des 16. Jhs. [...]."

Missale Magdeburgense (Magdeburg). [Magdeburg]: Bartholomaeus Ghotan und Lucas Brandis, 1480. 2°
GW M24521. ISTC im00671000.

Kalbe, Kirchenbibliothek St. Nicolai

Zimmermann/Czubatynski 2003a: Abs. 2.1: „Der historische Bestand der Bibliothek umfaßt 576 Bde mit 1578 Titeln. Er enthält vorwiegend Werke des 16. Jhs in lateinischer Sprache.

Das älteste Werk ist ein Titel des Mediziners Mundinus, Anathomia (Leipzig: Martin Landsberger, um 1493)."
Ob sich die bei Borchling/Claussen genannten Drucke noch vor Ort befinden, müsste geklärt werden. Hinsichtlich des „Tytel Bocks" wäre dies bedeutsam, da damit ein zweites Exemplar dieses raren Werkes nachzuweisen wäre, vgl. Schulz-Grobert 1998 (zum bis dato verschollenen Exemplar der Dombibliothek Hildesheim, Sign. EG 137, s. ebd.: 342).[36]

Mundinus, Anathomia. Leipzig: Martin Landsberger, um 1493, 4°. Lateinisch.
GW M25670.

Tytel Bock mit gans sůuerliker vnde nůtsame Vnderwysinge [...]. Braunschweig: Hans Dorn, 1508, 4°. Niederdeutsch.
BC 440. VD 16 --.

Hystorie ind Levende van den hylgen drij Konyngen. Köln: Heinrich von Neuss, 1509. 4°. Niederdeutsch.
BC 447. VD 16 H 3920 (URL: http://gateway-bayern.de/VD16+H+3920).

Autor Sander: Underrichtung ym rechten christlyken Geloven und Levende. [Magdeburg: Heinrich Öttinger], 1528, 8°. Niederdeutsch.
BC 962. VD 16 -- . (Weiteres Exemplar in der Herzog August Bibl. Wolfenbüttel, Sign. H: S 395.8o Helmst. (5).)

Dialogus. Nye tidinge vor nye gehort. [Magdeburg: Heinrich Öttinger], 1529, 8°. Niederdeutsch.
BC 981. VD 16 D 1326 (URL: http://gateway-bayern.de/VD16+D+1326).

Urbanus Rhegius: Wo men voersichtichlick vnde ane ergernisse reden schal van den voernemesten Artikeln Christliker lere. Magdeburg: Christian Rödinger d. Ä., 1545, 8°. Niederdeutsch.
BC 1439. VD16 R 1814 (URL: http://gateway-bayern.de/VD16+R+1814).

Kalbe/Milde, Kloster (Benediktinerinnen/Kanonissen)

Vgl. Scholz 2007. Das Kloster ist nicht erhalten, bauliche Überreste sind nicht vorhanden und sonstige Kenntnisse spärlich.

Krevese, Kloster (Benediktinerinnen)

Vgl. Pohl 2007: „Die Existenz einer Bibliothek läßt sich nur vermuten."

Neuendorf, Zisterzienserinnen

Vgl. Oefelein 2007: 908: „Über die Geschichte des Klosterarchivs und der Klosterbibliothek ist nichts bekannt. [...] Aus der Klosterbibliothek sind keine liturgischen Handschriften, Nekrologe, Memorienbücher, Annalen oder Prozeßbücher erhalten. Es sind lediglich einzelne gedruckte Bücher in die Pfarrbibliothek gelangt, in der sie heute noch aufbewahrt werden. Aus der Zeit der Zisterzienserinnen stammen zwei Inkunabeln (Traktate von Heinrich Herbst,

---

36 Für diesen Hinweis sowie vielfache weitere Hilfen danke ich Falk Eisermann.

gedruckt 1484[1], und ein Sammelband von zehn Traktaten verschiedener Autoren, gedruckt 1485–1505) sowie ein Band mit Werken von Beda Venerabilis (gedruckt 1563[2])."

[1]: Ob GW 12225 Henricus de Herp: Sermones de tempore, de sanctis, de tribus partibus poenitentiae et de adventu. Speyer: Peter Drach d.M., [nach 17.I.1484]. 2° ?

[2]: Vermutlich Opera Bedae Venerabilis: in octo tomos distincta. Basileae: [1563]. VD16 B 1418.

Oldenburg, Landesbibliothek

Cim I 14
Aristoteles – Seneca, 1458–1461, lateinisch.
fol. 352r Schreiber: Vincentius Magister aus Tangermünde
fol. 352v, Vorbesitzer: Jacobus de Stendal
Literatur: Stahl 1993: 93f.

Salzwedel, ehem. (?) Gymnasialbibliothek

Guth 2003 (Allgemeines, Abschnitt Schulbibliotheken): „In den letzten Jahren wird versucht, aus aufgefundenen Teilbeständen die Gymnasialbibliotheken, z.B. in Gardelegen (gestiftet 1679) und in Salzwedel (1759 gegründet durch ein Bücherlegat), wieder herzustellen." Borchling/Claussen verzeichnen zwei niederdeutsche Drucke, deren Präsenz vor Ort geprüft werden müsste.[37]

Neues Testament niederdeutsch. Übers. v. Johannes Bugenhagen mit einem Register von Martin Luther. Wittenberg: Hans Lufft, 1524. 4°.
BC 840. VD16 B 4503 (URL: http://gateway-bayern.de/VD16+B+4503).
Volltext digital: urn:nbn:de:gbv:3:1-345287.

Salzwedel, Kirchenbibliothek St. Katharinen

Czubatynski 2003c, Abs. 1.1: „Obwohl die Katharinenbibliothek bereits 1467 und 1474 ur-kundlich bezeugt ist, sind keine Reste mehr aus dieser Zeit erkennbar. Die heutige Bibliothek wurde erst durch das Testament des 1626 verstorbenen Bürgermeisters Adam Holzkamp be-gründet."
Czubatynski 1998: 138: „Die in der Katharinenbibliothek Salzwedel vorhandenen Frühdru-cke sind hingegen noch nicht im ganzen untersucht worden. 1994 konnte dort jedoch ein seltenes Fragment identifiziert werden, und zwar von Raimundus Peraudi [s.u.], von dem nur ein weiteres Fragment im Stift Tepl bekannt ist."
Czubatynski 2003c, Abs. 2.1: Die Bibliothek umfasst „einen Gesamtbestand von rund 4200 Titeln. Davon sind 15 Inkunabeln, 1361 Titel gehören in das 16. Jh, [...]."

Cod. Ab 51
Psalterium mit Cantica, 14. Jh., 109 Blätter, Papier, mitteldeutsch.
Literatur: Schipke/Heydeck 2000: 224 (Nr. 432).

Biblia. Mit Tab. des Gabriel Brunus in der ursprünglichen Fassung. Hg. Petrus Angelus de Monte Ulmi. Venedig: Hieronymus de Paganinis, 7.IX.1497. 8°. Lateinisch.
GW 4278. ISTC ib00601000.

---

37 Beim zweiten Druck, BC 3641, handelt es sich um ein Hochzeitsgedicht von 1684.

Engelhus, Theodoricus: Collectarius sive expositio libri psalmorum. [Magdeburg: Moritz Brandis, um 1495/1500]. 4°. Lateinisch.
GW 9308. ISTC ie00042000.

Gerson, Johannes: Opera. Köln: Johann Koelhoff d. Ä., 1483–1484. 2°. Lateinisch.
GW 10713. ISTC ig00185000.

Gerson, Johannes: Opera. Hg. Peter Schott und Johann Geiler von Kaysersberg. Basel: Nikolaus Kessler, 1489. 2°. Lateinisch.
GW 10715. ISTC ig00187000.
Stier-Meinhof 1992: 53.[38]

Homiliarius doctorum de tempore et de sanctis. Hg. von Johann Ulrich Surgant. Basel: Nikolaus Kessler, 30.IX.1493. 2°. Lateinisch.
GW 12929. ISTC ih00317000.
Stier-Meinhof 1992: 53.

Missale Magdeburgense. Magdeburg: Moritz Brandis, 23. XII. 1493. 2°. Lateinisch.
GW M24511. ISTC im00672500. ir00113500. (Ex. def.).

Missale Magdeburgense. Magdeburg: Moritz Brandis, [nach 23.XII.1493]. 2°. Lateinisch.
GW M24514. ISTC im00672600. ir00113500.

Peraudi, Raimundus: Avisamenta confessorum. [Mainz: Peter Schöffer, um 1487]. 2°. Lateinisch.
GW M3078810. ISTC ip00261075.

Marulus, Marcus: In Marcum Evangelistam commentarii. 1519. Lateinisch.
VD 16 M 1293
Stier-Meinhof 1992: 53.

Salzwedel, St. Marien

Bd. Nr. 70
Literatur: Czubatynski 1998: 129: „Auch die kleine Bibliothek in St. Marien in Salzwedel besitzt in Bd. Nr. 70, zusammengebunden mit (Post-)Inkunabeln eine Handschrift, wahrscheinlich eine Auslegung der Sonn- und festtäglichen Evangelien." –
Zum ehem. Franziskanerkloster vgl. Schmies/Schmies/Leineweber 2007, zu einzelnen Handschriften siehe Berlin und unten Wien.

Salzwedel, Augustiner-Chorherrenstift

Zum ehem. Augustiner-Chorherrenstift vgl. Kruppa/Stephan/Knüvener 2007; zu einer etwaigen Bibliothek werden keinerlei Nachrichten gebracht, überkommene Archivalien werden dagegen angegeben.

---

38 Die drei von Stier-Meinhof (1992: 53) genannten Drucke sind 1650 aus dem Nachlass des Bürgermeisters Balthasar Gödemann an die Bibliothek gekommen. Frühere Vorbesitzer, darunter Gödemanns Vater Caspar (Superintendent in Lüneburg), müssten geklärt werden.

Salzwedel, Augustiner-Chorfrauenstift

Zum ehem. Augustiner-Chorfrauenstift vgl. Kruppa/Stephan 2007; ebenfalls ohne Befund hinsichtlich einer Bibliothek, überkommene Archivalien werden dagegen angegeben.

Salzwedel, Stadtarchiv

Rep. II, Abt. 1 C 1 – Kopial-, Stadtrechts- und Verordnungsbücher
Juristische Sammelhandschrift, 1438–1450, lateinisch & mitteldeutsch.
Inhalt u. a.: Sachsenspiegel Landrecht lat.; Exzerpte aus Augustinus, De civitate Dei; Register Landrecht dt. alphabet.; Stadtrecht von Salzwedel, lat.; Baldus, Commentum super pacem Constant. lat.; Distinctio aurea de successione hereditaria; Landfrieden Ebf. Günther von Magdeburg; Gregor IX., Bulle Salvator humani genereis; Register Lehnrecht alphabet.; Sachsenspiegel Lehnrecht; Goldene Bulle Karls IV.; Register Richtsteig; Richtsteig Lehnrechts; Sachsenspiegel Landrecht (Auszüge); Stadtrecht von Salzwedel dt.
Vorbesitzer: Gerlach, Familie (bis 1468);
fol. 323 Schreiber: Georgium Burmester in Soltwedel
Literatur: Oppitz 1990, Nr. 1327. – Heckmann 2009: 1011 (Nr. 98).

Nr. 1560
Erneuertes Stadtrecht, 15. Jahrhundert, mittelniederdeutsch
Druck: CDB 1, 14: 15–23 (Nr. LXIV).

Seehausen, St. Petri-Kirche (ehem. Dominikanerkloster)

Czubatynski 2003d, Abs.1.1: „Wegen des Fehlens jeglicher Unterlagen über die Bibliothek können über ihre Entwicklung nur wenige Anhaltspunkte aus dem Bestand selbst gewonnen werden. In den wenigen vorreformatorischen Bänden darf man wahrscheinlich die Reste der Bibliothek des nicht unbedeutenden Dominikanerklosters erblicken, das schon 1252 von seinem Stifter Markgraf Otto III. 100 Mark für Bücher erhalten hatte. Aus dem Studienbetrieb des Klosters sind noch zwei Handschriften in der Staats- und Universitätsbibliothek Hamburg erhalten."[39]
Czubatynski 1998: 129: „Einige andere Einzelstücke warten noch immer auf ihre Erschließung, […] bei letzterer handelt es sich um eine um 1400 geschriebene Sammelhandschrift, die Texte von Augustinus, Johannes Chrysostomus, Origines, Albertus Magnus und anderen enthält." (Siehe unten)
Ebd.: 134: „Man wird annehmen müssen, daß die Inkunabeln (ebenso wie die einzige erhaltene Handschrift) wenigstens zum Teil noch aus dem Dominikanerkloster Seehausen herrühren."

Sammelhandschrift mit Werken von Augustinus, Johannes Chrysostomus, Origines, Albertus Magnus und anderen, um 1400, lateinisch (?)
Literatur: Czubatynski 1998: 129.

---

39 S. o. Hamburg, Jacobi 12. Eine zweite Handschrift war nicht zu ermitteln, möglicherweise ist das Pergamentfragment, in das die Handschrift eingebunden wurde, gemeint. Allerdings scheint aus der gleichen Handschrift Makulatur für einen weiteren, nicht aus Seehausen stammenden Codex, Jacobi 13, verwendet worden zu sein, was dann eher auf Hamburger als auf Seehausener Reste deuten würde, vgl. die Beschreibung zu Jacobi 13.

52,1
Augustinus, Aurelius: De civitate dei. Mit Komm. von Thomas Waleys und Nicolaus Trivet.
Mainz: Peter Schöffer, 5.IX.1473. 2°. Lateinisch.
GW 02884. ISTC ia01240000.
Czubatynski 1998: 134.

52,2
Augustinus, Aurelius: De trinitate. [Straßburg: Drucker des Henricus Ariminensis (Georg
Reyser), nicht nach 1474]. 2°. Lateinisch.
GW 02925. ISTC ia01342000.
Czubatynski 1998: 134.

53
Augustinus, Opera p. 7. Basel 1515. Lateinisch.
Czubatynski 1998: 134.

Biblia. [Nürnberg: Kaspar Hochfeder, nicht nach 1493]. 2°. Lateinisch.
GW 04272. ISTC ib00595000. (Ex. unvollst.)

111
Curtius Rufus, Quintus: Historiae Alexandri Magni. Verona: [Drucker des Augurellus (GW
2861)] [vielmehr Christophoro da Montagu], 18.VIII.1491. 2°. Lateinisch.
GW 07874. ISTC ic01001000.
Czubatynski 1998: 134.

112
Herodotus: Historiae, lat. von Laurentius Valla. Hrsg. Antonius Mancinellus. Venedig: Johan-
nes und Gregorius de Gregoriis, 8.III.1494 [vielmehr nach 29.III.1494]. 2°. Lateinisch.
GW 12323. ISTC ih00090000.
Czubatynski 1998: 134.

Herodotus: Historiae, lat. von Laurentius Valla. Isocrates: De laudibus Helenae (Oratio X),
lat. von Johannes Petrus Lucensis. Mit Beig. von Antonius Mancinellus. Venedig: [Simon
Bevilaqua], 1494 [vielmehr nach 13.I.1495]. 2°. Lateinisch.
GW12324. ISTC ii00211000.

113,2
Psalterium. Leipzig: [Wolfgang Stöckel] 1511. Lateinisch.
VD16 ZV 18624.
Czubatynski 1998: 134.

113,1
Vergilius: Opera. Mediolani: Venedig 1511. Lateinisch.
Czubatynski 1998: 134.

Siehe auch Mindermann 2007: 1095: „Die offenbar gut ausgestattete Bibliothek des Klosters
Seehausen wird um 1538/41 zerstreut worden sein. Im Rahmen der Streitigkeiten wegen der
Übernahme des Klosters durch die Stadt Seehausen nach der lutherischen Reformation gibt
der Seehäuser Rat jedenfalls an, die *köstliche liberij* habe der kfstl. (= kurfürstliche) Amtmann
Hans Krusemark *von einander gerücket, alle bücher darein aufgehoben und wegbringen las-
sen* [zit. nach Schulze, Dominikanerkloster, Nr. 182, s.u.]. Einzelne Bände dieser Bibliothek

konnten im 19. und 20. Jahrhundert u. a. in Trier, Dortmund, Paderborn und Minden nachgewiesen werden."[40]

Literatur: Schulze 1936. Das Zitat zur *köstliche[n] liberij* steht ebd., „Schluß" (Nr. 182).
Siehe auch ebd.: „1. Fortsetzung" (Nr. 177): „ [...] und Johannes Krawinkel, dessen Chronica conventa im Stadtarchiv Dortmund liegt und über die Veranstaltungen hierselbst [sc. Seehausen] berichtet." – Ein Nachweis dieser Handschrift ist mir nicht gelungen.
Ebd.: „1. Fortsetzung" (Nr. 177): „Dort [gemeint ist Magdeburg] am Domgymnasium war ein Magister Heinrich Koch (Coci), der 1471 bis 72 in ‚Zehusen' im Kloster war und für die Bibliothek die Legende des hg. Thomas abgeschrieben hat."
Ebd.: „2. Fortsetzung" (Nr. 178): „Von den Handschriften sind einige erst in den letzten Jahrzehnten in Trier, Dortmund, Paderborn, Minden u. a. aufgetaucht, und sie werfen ein gutes Licht auf die von den Predigermönchen geübte literarische Tätigkeit. An der Spitze steht, soweit bekannt geworden, die schon erwähnte ‚chronica principum Saxoniae', die als eins der wertvollsten Stücke ältester märkischer Geschichtsschreibung bezeichnet wird und uns erst Aufschluß über die hier bestandene landesherrliche Burg und über die Gründung des Klosters gebracht hat. Auch die Niederschriften Johann Krawinkels mit den Angaben über die Provinzialtagungen hier sind für die Geschichte des Klosters bedeutsam und konnten in dieser Arbeit benutzt werden." – Leider gibt Schulze keine konkreten Nachweise zu den Quellen für seine Erkenntnisse an; die Akten zum Streit um Hans Krusemark hat er ebenfalls ausgewertet und teilweise zitiert. Was die Kenntnis über die „Gründung des Klosters" betrifft, so findet sich im Trierer Codex der „Chronica principum Saxoniae" ein im Vergleich zur Parallelüberlieferung zusätzlicher längerer Abschnitt zur Gründung des Klosters Seehausen, aber ob das dann heißt, dass die Handschrift aus Seehausen stammt, ist doch eine eher gewagte Annahme. Zumal der Herausgeber konstatiert, dass die Handschrift ihre Herkunft nicht verrät, siehe dazu Holder-Egger 1892: 161, 176. Siehe auch Holder-Egger 1896 (Edition der erweiterten Fassung aus der Trierer Handschrift).

Stendal, Altmärkisches Museum

Vgl. Nitzsche/Mauersberger 2003, Abs. 2.1: zum historischen Buchbestand gehören drei Inkunabeln, davon zwei niederdeutsch und eine frühneuhochdeutsch.

Eike von Repgow: Sachsenspiegel: Landrecht. Basel: Bernhard Richel, 1474. 2°. Niederdeutsch und Lateinisch.
GW 9256. ISTC ie00021500.[41]

Plenarium niederdeutsch. Magdeburg: Albrecht Ravenstein und Joachim Westphal, 20. XII. 1484. 2°.
GW M34222. ISTC ie00088450.

---

40 S. o. Anm. 15. In eckigen Klammern die Nachweise aus Mindermanns Manuskript, die im Druck entfallen sind. Ich danke Herrn Mindermann sehr für die Nachsuche! – Eine Teiledition der Akten Rat Seehausen – Hans Krusemark – Kurf. Joachim II. bei Bünger 1926: 70–75.

41 Ein weiterer Sachsenspiegel wurde erst 1931 für 2200 RM aus der Fürstlich Stolbergischen Bibliothek Wernigerode erworben, gehört also nicht zum Altbestand, vgl. Nitzsche/Mauersperger (2003, Abs. 1.2), nämlich: Eike von Repgow: Sachsenspiegel: Landrecht [niederdt.]. Stendal: Joachim Westphal, [14]88. 2°. – GW 9262. ISTC ie00025000.

Missale Magdeburgense (Magdeburg). [Magdeburg]: Bartholomaeus Ghotan und Lucas Brandis, 1480. 2°. Lateinisch.
GW M24521. ISTC im00671000.
Siehe auch Bark/Junker 2011: 522f. mit Abb. 502.

Psalterium. [Leipzig: Conrad Kachelofen], 1485. 2°. Lateinisch.
GW M36131. ISTC ip01044800.

Stendal, Stadtarchiv

Signatur: Frühdrucke 2.
Marchesinus, Johannes: Mammotrectus super Bibliam. Köln: Johann Koelhoff d. Ä. 22. X. 1479. 2°. Lateinisch.
GW M20796. ISTC im00240000.
Die Inkunabel stammt möglicherweise aus der Bibliothek des Franziskanerklosters, gelangte von dort an die Bibl. des St. Annenklosters, vgl. B. Schmies 2007: 1218. Siehe auch K. Schmies 2007: 1230.

Missale Magdeburgense. Basel: Jacob Wolff aus Pforzheim, 1510. Lateinisch.
[oder 1515 ? vgl. VD16 M 5588].
Ehem. Stendal, Franziskanerinnen, vgl. K. Schmies 2007: 1230.

Stendal, St. Marien-Kirche und Bibliothek der Schönbeckschen Stiftung in der Marienkirche

Zimmermann/Czubatynski 2003b, Abs. 1.3: „Vermutlich bei dieser Gelegenheit [1725 Überführung der Schönbeckschen Bibl. in die Marienkirche] sind auch die Reste der Kirchenbibliothek dieser Gemeinde, darunter 4 Inkunabeln und knapp 20 Titel des 16. und 17. Jhs zur Musikliteratur, in den Bestand aufgenommen worden."
Zimmermann/Czubatynski 2003b, Abs. 2.6: „Wegen ihres defekten Zustandes nur zu schätzen sind die Druckjahre des verbliebenen zweiten Teils einer Vulgata (1474/75) und des zweibändigen Sentenzenkommentars von Petrus Lombardus (ca. 1491)."

Vulgata, Teil 2. Um 1474/74.
Zimmermann/Czubatynski 2003b, Abs. 2.6.

Missale Magdeburgense. Magdeburg: Simon Koch, 1486. 2°. Lateinisch.
GW M24529. ISTC im00672000.

Nicolaus de Lyra: Postilla super totam Bibliam. P. 1.2. Nürnberg: Anton Koberger, 22. I. 1481. 2°. Lateinisch.
GW M26513. ISTC in00135000.

Petrus Lombardus, Sentenzenkommentar. Beschädigt.
Vermutlich handelt es sich um: Petrus Lombardus: Sententiarum libri IV. Mit Komm. des Bonaventura. Hg. Johannes Beckenhaub u. m. Tab. von Johannes Beckenhaub. Daran: Articuli in Anglia et Parisius condemnati. [Nürnberg]: Anton Koberger [nach 2. III. 1491]. 2°
GW M32527. ISTC ip00486000 (jeweils ohne Exemplarnachweis für Stendal)
Zimmermann/Czubatynski 2003b, Abs. 2.6.

A 47
(Pseudo-)Bonaventura: Meditationes vitae Christi. Paris: [Jean Lambert für] Denis Roce [um 1495]. Lateinisch.
GW 4752 [nicht diese Ex.]
Czubatynski 1998: 137. Ehem. Dombibliothek, vgl. Guth 2004: 14.

Stendal, St. Nikolai (Dom)

Popp 2007b: 19ff.: „Das Vorhandensein einer Stiftsbibliothek ist durch Quellen nicht zu belegen. Das Inventar der liturgischen Gerätschaften von 1540 verzeichnet zwei Bücher, daraus man das Evangelium und die Epistel singt, wegen ihres Silberbeschlags (Müller/Parisius 1,2, S. 144). Bücher, die sich einer vorreformatorischen Bibliothek des Nikolaistifts zuordnen ließen, sind nicht erhalten (vgl. Czubatynski Armaria S. 25). Die wenigen überlieferten Testamente von Stendaler Kanonikern enthalten allerdings Hinweise auf privaten Bücherbesitz." Siehe auch Badstübner/Popp 2007: 1205: „Über eine Stiftsbibliothek ist nichts bekannt." Wohingegen „der mittelalterliche Urkundenbestand […] nahezu komplett erhalten" ist (ebd.). Czubatynski 2003e, Abs. 1.1: „Auffällig ist das Fehlen von Büchern aus dem Besitz des 1188 gegründeten Kollegiatstiftes in der heutigen Bibliothek. […]."
Borchling/Claussen (BC) verzeichnen niederdeutsche Drucke, deren Präsenz vor Ort geprüft werden müsste.

Pseudo-Bonaventura: Meditationes vitae Christi. Paris: [Jean Lambert für] Denis Roce, [um 1495]. 8° Lateinisch.
GW 04752.   ISTC ib00896450.
Czubatynski 1998: 137.

Biblia niederdeutsch. Halberstadt: [Lorenz Stuchs], 8. Juli 1522. 2°.
BC 704. VD16 B 2839 (URL: http://gateway-bayern.de/VD16+B+2839).

Neues Testament niederdeutsch. Übers. v. Johannes Bugenhagen. Wittenberg: Hans Lufft, 1524. 8°.
BC 787. VD16 B 4501 (URL: http://gateway-bayern.de/VD16+B+4501).

Neues Testament niederdeutsch. Übers. v. Martin Luther. Erfurt: Konrad Treffer 1530. 8°.
BC 1058.
Vermutlich VD16 B 4514 (URL: http://gateway-bayern.de/VD16+B+4514): „Dat Nye Testament Düdesch. Martinus Luther. Mit nyen Summarien edder kortem vorstande vp ein yder Capittel dorch Johannem Bugenhagen pomern. Wittemberch. M.D.XXX. Gedruecket tho Erffurdt dorch Conrad Treffer tho dē haluen Radt in der Meimer gassen. M.D.XXX".

Tangermünde, Kollegiatstift St. Johannes

Vgl. Popp 2007c: 1266: „Konkrete Nachrichten über eine Stiftsbibliothek fehlen, allerdings gibt es in der urkundlichen Überlieferung mehrfach Hinweise auf Bücherbesitz des Kapitels und einzelner seiner Mitglieder. So vermachte beispielsweise der Scholaster der Halberstädter Kirche, Dr. Heinrich von Angern, 1406 dem Kapitel seine juristischen Werke, ebenso ein Magister Huth 1407."
Czubatynski 1998: 26: „In seinem Testament vom 16. November 1451 vermachte der Tangermünder Propst [und Stendaler Stiftsherr] Nikolaus Vloghell seinen Verwandten ‚libros meos juridicales et duos magnos libros pro horis canonicis dicendis', und am 22. Juli 1466 schenkte Kurfürst Friedrich II. dem Kapitel 20 Schock märkische Groschen, ‚das sy bücher in die Ca-

pell darvor bestellen sollen'. Da das Kapitel dafür versprach, alle Tage in der Schloßkapelle die Mette zu singen, wird es sich um liturgische Bücher gehandelt haben."

Tangermünde, Heimatmuseum und Stadtarchiv

Vgl. Brückner/Czubatynski 2003, Abs. 2.2: „Zu den ältesten Beständen gehört ein Band mit mittelalterlichen Makulaturfragmenten, die bis in das 12. Jh zurückreichen, darunter auch Bruchstücke eines Pergamentdruckes des Graduale Herbipolense (Würzburg 1496, GW 10984). Ferner ist unter der Signatur Hs 3 der dritte Band der Biblia cum postillis Nicolai de Lyra vorhanden [...] . Dieser Band läßt erkennen, daß die Bücher der Kirchenbibliothek angekettet waren. Ein weiterer Kettenband ist Teil 2 der lateinischen Reihe der Wittenberger Luthcrausgabc (Wittcnbcrg: Lufft 1546). Im vorderen und hinteren Spiegel dieses Bandes befinden sich Fragmente von zwei gleichzeitigen Plakatdrucken des Magdeburger Buchdruckers Jörg Scheler. Wertvollstes Einzelstück, da offenbar ein Unikat, ist das Breviarium Stendaliense (Leipzig 1522), von dem allerdings nur der ‚pars aestivalis' erhalten ist, der 1929 aus Privatbesitz angekauft wurde [s. u.]. Der Bestand enthält ferner ca. 70 Bibeln, Gesang- und Erbauungsbücher aus dem 16. bis 19. Jh."

Siehe auch Popp 2007c: 1266 zu hinterlassenen Büchern an das Stift.

Biblia latina (cum postillis Nicolai de Lyra et expositionibus Guillelmi Britonis in omnes prologos S. Hieronymi et additionibus Pauli Burgensis replicisque Matthiae Doering). Add: Nicolaus de Lyra: Contra perfidiam Judaeorum. Nürmberg: Anton Koberger, 1497. 2°.
GW 4294. ISTC ib00619000.
(Signatur: Hs 3, nur der dritte Band.)

Graduale Herbipolense. Würzburg: Georg Reyser, 1.V.1496. 2°. Lateinisch.
GW 10984. ISTC ig00329730.

Signatur: Bibl. des Stadtmuseums, R 56
Breviarium Stendaliense (pars aestivalis). Leipzig: Melchior Lotter, 1522. Lateinisch.
VD16 ZV 12041.
Literatur: Czubatynski 1998: 43. Vgl. Badstübner/Popp 2007: 1205.

Werben, Kirche (ehem. Kommende des Johanniterordens)

Literatur: Czubatynski 1998: 129: „Ebenfalls unerforscht sind einige Reste in der Kirche zu Werben, und zwar eine Vulgata, ein Missale und ein kirchenrechtliches Werk."
Ebd.: 26: „Eine interessante Regelung ist uns ferner für die Johanniterkomturei Werben überliefert. Im Jahre 1423 und erneut 1448 bestimmte der Herrenmeister des Ordens, daß sämtliche Bücher der in Werben verstorbenen Brüder der dortigen Bibliothek zufallen sollen (,... unde legghen de [böke] in yre librie to dem ghemeyne nutte ...' [CDB I,6, S. 51 und 62]."
Vgl. Partenheimer/Knüvener 2007: 1298: „[...] Wahrscheinlich aus der Bibliothek der Kommende stammen zwei in einem Band des Werbener Pfarrarchivs als Vorsätze benutzte Pergamentblätter mit einer Schrift aus dem 14. Jh. Eines enthält Bruchstücke aus Cosmas und Damian."
„Aus der katholischen Zeit sind auch heute noch einige Bücher erhalten, wenn auch ohne Titelblätter. Geradezu vandalisch ist man mit einer gewaltigen Vulgata (lateinischen Bibel) insofern umgegangen, als man sie der meisten ihrer kostbar gemalten und vergoldeten Initialen beraubt hat. Ebenso sind aus einem Meßbuch und einem ‚Kirchenrecht' die Titelblätter und die ersten Seiten verschwunden." Wollesen 1898, zur „kirchlichen Bücherei" S. 255f., Zitat S. 255.

Einige Handschriften des 16. Jahrhunderts aus der Schönfeldtschen Bücherei in Werben finden sich heute in Berlin, siehe die Provenienzkartei in der Handschriftenabteilung der Staatsbibliothek.[42]

Wien, Österreichische Nationalbibliothek

cpv 5286, Misc. alchem. u. a., 15. Jh., lateinisch
Vorbesitzer: B. Schulten; Salzwedel, Franziskaner, Brandenburg, Franziskaner
Krämer 1989–1999, 1: 703 (im Wiener Hss.katalog werden allerdings keine Beziehungen angegeben.)
Tabulae codicum manu scriptorum praeter graecos et orientales in Bibliotheca Palatina Vindobonensi asservatorum, edidit Academia Caesarea Vindobonensis, Vol. III: Cod. 3501-5000, Wien 1869. (URL: http://bilder.manuscripta-mediaevalia.de/hs//kataloge/HSK0751d.htm).

Wolfenbüttel, Herzog-August-Bibliothek

Vgl. Bergstedt u. a. 2007: 584: „Die 48 erhaltenen Handschriften Havelberger Provenienz befinden sich in der SBB PK und in der HAB Wolfenbüttel. [...] Der in der HAB Wolfenbüttel erhaltene Codex 2867 enthält den Ordo officium ecclesiasticorum in ecclesia usitatorum sowie den Ordo praebendarum des Kapitels (15. Jh.)."

84. 2. Aug. 2° (Kat.Nr. 2867)
Ordo officiorum ecclesiasticorum in ecclesia Havelbergensi usitatorum – Ordo prebendarum in ecclesia episcopali Havelbergensi, 15. Jh., lateinisch
Vorbesitzer: Havelberg, Kathedralkirche (?); Philipp Loenaeus
Krämer 1989–1999, 1: 324; von Heinemann 1900: 77.

Cod. Guelf. 612 Helmst. (Kat.Nr. 661)
Hugo Argentinensis: Compendium theologicae veritatis, 1461, lateinisch.
Schreiber/Kompilator: „Explicit compendium theolyce veritatis per me Tilomannum Bothen in Tangermundis anno Domini [1461]. ... Post Bartholomei [...]."
Entstehungsort: Tangermünde
„Entstehung: Der Codex wurde 1461 von dem aus einer Gandersheimer Ratsfamilie stammenden Tilomannus Botho († 1497, [...]) während seiner Tätigkeit an der Lateinschule in Tangermünde geschrieben.", siehe Manuscripta Mediaevalia URL: http://www.manuscripta-mediaevalia.de/dokumente/html/obj32412382,T [Stand: 31. 10. 2017].
von Heinemann 1886: 75.

---

42   Ms. germ. 8° 1074 (1161) und germ. 2° 1650. – Die Provenienzkartei verzeichnet auch
     Bände für Kyritz – Lat. F. 880 (16. ? Jh.), Oct. 319 16. Jh. (1535), Lat. oct. 320 (16. Jh.) –,
     das zwar nicht zur Altmark, sondern zur Prignitz gehört, aber dennoch hier erwähnt sei,
     da neuerdings aufgearbeitet durch Höhle 2004. – Die Königliche Bibliothek zu Berlin
     hat seit ihrer Errichtung und später auch das Geheime Staatsarchiv Berlin Archivalien,
     Bücher und Sammlungen erworben und inkorporiert, vgl. Czubatynski 1998: 172–176.

Die „plattdeutschen Scribenten" Groth, Reuter und Brinckman im literarischen Diskurs ihrer Zeit

Versuch einer multimodalen Perspektivierung

Barbara Scheuermann, Göttingen

> Was Julian Schmidt
> Mit Füßen tritt,
> Was Robert Prutz
> Bewirft mit Schmutz,
> Das ist, mit *freundlichen* Augen gelesen,
> Doch vielleicht – zum Lesen gewesen.
>
> *Theodor Fontane, 1854*

„Da es mir an ästhetischem Umgang in Kiel fehlt, muß ich mir es in irgendeiner neutralen Kunst zu ersetzen suchen" – so erläuterte Klaus Groth am 30. Dezember 1868 Herman Grimm, dem später als Kunsthistoriker bekanntgewordenen Sohn Wilhelm Grimms, weshalb er und seine Frau, beide Verehrer von Johannes Brahms, „viel in Musik" lebten, u. a. durch den Besuch von Konzerten in Hamburg.[1] Herman Grimm (1828–1901), der mit seiner Frau Gisela, der jüngsten Tochter von Bettina von Arnim, in Berlin wohnte, war da vor allem als Autor von – auf der Bühne wenig erfolgreichen – Dramen sowie dem dreibändigen Roman „Unüberwindliche Mächte" hervorgetreten und im übrigen viel auf Reisen, vor allem in Italien, wo er die Kunst der Renaissance studierte.

Auffällig an Grimms Selbstkonzept ist die enge Wechselbeziehung zwischen eigenem literarischem Schaffen und wissenschaftlicher Durchdringung von bildender Kunst und von Literatur. Nach abgebrochenem Jurastudium versuchte er sich

---

[1] Briefwechsel (BW) Groth – Grimm, Br. 2758. Wie sehr Groth und seine Frau Doris „in Musik" lebten, zeigt ihrer beider Korrespondenz mit Johannes Brahms, darin die Selbstanalyse: „Aber ich bin allerdings auch echter Musik gegenüber wie ein Säufer gegen eine Flasche." (BW Brahms – Groth, Br. 34 vom 11. 8. 1876). – Zu dem Zitat im Titel vgl. unten Anm. 96, zu dem vorangestellten Fontane-Zitat Anm. 69.

zunächst als Schriftsteller;[2] erst relativ spät befasste er sich mit Kunststudien, ab 1873 als Ordinarius für Neuere Kunstgeschichte in Berlin, als der er – Kunst in einem weiten Verständnis auffassend – 1874/75 auch über Goethe las. Literarische Kommunikation vollzog sich hier in vielfältigen Formen, nach vielen Seiten hin und auf mancherlei Wegen, mithin „multimodal" – auf der Basis eines Selbstkonzepts, das Karl Müllenhoff (1818–1884) 1869 gegenüber seinem Schüler Wilhelm Scherer (1841–1886), Professor für Deutsche Philologie in Wien, zu dem abschätzigen Urteil veranlasste, Grimm eigne „die großthuerische Wichtigkeit des Autodidacten".[3]

Rahmenbedingungen und Spielräume literarischer Kommunikation nach 1848 – Literarische Vereine, Zeitschriften, ‚Netzwerke'

Ein Forum für den Austausch zwischen Literatur und Wissenschaft hätten die seit 1838 jährlich stattfindenden „Versammlungen deutscher Philologen und Schulmänner" sein können. Als Grimm an dem 1869 vom 27.–30. September in Kiel durchgeführten Treffen teilnahm, wohnte er bei Groth, der die Versammlung mit einem mehrstrophigen humoristisch-launigen Gedicht „Willkam in Kiel!" begrüßte: *De Preußen trock na't ole Kiel / Dat depe Water – heet dat, / Doch wat bi uns de dütschen Phil- / ologen sökt – wer weet dat?*[4] Während dieses Treffens spielten Werke der zeitgenössischen Literatur jedoch kaum eine Rolle; die Vertreter der an deutschen Universitäten sich gerade etablierenden Germanistik traktierten vornehmlich ältere Schriftdenkmäler – das Wessobrunner Gebet, das Nibelungenlied – sowie Phänomene aus der germanischen Sprachgeschichte.[5] Die angeblich jedermann verständliche neuere deutsche Literatur wissenschaftlich untersuchen zu wollen galt als wenig seriös (vgl. Weimar 1989: 296–298, 335–346; Ansel 2003: 306f.). Auf dem Felde der Germanistik, die „die Dichtung von der Reflexion über sie getrennt

---

2   Vgl. Mey 1986: 9–14. – Heute kennt man Herman Grimm meist nur noch als Sohn von Wilhelm und Neffe von Jacob Grimm; immerhin zeigte das Hessische Staatsarchiv zu Marburg im Frühjahr 1986 eine Ausstellung über ihn, bezeichnenderweise aus Anlass des 200. Geburtstages seines Vaters, und am 9./10. Okt. 2009 veranstaltete die Brüder-Grimm-Gesellschaft eine Tagung zu Herman Grimm „zwischen Nachmärz und Gründerzeit" (die seinerzeit im Hessischen Staatsarchiv gehaltenen Vorträge veröffentlichte sie 2015 in Bd. XVII–XVIII ihres Jahrbuches). – Groth hatte 1856 noch abschätzig geäußert: „Grimms Novellen sind ungesund. Seine Leute sind pikant stumm […]. ‚Lauter Konditorware' (Dahlmann)." (BW Groth – Müllenhoff, Br. 101 vom 6.7.1856)

3   BW Müllenhoff – Scherer, Br. 140 vom 17.11.1869. Bezugspunkt dieser Einlassung war die von Grimm angestrebte Habilitation: „In Wahrheit ist er doch nur ein Litterat und allem was er macht sieht man den Mangel der Schule und den Hochmuth und die großthuerische Wichtigkeit des Autodidacten an. […] Er schadet nur jungen Leuten an der Seele." – Ende des 19. Jahrhunderts begegneten einem „poeta philologus" erhebliche Vorbehalte, „riskierte der Philologe, der als Dichter auftrat, seine berufliche Reputation" (Dehrmann/Nebrig 2010: 12).

4   Zit. nach: BW Storm – Groth: 213f. (Anhang II.2).

5   Vgl. dazu Weimar 1989: 219–247, Hermand 1994: 51f. und Kolk 1991: 133–137, zur „Etablierungsphase" der Germanistik auch Ansel 2003: 69–72.

wissen" wollte,[6] war der Dichter, Essayist und Kunsthistoriker Herman Grimm insofern eine auffällige Erscheinung. Ihm an die Seite stellen ließe sich der gebürtige Rostocker Friedrich Eggers (1819–1872), der gleichfalls kunstgeschichtliche mit literarischen Neigungen verband. Eggers, ein auch niederdeutsch schreibender Autor, zugleich der Herausgeber wichtiger Zeitschriften, war laut Theodor Fontane (1819–1898) ein „Gesellschaftsgenie",[7] in heutiger Sicht ein rühriger Netzwerker.

Auf dem literarischen Feld selbst gab es Mitte des 19. Jahrhunderts längst engere Kontakte,[8] vor allem in größeren Städten, wo Schriftsteller entweder in einem Lokal oder aber in privaten Räumen regelmäßig zusammentrafen, aus neuen eigenen Werken vortrugen, sich darüber austauschten und Projekte erörterten. Bekannt und einflussreich waren beispielsweise der seit 1827 in Berlin existierende literarische Sonntags-Verein „Tunnel über der Spree" und das 1852 aus ihm hervorgegangene „Rütli" sowie der seit 1856 bestehende Münchener Dichterkreis „Die Krokodile".[9] „Tunnel"- und „Rütli"-Mitglieder waren z. B. Friedrich Eggers und Theodor Fontane, Theodor Storm (1817–1888) und Paul Heyse (1830–1914), letzterer ein Kult-Autor jener Jahre.[10] Das „Rütli" publizierte zeitweilig ein eigenes belletristisches Jahrbuch, die „Argo", mit Bildern, Erzählungen und Gedichten zeitgenössischer Künstler.[11] Auch Dresden hatte seine literarische Vereinigung; während seines dorti-

---

6 Behrs 2013: 78. Der Vf. verdeutlicht dies an der Grenzziehung zwischen dem Novellisten Theodor Storm und dessen germanistischem Interpreten Erich Schmidt, dem es in den 1880er Jahren vorrangig um „die Ausdeutung des Zusammenhangs zwischen Autorpersönlichkeit und Werk" ging und der Storms eigene theoretische Einlassungen zur Novelle als Grenzüberschreitung zurückwies (ebd.). – Grenzziehungen mied der Karl Müllenhoff nahestehende, früh verstorbene Wilhelm Scherer (1841–1886), Professor in Wien, Straßburg und Berlin, dessen Forschungen bestimmt waren durch den „Übergang von Sammlung zur Erklärung auf Basis induktiver Logik, die Öffnung gegenüber neuerer Literatur, die Einbeziehung ästhetischer Wertung" (Klausnitzer 2005: 59); vgl. auch Müller 2007: 153–155.

7 So in seiner Autobiographie „Von Zwanzig bis Dreißig" (Fontane XV: 179); zu Eggers' Werdegang und zu seinem Engagement für das Plattdeutsche vgl. Berbig 1998: 38–42, erhellend auch Berbigs Einleitung zum BW Fontane – Eggers.

8 Dass „das literarische Feld" in der zweiten Hälfte des 19. Jh.s „einen bis heute nicht übertroffenen Grad an Autonomie" erreichte, führt Bourdieu (2011: 349) aus.

9 Vgl. die einschlägigen Artikel in Wülfing u. a. 1998: 343–348 (Münchner Dichterkreis), 394–406 (Rütli [II]), 430–455 (Tunnel über der Spree), für den Münchner Dichterkreis auch Hermand 1998: 118–123; s. für Fontanes Mitgliedschaften Berbig 2000: 416–422, 426–433, für Heyses Aktivitäten Rückert 2014: 18–24.

10 Fontane erwähnt z. B., dass seine Frau „sich jetzt dem allgemeinen Heyse-Cultus auch angeschlossen" habe (BW Storm – Fontane, Br. 47 vom 4. 6. 1854). – Vgl. den Auszug aus Fontanes unter dem Titel „Ein Liebling der Musen" 1867 in der „Gartenlaube" (36: 566) erschienenem Beitrag über Heyse bei Rückert 2014: 7. Heyses umfängliche literarische Produktion – ohne ein „einziges Jahr Ableitung oder Abwechslung durch Amt, Lehrthätigkeit oder irgendeine andere profane Arbeitsweise" – hielt Gottfried Keller für bedenklich: Heyse „wird und muß hiebei selbst consumiert werden" (BW Storm – Keller, Br. 17 vom 20. 12. 1879).

11 Es erschien 1854 und 1857–1860, ausgestattet mit zahlreichen Bildern.

gen Aufenthalts 1857 nahm Klaus Groth als Gast an den Versammlungen des „Montagsclubs" teil, wo er z. B. mit Berthold Auerbach (1812–1882) zusammentraf (vgl. Bichel u. a. 1994: 82f.).

Solcherart literarische Kommunikation galt veröffentlichten oder erst noch zu veröffentlichenden Texten, die kritisch besprochen wurden;[12] die Protokolle z. B. der „Tunnel"-Sitzungen weisen Wechselreden von Zustimmung und Kritik, von Lob und Tadel aus.[13] Zahlreiche neue Periodika kamen auf, in denen literarische Neuerscheinungen publiziert, erwähnt, rezensiert oder in einen größeren Kontext eingeordnet wurden. In den Jahren vor der Revolution von 1848 waren die „Halleschen Jahrbücher" führend gewesen.[14] Die ihnen in den 1850er Jahren folgenden Zeitschriften waren ihrem Anspruch nach entweder mehr belletristisch-literaturwissenschaftlich resp. historisch-politisch ausgerichtet oder erkennbar für ein einfacheres, vorrangig an kulturellen Erscheinungen interessiertes Lesepublikum gedacht. „Die Grenzboten" mit Julian Schmidt (1818–1886) und Gustav Freytag (1816–1895) an der Spitze und „Deutsches Museum" unter der Federführung von Robert Prutz (1816–1872) – beide erfolgreiche Zeitschriftenprojekte – gehörten in die zuerst genannte Gruppe,[15] die als Familienblätter verbreiteten „Die Gartenlaube" und „Daheim" oder „Westermann's Monatshefte" und „Über Land und Meer" eher in die zweite.[16] Einflussreich waren die ab 1858 in Berlin von dem Literaturhistoriker Rudolf Haym

---

12   Paul Heyse zog 1854 nach München, Theodor Fontane 1855 nach London, Theodor Storm 1856 nach Heiligenstadt; zwar blieb man in Kontakt miteinander, wie Fontanes Brief an den „Vielgeliebten Rütli" vom 31. Okt. 1855 zeigt (BW Fontane – von Lepel 1, Br. 298), doch bei den wöchentlichen Treffen fehlten diese Autoren nun vorübergehend oder auf Dauer. – Wie intensiv die Kontakte anfangs waren, verrät die Einladung Storms an Fontane für den „1 oder 2t Weihnachtssonntag" 1853, verbunden mit der Bitte, „ein bißchen Lectüre d. h. Eigengemachtes oder Argozeitungssachnelt" mitzubringen (DW Storm – Fontane, Br. 25, um den 21. 12. 1853); vgl. auch eine spätere Mitteilung Storms, der, als er von Ende April bis Mitte Mai 1884 in Berlin weilt, seinem Freund Heinrich Schleiden in Hamburg schreibt, er sei hier am Sonnabend „Abends im ‚Rüthli', den ich mitgestiftet" (BW Storm – Schleiden, Br. 27 vom 28. 4. 1884).

13   Ein anschauliches Bild von Friedrich Eggers' Vortrag plattdeutscher Gedichte im „Tunnel" und dem Procedere daselbst vermittelt Berbig 1998: 35–38.

14   Herausgegeben wurde diese „im Vormärz bekannteste Zeitschrift" von Arnold Ruge und Theodor Echtermeyer, sie entsprach dem universal angelegten, der Meinungsbildung dienenden Zeitschriftentyp der Revue (vgl. hierzu auch Estermann 1991: 395–411); als „erste germanistische Fachzeitschrift" stand ihr, herausgegeben von Moritz Haupt, die speziell an Philologen adressierte „Zeitschrift für deutsches Altertum" gegenüber (Ansel 2003: 75).

15   Ab 1841 erschienen „Die Grenzboten", seit 1844 mit dem Untertitel „Zeitschrift für Politik und Literatur", ab 1851 in Leipzig das liberale „Deutsche Museum. Zeitschrift für Literatur, Kunst und öffentliches Leben".

16   Seit 1853 kam einmal im Monat in Leipzig als Familienblatt „Die Gartenlaube" heraus, seit 1864 erschien in Bielefeld das Familienblatt „Daheim", eine dezidiert christlich ausgerichtete Gegengründung zur „Gartenlaube"; ab 1856 gab es in Braunschweig „Westermann's illustrirte deutsche Monats-Hefte. Ein Familienbuch für das gesammte geistige Leben der Gegenwart", ab 1858 in Stuttgart wöchentlich „Über Land und Meer",

(1821–1901) herausgegebenen, monatlich erscheinenden „Preußischen Jahrbücher",
besonders erfolgreich die 1872 in Berlin von Paul Lindau begründete Wochenschrift
„Die Gegenwart" sowie die seit 1874 von Julius Rodenberg verantwortete, viertel-
jährlich erscheinende „Deutsche Rundschau", die zahlreiche Novellen damals bekannter Autoren vorab veröffentlichte und rasch zur Pflichtlektüre für Schriftsteller
und literarisch Interessierte wurde.[17] Zu den Familienblättern ging Klaus Groth im
Dezember 1868 gegenüber Herman Grimm unmissverständlich auf Distanz: „Im
Ganzen bin ich mit unseren Tagesschriftstellern zerfallen. Gar die Gartenlaube und
die Daheimer und die Kritiker!"[18] Tatsächlich aber konnte es sich ein Schriftsteller
gar nicht erlauben, diese Journale zu ignorieren, denn sie waren es, die gelesen wurden, die einen Autor populär machten und die dazu beitrugen, seinen Lebensunter-
halt zu sichern.

Auch Fritz Reuter versuchte sich in seinen Anfängen an einem Familienblatt;
1855/56 redigierte er das von ihm ins Leben gerufene und mit zahlreichen eigenen,
hoch- und plattdeutschen Beiträgen versehene „Unterhaltungsblatt für beide Mecklenburg und Pommern" (Reprint Rostock 1989), jedoch mit wenig Fortune, so dass
das Blatt, dem bald die Abonnenten ausgingen, sein Erscheinen nach einem Jahr ein-
stellen musste (vgl. dazu Scheuermann 2016: 10f.). Rückblickend bemerkte Reuter
1862: „ich gab einmal vor 7 Jahren ein hochdeutsches Blatt heraus, es ist dasselbe
aber schon längst seelig entschlafen, und ich traure nicht über sein Hinscheiden"
(BA Reuter 2: 53, Br. vom 23. 4. 1862, Empfängerin nicht ermittelt). Zu betrauern
gab es vor allem deshalb nichts, weil Reuter sich inzwischen als erfolgreicher plattdeutscher Autor etabliert hatte und ihm der mit der Herausgeberschaft verbundene
Auftrag, andere Autoren zur Mitarbeit am „Unterhaltungsblatt" zu bewegen und zugleich kontinuierlich neue Abonnenten zu gewinnen, rasch zur Last geworden war.
Einen neuerlichen Versuch in diese Richtung unternahm zehn Jahre später Eduard
Hobein (1817–1882), umtriebiger Schweriner Advokat und Verfasser hoch- und

---

eine „Allgemeine Illustrirte Zeitung", die z. B. 1897/98 in 19 Folgen einen Vorabdruck
von Theodor Fontanes Roman „Der Stechlin" veröffentlichte.

17 Vgl. BW Keller – Heyse, in dem häufig von der „Rundschau" und in ihr veröffentlichten Werken die Rede ist, sowie die Beschreibung einer sonntäglichen Lesestunde durch
Theodor Storm, übermittelt an den Vf. des gelesenen Buches: „drinnen wurden die ‚Zü-
richer Novellen' gelesen, das eine Heft der ‚Rundschau' von einem jungen Juristen, meinem Sohn, das andere von mir; es war eine rechte Sabbathfeier." (BW Storm – Keller, Br.
1 vom 27. 3. 1877) – Für Fontane weist Berbig (2000: 223, 225) Veröffentlichungen in
20 verschiedenen Zeitungen und in 40 Zeitschriften nach – mit immerhin drei wichtigen
Romanen in dem „angesehenste[n] Publikationsorgan des deutschen Kaiserreiches", der
„Deutschen Rundschau", das die „ästhetischen Auffassungen des poetischen Realismus"
vertrat.

18 BW Groth – Grimm, Br. 2758 vom 30. 12. 1868. – Schon bei Erscheinen seines „Quickborn" fürchtete Groth „hämische Angriffe oder noch mehr erniedrigende Vergleichungen
mit neueren Dilettantenversuchen, welche Sprache und Volk lächerlich machen" (gemeint war hier die wie Groth aus Heide stammende Dichterin Sophie Dethleffs), durch
„literarische Cliquen", die „die Tagsblätter beherrschen" (BW Groth – Müllenhoff, Br. 1
vom 6. 11. 1852).

plattdeutscher Gedichte, der 1866 und 1868 unter dem Titel „Vom Ostseestrand"
ein „Belletristisches Jahrbuch aus Mecklenburg" herausgab mit Beiträgen auch von
John Brinckman und Fritz Reuter.[19] Bereits 1860/61 hatte er versucht, einen „plattdeutschen Congreß" in Schwerin zu veranstalten, auf dem Groth und Reuter ihre
seit 1858 bestehenden Zwistigkeiten hätten ausräumen sollen; mit diesem Vorhaben
scheiterte er jedoch.[20]

Die wachsende Einsicht der Autoren in die maßgebliche Rolle der zum Massen-
medium aufsteigenden Journale und die Entwicklung von dazu passenden Strategien
bestimmten – multimodal – die literarische Kommunikation jener Zeit. Zunehmend
sahen es die Schriftsteller als erforderlich an, nicht nur auf dem Feld der Produktion
von Literatur, sondern auch auf dem der Distribution und vor allem auf dem der
Kritik nachhaltig zu wirken;[21] genau beobachteten sie dafür die periodische Presse
und den Büchermarkt, geschickt bedienten sie sich unterschiedlichster Textformen
und nutzten zielgerichtet neue Verbreitungswege.[22] Diesen Strategien förderlich
waren enge Kontakte zu anderen Autoren sowie ein intensiver literaturästhetischer
Austausch in einem je besonderen literarischen Netzwerk,[23] in dem der schreibende
Zeitgenosse indes auch als Konkurrent wahrgenommen wurde.[24] Dabei ging solcher-

---

19 Vgl. Briefe an Hobein: 2 (Vorwort von Wilhelm Meyer mit dem Zitat aus einem Brief
    Hobeins an Friedrich Eggers): „ich bin rasend fleißig, meine Advokatur ist nebenher im
    Umsehen erledigt".

20 Vgl. Bichel 2003–2013, hier 2010: 24–29. – In Hobeins „Vom Ostseestrand" von 1868
    dominieren hochdeutsche Texte, lediglich die letzten Seiten (190–253) bieten Nieder-
    deutsches, darunter Gedichte von Friedrich und Karl Eggers sowie von Hobein selbst,
    der im ersten Teil zudem mit sechs hd. Gedichten vertreten ist. Von Reuter enthält das
    Jahrbuch hd. Anekdoten, von Brinckman die hd. Ballade „König Rolf".

21 Aufschlussreich Karl Gutzkow (1811–1878) in seinem Brief an Levin Schücking (1814–
    1883) vom 1.3.1869 (BW Gutzkow – Schücking, Br. 63): „Zum Glück ist die Zahl un-
    ternehmender Buchhändler u. hohes Honorar zahlender Zeitschriften groß." In seiner
    Antwort (ebd., Br. 64 vom 3.3.1869) lobt Schücking Ernst Keil, den Herausgeber der
    „Gartenlaube", dessen Blatt gebe „Einem ein so ungeheures Publicum in der ganzen Welt
    und doch auch in gebildeteren Schichten". – Vgl. auch Ansel (2003: 93), der auf die „tief
    greifenden Verwerfungen innerhalb der Zeitschriftenlandschaft seit 1848" verweist. Zu
    Rudolf Hayms Beiträgen in Zeitschriften s. ebd.: 98f.

22 Vgl. z.B. Doris Groth an Brahms (BW Brahms – Groth, Br. 9 vom 21.3.1872): „Ihre Bit-
    te um Artikel in Zeitungen soll ich vorläufig beantworten. Politik oder sonstige Landes-
    verhältnisse schreibt er nie, über Kunst und Literatur zuweilen; was bis jetzt fertig, hatte
    er schon vergeben an ‚Die Gegenwart'. Später kann er Ihnen vielleicht etwas schicken,
    im Ganzen meint er, ist sein Wirken hier im Norden."

23 Für die Zeit nach der Reichsgründung sieht Bogdal (2007: 213) infolge von Erleichterun-
    gen beim Zugang zu den höheren Bildungseinrichtungen „ein sog. akademisches Prole-
    tariat entstehen, aus dem nur derjenige materiell und sozial aufsteigt, der sich der neuen
    Medien (vom Feuilleton über die kommerziellen Theater bis zur Kinematographie) zu
    bedienen weiß".

24 Vgl. zu Karl Gutzkow, einem scharfen Kritiker von „Rütli" und „Argo", sowie zu dessen
    Rolle in der literarischen Kommunikation des 19. Jh.s detailliert Haug 2012: 136–143. –
    Zur zunehmenden Kommerzialisierung von Produktion und Distribution der Literatur

art vielseitig-alltagstaugliches Schreiben häufig einher mit einem von den Zwängen des literarischen Marktes bestimmten Selbstkonzept, das sich nicht nur in den – in Tageszeitungen, Wochenschriften, Monatsschriften, Jahrbüchern – veröffentlichten literarischen Beiträgen, sondern meist auch in umfangreicher Korrespondenz geltend machte. Brieflich teilten die Autoren einander neben privaten Ereignissen aktuelle politische oder kulturelle Vorkommnisse sowie ihre jüngsten Leseeindrücke mit, äußerten sich über grundsätzliche Fragen ihres Schreibens und urteilten über literarische Weggefährten.[25]

Die drei niederdeutschen *Klassiker* Groth, Reuter und Brinckman nahmen, ihren Lebensumständen, aber auch ihrem *Habitus* geschuldet, auf je besondere Weise am literarischen Diskurs ihrer Zeit – in der „Kernzone des Realismus" – teil.[26] Wie und in welcher Absicht sie mit anderen Schriftstellern kommunizierten und welche Perspektiven ihnen das Urteil der zeitgenössischen Literaturkritik eröffnete, ist Gegenstand der weiteren Analyse.

Plattdeutsche Scribenten im literarischen Austausch mit anderen Autoren – Das „Gefühl der Landsmannschaft"

Es überrascht gewiss nicht, dass sich gerade die aus Schleswig-Holstein stammenden Schriftsteller, auch wenn sie ihre Heimat längst verlassen hatten, besonders stark miteinander verbunden fühlten. Klaus Groth sah sich stets als Holsteiner resp. Dithmarscher; und so wählte er am 17. September 1857 in seinem ersten Brief an den aus Wesselburen stammenden, in Wien lebenden Friedrich Hebbel (1813–1863) mit Bedacht die Anrede „Hochgeehrter Herr, lieber Landsmann".[27] Und auch der

---

nach 1870 (mit Spitzenverdienern wie Hermann Sudermann und Gustav Freytag auf der einen und zahlreichen notleidenden Lyrikern auf der anderen Seite) vgl. Parr 2008: 29–58; bereits 1850–1870 habe „ein erneuter Professionalisierungsschub" stattgefunden (ebd.: 30).

25   Einen besonders intensiven Austausch über poetologische Fragen bietet der BW Keller – Heyse.

26   Aust 2006: 10. – *Klassiker* im Sinne von Schuppenhauer 1982: 7–60; *Diskurs* vor allem als geschriebener; ihn charakterisieren im Vergleich zum mündlichen „die Ungleichzeitigkeit und Diatopie von Produktion und Rezeption, der geringere Grad an semiotischer Multimodalität, die längere Planungszeit und Möglichkeit der Revision, die individuell variierende Rezeptionsgeschwindigkeit, stärkere Monologizität, komplexere Syntax, größere lexikalische Variation, weitgehende Absenz von Gesprächspartikeln und Interjektionen" (Wrana u. a. 2014: 164f.); in Rede steht ein komplexer „Interdiskurs" (ebd.: 202f.), in dem sich mehrere Diskurse – der dichtungsästhetische, der literaturwissenschaftliche, der historische, der politische – überschneiden und wechselseitig beeinflussen.

27   BA Groth, Br. 47 vom 17.9.1857. – Am 27.9.1857 bekennt Hebbel Groth, dass sein „Töchterlein" den „Matten Has" auswendig wisse genauso wie er selbst den „Orgeldreier" (BW Hebbel III, Br. 1763); am 31.10.1862 versichert umgekehrt Groth Hebbel: „wenn mein zweijähriger Junge […] heranwächst, so soll er mir früh genug lernen daß Friedrich Hebbel einer von den großen Männern Holsteins ist" (BW Hebbel IV, Br. 2598).

aus Kiel gebürtige Wilhelm Jensen (1837–1911), der später ein bekannter Erfolgs-
schriftsteller werden sollte, berief sich 1862 als Fünfundzwanzigjähriger in einem
Bittschreiben an Friedrich Hebbel auf „das Gefühl der Landsmannschaft, die uns ja,
wie ich es unzählige Male erfahren, enger verbindet, als die Angehörigen jeden anderen Staates".[28] Offenkundig bewirkte hier das Landsmannschaftliche – insbesondere die spezifische Erfahrung in und nach der Revolution von 1848 – ein Gefühl der
Zusammengehörigkeit und ermöglichte einen Austausch, bei dem sich bestimmte
Grundsätze fast von selbst verstanden. Die „Holstentreue" gehörte dazu,[29] genauso
wie die hoffnungsfrohe Erwartung, trotz aller Widrigkeiten die dänische Bevormun-
dung abschütteln zu können.[30] In seiner Rezension von 1868 zu Theodor Storms
sämtlichen Schriften befand Groth denn auch: „das Holsten-Heimweh hat ihn zum
Dichter gemacht".[31]

Groth stand in Kontakt zu seinen Landsleuten Emanuel Geibel (1815–1884),
Friedrich Hebbel, Wilhelm Jensen,[32] nicht zuletzt auch zu dem Husumer Theodor
Storm. Das Verhältnis zwischen Groth und Storm zeigt freilich auch, wie stark die
literarische Kommunikation durch Gerüchte und Empfindlichkeiten beeinträchtigt
werden konnte. Nach dem 1852 im Zuge der schleswig-holsteinischen Erhebung
gegen die dänische Krone erfolgten Verlust seiner Husumer Advokatenbestallung
bemühte Storm sich andernorts um eine Anstellung und fand diese schließlich am
Kreisgericht Potsdam, wo er ab September 1853 als Gerichtsassessor tätig war, bevor er 1856 als Kreisrichter nach Heiligenstadt wechselte. In seiner Potsdam-Ber-
liner Zeit engagierte er sich im „Rütli", im Austausch u. a. mit Fontane, der – als

---

28   BW Hebbel IV, Br. 2561 vom 10. 8. 1862; Jensen schließt seinen Brief mit „Holsatia non
     cantat – Sie haben es glänzend widerlegt, das alte Sprichwort, ich hoffe es dereinst auch
     zu thun."
29   Vgl. die Anfangsverse von Groths Sonett „Holstentreue": *Es ist ein altes Wort: die Hol-
     stentreue. / Der Holste kann nicht singen und nicht sagen*; sowie das letzte Terzett: *Doch
     hat er einmal Herz und Augen offen, / Dann wankt er nicht im Trauen und im Lieben: /
     Auf Holstentreue magst du Häuser bauen.*" (Groth V: 159) – Hebbel gegenüber klagte
     Groth: „Weiß man denn nicht daß ich ein Holsteiner bin? [...] Unser Preisgeben und
     Entsagen kennt und versteht man nicht, ach! unsere Deutschen Brüder!" (BW Hebbel
     III, Br. 1960 vom 8. 11. 1858. – Vgl. hierzu auch Groths Beziehung zu dem Antwerpener
     Bibliothekar Constant Jacob Hansen, dem führenden Kopf der Aldietschen Beweging
     (Simon 1980: 40–51).
30   Vgl. dazu die einschlägigen Abschnitte bei Bichel 2003–2013, hier 2012, 2013, sowie
     Langhanke 2014–2016, ferner Lohmeier 2016.
31   BW Storm – Groth: 188–193, hier 190 (Anhang I.4). Erstdruck in: „Westermann's Illus-
     trirte Monatshefte" 25 (1868): 329–332. – Vgl. auch das Resümee des im Juni 1868 in
     der Augsburger „Allgemeinen Zeitung" erschienenen, wohl von Wilhelm Jensen verfass-
     ten Aufsatzes „Schleswig-Holsteinische Dichter", Storm sei „ein Dichter seiner Heimat"
     wie Groth und deshalb neben diesem „der berufenste dem deutschen Süden die Art, die
     Schönheit, den Zauber des Nordens zu deuten" (zit. nach BW Storm – Fontane: 437f.
     [Kommentar zu Br. 91 vom 25. 5. 1868]).
32   Vgl. zur Rolle Geibels Langhanke/Volkmann 2016, zu Jensens nach Nord wie nach Süd
     reichenden literarischen Kontakten Scheuermann 2015.

einer der Herausgeber der „Argo" – ihn im März 1853 bat, mit dem Verfasser des „Quickborn" einen Kontakt herzustellen:

> Aus der Vorrede zu seinem Buch hab ich ersehn, daß er nicht nur ein famoser Dichter, sondern nebenher auch ein feiner, über jedes Kleinste sich Rechenschaft gebender Kopf ist und gewiß im Stande wäre uns über Volkspoesie, über die Vorzüge des Plattdeutschen und überhaupt über alle jene Fragen, die ihn vorzugsweise beschäftigt zu haben scheinen, einen ebenso schätzenswerten wie interessanten Aufsatz zu schreiben. Könnten Sie, ihm gegenüber, wohl unser Vermittler sein?[33]

Storm schrieb Groth Anfang April einen langen, freundlichen Brief; darin würdigte er dessen „Sachen" als „im ganzen tiefer als die Hebelschen" und berichtete, er habe schon manches Grothsche Gedicht mit großem Erfolg rezitiert (BW Groth – Müllenhoff, Anhang, Br. 13 vom 6. 4. 1853). Anfang Mai ließ Fontane Storm wissen, er habe bereits selbst an Groth geschrieben (BW Storm – Fontane, Br. 9 vom 2. 5. 1853); einen Monat später reagierte Storm mit der Bemerkung: „Claus Groth soll an der Schwindsucht leiden, was in der That mit Trauer erfüllen muß, obgleich ja seine poëtische Mission vielleicht bereits erfüllt ist." (Ebd., Br. 10 vom 5. 6. 1853) Im Herbst 1853 bilanzierte Fontane schließlich: „Ueber Groth ist noch nichts eingegangen. Dabei beiläufig, wenn die Mommsen'schen Briefe ein getreues Bild geben, muß der Müllenhoff (der auf den Groth Beschlag gelegt zu haben scheint) ein unausstehlicher Kerl sein."[34] Da arbeitete Groth schon seit März mit dem in Kiel lehrenden – gebürtigen Dithmarscher – Karl Müllenhoff zusammen, dem er Ende 1852 ein Exemplar des „Quickborn" dediziert und wenig später geschrieben hatte: „Haben Sie Zeit und Lust, so bitte ich Sie, mir das Glossar durchzusehen." (BW Groth – Müllenhoff, Br. 5 vom 8. 3. 1853) Es blieb nicht bei bloßer Durchsicht, am Ende waren neben einem Glossar auch orthographische und grammatische Grundsätze erarbeitet.[35] Dankbar für Müllenhoffs umsichtig-engagierte fachliche Hilfe, erkannte Groth des anderen

---

33 BW Storm – Fontane, Br. 5 vom 19. 3. 1853. – Storm antwortete darauf recht reserviert: „Klaus Groth kenne ich nicht; allein, da er mir sein Buch unbekannterweise geschickt und ich es in hiesigen Blättern empfohlen habe, so kann ich in Ihrer Angelegenheit sehr wohl an ihn schreiben, was denn allernächstens geschehen soll" (ebd., Br. 6 vom 27. 3. 1853). Am 11. 4. berichtete er: „leider höre ich, der Mann soll [...] einem frühen Tode entgegensehn" (ebd., Br. 8). – Fontane seinerseits zeigte sich prinzipiell an Niederdeutschem interessiert, u. a. mit Blick auf Inschriften: „namentlich Plattdeutsches wäre mir unendlich erwünscht" (ebd., Br. 20 vom 11. 10. 1853). – Noch im März 1854 lag Fontane von Groth nichts vor (vgl. ebd., Br. 36 vom 27. 3. 1854, Br. 37 vom 31. 3. 1854). Am 11. 8. 1854 lobte Fontane Storm für seine Besprechung Grothscher Gedichte (ebd., Br. 54 vom 11. 8. 1854).

34 Ebd., Br. 23 vom 5. 11. 1853. – „Ueber" wohl im Sinne von „Ein Beitrag von Groth", denn eine Antwort auf seine Anfrage hatte Fontane – durch Müllenhoff – sehr wohl erhalten (vgl. unten, BW Groth – Müllenhoff, Anhang, Br. 14 vom 19. 5. 1853).

35 Vgl. Bichel u. a. 1994: 88. – Müllenhoff warnt Groth davor, „ganz bekannte und gewöhnliche Wörter" durch seine Orthographie „unkenntlich" zu machen (BW Groth – Müllenhoff, Br. 6 vom 23. 3. 1853); vgl. auch Langhanke 2015a: 492–494.

Sachverstand und Urteilsvermögen freimütig an.[36] Vor diesem Landsmann konnte er seine Überlegungen und Bedenken, seine Einsichten und Hoffnungen detailliert ausbreiten,[37] und er durfte zudem mit dessen Mitgefühl für seine gesundheitlichen Probleme rechnen. Freilich bezog er auch manch harsche Kritik, so Ende 1855 Müllenhoffs indignierten Verweis, die Vorrede zum „Quickborn" betreffend: „Sie haben mich [...] als Ihren Korrektor und Handlanger behandelt, das hab ich Ihnen nicht übel genommen; aber vor dem Publikum mag ich mich nicht als Ihren abgedankten Diener darstellen lassen" (BW Groth – Müllenhoff, Br. 49 vom 7. 11. 1855).

Der Austausch mit Müllenhoff über geplante Neuauflagen des „Quickborn" nahm Groth offenkundig so sehr in Anspruch, dass ein näherer Kontakt zu anderen Autoren, wie ihn sich die Herausgeber der „Argo" vorgestellt haben mögen, nicht zustande kam. Fontane zu antworten überließ Groth Müllenhoff, der den Fragesteller unter Hinweis auf Groths angegriffene Gesundheit abschlägig beschied: „Er [Groth] bedauert sehr, Ihren Wünschen nicht genügen zu können" (ebd., Anhang, Br. 14 vom 19. 5. 1853) – für Fontane gewiss eine Bestätigung seiner Annahmen über die Kieler Verhältnisse. Gleichwohl bleibt mit Blick auf die ungewöhnliche Interaktion von Literatur und Wissenschaft, die Zusammenarbeit zwischen dem „Dichter" Groth und seinem „Denker" Müllenhoff,[38] zu würdigen, dass hier ein Germanist, der nach eigenem Selbstverständnis für die älteren Schriftdenkmäler zuständig war, sich auf zeitgenössische Literatur immerhin einließ und für deren kritische Durchsicht wie für deren Ergänzung um grammatische und sprachliche Hinweise viel Zeit und Mühe aufzuwenden bereit war.[39]

Theodor Storm, der sich 1853 sehr anerkennend über den „Quickborn" geäußert hatte, veröffentlichte im September 1854 im „Literatur-Blatt des Deutschen Kunstblattes" anonym eine Rezension über Groths eben erschienene hochdeutsche Gedichte „Hundert Blätter", in der er ähnliche Einwände erhob wie – etwa zur gleichen

---

36 Vgl. z. B. Müllenhoffs Überlegungen zu einer Übersetzung des „Quickborn" ins Hochdeutsche (BW Groth – Müllenhoff, Br. 55 vom 9. 12. 1855). – Seine Unterstützung betrifft auch das Finanzielle: „Ich bin jetzt Ihr Bankier, solange es ausreicht." Er rät Groth zu einem „Gesuch nach Kopenhagen um ein Reisestipendium" (ebd., Br. 48 vom 28. 10. 1855).

37 „Sie wissen nicht, was Sie eigentlich meinem Herzen sind; ich weiß es jetzt auch erst", schrieb Groth am 19. 12. 1855 (BW Groth – Müllenhoff, Br. 58), worauf Müllenhoff gerührt antwortete: „Wi hangt tosam bet an uns seli Enn!" (ebd., Br. 59 vom 26. 12. 1855) – was sich indes als Trugschluss erweisen sollte. Zum abrupten Ende dieser Beziehung vgl. Bichel 2003–2013, hier 2008: 22f., 27–34, Behrs 2013: 107 sowie unten Anm. 44.

38 Vgl. den treffenden Titel der Dissertation von Jan Behrs „Der Dichter und sein Denker", die u. a. die Zusammenarbeit zwischen Groth und Müllenhoff thematisiert (Behrs 2013: 47–58).

39 Ein Beleg für Müllenhoffs Interesse auch an zeitgenössischer Literatur ist sein Bericht an Wilhelm Scherer, einen Disput mit Herman Grimm über dessen eben erschienenen Roman „Unüberwindliche Mächte" betreffend (BW Müllenhoff – Scherer, Br. 76 vom 22. 5. 1867); vgl. zu Grimm auch Bernhard von Lepels kritische Hinweise (BW Fontane – von Lepel 1, Br. 447 vom 15. 8. 1867 und Br. 450 vom 18. 10. 1867).

Zeit – der Literaturhistoriker Robert Prutz in der Zeitschrift „Deutsches Museum".[40] Groth habe im „Quickborn", so Storm, den „durchaus unabgenutzten Reichthum" des Plattdeutschen poetisch eingesetzt; im Hochdeutschen hingegen begnüge er sich überall „mit dem überkommenen conventionellen Apparat" und komme „sehr oft über die Phrase im allerschlimmsten Sinne nicht hinaus".[41] Über den Verfasser bald im Bilde, empfand Groth diesen Verriss als schwere Kränkung. Zwei Jahre später ließ er Müllenhoff freie Hand bei dem Kontakt mit Friedrich Eggers als Herausgeber von „Deutschem Kunstblatt" und „Argo", in welcher mehrere Grothsche Gedichte zur Veröffentlichung anstanden.[42] Angeblich wegen zu späten Einreichens blieb das meiste unberücksichtigt, nur zwei der niederdeutschen Gedichte erschienen im Jahrbuch für 1857,[43] was Müllenhoff dazu veranlasste, die Zeitschrift – das „ekelhafte Ding" – samt Beiträgern und Herausgebern – den „infamen Burschen", dem „Gelichter" – Groth gegenüber auf das übelste zu beschimpfen; die ganze „Berlin-Münchner Poesie" sei „Huren-Poesie, Cinäden-Poesie" (BW Groth – Müllenhoff, Br. 115 vom 26. 11. 1856), worüber er sich auch in seinem Kolleg bereits entsprechend geäußert habe. Es ist kaum vorstellbar, dass dieses Urteil Klaus Groth nicht beeindruckt haben sollte, wurde er in jenen Wochen doch nicht müde, Müllenhoff gegenüber zu beteuern, wie sehr ihm an dessen Meinung und Zuspruch gelegen sei. Diskursanalytisch ging es um Fragen von Macht und Einfluss; Groth, in abhängiger Lage, verhielt sich durchaus rational, indem er den Erwartungen seines wissenschaftlichen Gegenübers entsprach.[44] Dass es Friedrich Eggers gewesen war, der ihn im April 1855 im „Literatur-Blatt" als den einzig ernstzunehmenden, „echten" Dichter unter den plattdeutschen Autoren, als „bewunderungswürdigen" Lyriker nachdrücklich herausgestellt hatte, blieb jetzt außerhalb der Betrachtung.[45] Zwischen Groth und Storm

---

40 Dt.Mus. 1854/2: 658, mit dem Fazit: „Rechnen wir den Namen des Dichters ab, so fehlt dem Buche jede Berechtigung".

41 Lit.-Bl. 1854: 76. – Immerhin hatte sogar Groth selbst im Januar 1852 gegenüber seinem Verleger Friedrich Pauly eingeräumt: „Es ist wirklich viel Schund unter meinen hochdeutschen Sachen." (BW Groth – Müllenhoff, Anhang, Br. 3)

42 Vgl. Groths Schreiben vom 6. 7. 1856: „Soll er [Eggers] was haben? und was? […] Wollen Sie nach Ihrem Ermessen tun und ihm antworten?" (BW Groth – Müllenhoff, Br. 101)

43 Argo 1857: 15. Es waren dies „Schippers Fru" und „Inne Fremde".

44 Vgl. BW Groth – Müllenhoff, Br. 116 vom 6. 12. 1856; vgl. dazu auch Küchmeister 2013. – Es kam zum Bruch zwischen beiden aufgrund eines *Grenzkonflikts*, als Groth im Anschluss an Müllenhoffs Berufung nach Berlin dessen Nachfolge in Kiel, mithin eine Laufbahn als Philologe, anstrebte, was, laut Groths Darstellung, Müllenhoff empört für abwegig erklärte. – Die Grenze zwischen Literatur und Literaturwissenschaft ist wenige Jahre später – bei Storm im Verhältnis zu Emil Kuh und Erich Schmidt, bei Keller im Verhältnis zu Hermann Hettner und Jakob Baechtold – weitgehend anerkannt und „etabliert", wie Behrs (2013: 107) betont. – Ein wenig selbstgerecht befand Groth nach Müllenhoffs Tod gegenüber Wilhelm Scherer: „Ach, wenn man's mit ihm hätte aushalten können! […] Um wieviel Schönes hat seine Art mich und ihn gebracht!" (BA Groth, Br. 281 vom 22. 2. 1884)

45 Lit.-Bl. 1855: 27, 31. Groth sei „die vollkommene Beherrschung der Form" gelungen (ebd.: 32).

herrschte von 1854 bis 1862 Schweigen; erst Ende 1862 – nachdem ersterer in einer
Rezension von „Auf der Universität" Storm als „Sänger des Heimwehs" gewürdigt
hatte – begann ein zunehmend intensiver werdender Austausch.[46]

Groth stand früh in – wenngleich meist nur lockerem – Kontakt auch zu hochdeutsch schreibenden Autoren. Theodor Fontane lernte er persönlich erst im Herbst
1878 kennen, im nördlich von Kiel gelegenen Landsitz Forsteck des Fabrikanten
und Reichstagsabgeordneten Adolf Meyer, der ein gastliches Haus führte.[47] Neben
den in Berlin wirkenden Schriftstellern gaben vor allem die Anfang der 1850er Jahre
am Münchener Hof zu hohem Ansehen gelangten, vom bayerischen König Maxi-
milian II. mit einem jährlichen Ehrensold ausgestatteten Emanuel Geibel und Paul
Heyse die Richtung des literarischen Diskurses vor. Gegenüber Friedrich Hebbel
konstatierte Groth zwar, sie beide stünden „außer der Clique", die ersterer gegenüber
Eduard Mörike (1804–1875) maliziös die „königl. Bairische" nannte;[48] Groths gute
Beziehung zu Geibel, der ab 1868 – nach Verlust seiner Ehrenpension wegen preu-
ßenfreundlicher Verse – wieder in Lübeck lebte, blieb davon indes unberührt. Dass
Groth 1875 den für ihn finanziell wichtigen Preis der Deutschen Goethe-Stiftung
Weimar erhielt, verdankte er den Voten von Geibel und Scherer.[49] Mit dieser Auszeichnung, so Groth gegenüber Geibel, werde man „einmal wieder aufs Schwung-
brett gehoben":

> Nicht bloß daß die kleinen Kläffer alsdann eine Zeitlang schweigen müssen:
> was man für die Welt gethan kommt doch auch wieder in der Welt mehr zur
> Wirkung. Ich war eine Zeitlang förmlich „umgereutert". Und wenn man auch

---

46 Groths Rezension erschien am 7. 12. 1862 im „Altonaer Mercur" (Wiederabdruck in: BW
    Storm – Groth: Anhang I.3, Zitat: 185). – Acht Jahre später, am 17. 12. 1870, fand Storm
    in den „Itzehoer Nachrichten" anerkennende Worte über den eben erschienenen zweiten
    Teil des „Quickborn" (ebd., Anhang I.5), vgl. dazu auch Bichel 2003–2013, hier 2012:
    28–30. – In Storms 1870 erschienenem „Hausbuch aus deutschen Dichtern seit Claudi-
    us", einer „Recapitulation aus einer mehr als dreißigjährigen Lebenserfahrung", in dem
    „das Schöne" und „das Charakteristische", „das in der Ausführung Makellose" und „das,
    wo die zwingende Gewalt des Ganzen die einzelnen Mängel derselben vergessen läßt",
    berücksichtigt seien (Vorwort: V, VI), ist Groth mit zwölf Gedichten vertreten; vgl. auch
    Petersen 2015: 212–223.
47 Vgl. zwei Gedichte Fontanes: „Haus Forsteck" und – im Umfang von 27 plattdeutschen
    Versen – „An Klaus Groth" (Fontane XX: 635 und 637f.); s. auch BW Storm – Fontane,
    Br. 97 vom 2. 11. 1878 u. Kommentar dazu.
48 BW Hebbel III, Br. 1838 vom 20. 2. 1858. Gegenüber Groth beklagte Hebbel, dass „per-
    sönliche Angelegenheiten in unserer porösen Zeit ja immer Gegenstand des Literaten-
    Geträtsches" seien (BW Hebbel IV, Br. 2425 vom 2. 3. 1862); Groth seinerseits versi-
    cherte sich ihres gemeinsamen Standpunktes mit den Worten: „Wir die außer der Clique
    stehen, müssen uns selbst helfen oder einander" (ebd., Br. 2322 vom 10. 9. 1861). – Vgl.
    zum Kulturleben in München unter Maximilian II. Bernhardt 2007: 43–58.
49 Groth äußerte sich später Scherer gegenüber geradezu emphatisch: „Sie selbst sind mir
    ein Zuwachs für mein inneres Leben geworden, ich lasse Sie nicht wieder fahren." (BA
    Groth, Br. 223 vom 17. 10. 1878) – Im April 1891 erhielt Groth, zusammen mit Fontane,
    den Schiller-Preis.

nicht dadurch aus seiner Bahn geschmissen wird, man verliert etwas von dem freudigen Muth des Schaffens.[50]

Im Vergleich zu Groth blieb Reuters Schreiben zunächst deutlich stärker auf seine engere Heimat bezogen. Mit zahlreichen Freunden sowie mit Weggenossen seiner Festungszeit stand er in einem zugewandt-lebendigen Briefkontakt, sein literarischer Austausch beschränkte sich dabei auf den Umgang mit Mecklenburgern. Er hielt Kontakt zu Alwine und Ferdinand Wuthenow, mit denen er die zweckmäßigste „Schreibart" des Plattdeutschen erörterte, seiner Überzeugung nach jene, die „dem hochdeutschgewohnten Auge bei'm Lesen auf einzelnen Stellen zu Hülfe" kommt (BA Reuter 1, Br. 311 von Mitte Okt. 1859). Er tauschte sich mit dem ihm freundschaftlich verbundenen Pädagogen und Schriftsteller Ludwig Reinhard (1805–1877) ebenso wie mit Eduard Hobein aus, davon überzeugt, dass die „Zerfahrenheit der Dialekte" enden müsse, die „jede vernünftige Uebereinkunft unter den Schriftstellern" verhindere.[51] Schließlich suchte er – vergeblich – Unterstützung für seine Überlegungen zu „Sprache und Schreibweise" des Plattdeutschen bei dem an der Universität Leipzig lehrenden, aus Mecklenburg stammenden Germanisten Friedrich Zarncke (1825–1891).[52] Reuters Landsmann Friedrich Eggers bemerkte 1855 im „Literatur-Blatt" über die 1853 im Selbstverlag erschienenen „Läuschen un Rimels", ihrem Verfasser fehle die „Gewandtheit in der poetischen Verwerthung seines Materials" (Lit.-Bl. 1855: 30); zu Reuters Gunsten wendete sich das Blatt erst, nachdem 1857 „Kein Hüsung" und 1859 „Ut de Franzosentid" erschienen waren.

Am 16. Januar 1862 ließ der junge Rostocker Adolf Wilbrandt (1837–1911) – hier bereits ganz der spätere höchst geschickte literarische „Netzwerker" – Fritz Reuter wissen, er habe in München „ein wenig Propaganda" für ihn gemacht, „wo empfängliche Frauen und Männer aller Art, mit vorzüglicher Wärme auch Paul Hey-

---

50 BW Groth – Geibel, Br. vom 3.9.1875. Zum Hintergrund der Preisverleihung vgl. ebd.: 26–31, darin Auszüge aus Geibels Votum (S. 29f.); das Preisgeld betrug 3 000 Mark. – Reuter nahm freimütig-selbstbewusst mehrfach auf seinen Streit mit Groth Bezug, so Anfang 1861: „Mit Claus Groth, der sich die Suprematie in der plattdeutschen Literatur anmaßen wollte und mich vor einigen Jahren auf das Empfindlichste angriff, stand ich in heller Fehde; ich blieb ihm nichts schuldig und nun – nun kommt er von selbst zu mir und bietet mir durch die dritte Hand [Eduard Hobein] Frieden an, den ich ihm auch aus vollem Herzen wieder biete." (BA Reuter 2, Br. 340 vom 5.1.1861) – Anders der Tenor 1873, als Reuter gegenüber dem Dithmarscher Lyriker Johann Meyer Groth als dessen „speciellen Landsmann" herabsetzte, er habe Verse „schmählich für einen deutschen Mann" verfasst (BA Reuter 3, Br. 1015 vom 4.5.1873).

51 BA Reuter 1, Br. 317 vom 16.12.1859 an den Bibliothekar in Antwerpen J.H. Mertens [recte: Frans Hendrik; s. Simon 1980: 17], ähnlich gegenüber Johann Meyer (ebd., Br. 306 vom 22.9.1859); vgl. dazu detailliert Langhanke 2015a: 487–508.

52 BA Reuter 1, Br. 309 vom 23.9.1859. Es ging um Reuters Vorrede zur 4. Auflage der „Läuschen un Rimels". – Der Greifswalder Orientalist und Sprachwissenschaftler Johann Gottfried Ludwig Kosegarten stellte 1858 „Neue Schriften in Niederdeutscher Sprache" vor und erörterte dabei vor allem deren sprachliche Seite – so von „Kein Hüsung" (Kosegarten 1858: 199–204).

se und Geibel, sich für Ihre Dichtungen enthusiasmierten".[53] Das sollte noch zehn Jahre später Folgen haben: Heyse, seit 1871 Ritter des Bayerischen Maximilians-Ordens, nahm 1872 sein Vorschlagsrecht für diese Auszeichnung wahr. Einerseits gab es Anfang der 1870er Jahre Schriftsteller wie etwa Berthold Auerbach, die auf diesen Orden regelrecht warteten, andererseits aber auch jene, die ihn aus politischen Gründen möglicherweise zurückweisen würden wie Gottfried Keller oder Ferdinand Freiligrath. Heyse brachte Reuter ins Spiel – ein guter Vorschlag, wie er Geibel später wissen ließ: „Ich habe Fritz Reuter im vorigen Jahr mit Glanz durchgesetzt."[54] Nach Erscheinen von „Ut mine Stromtid" war Reuter seit Mitte der 1860er Jahre zu einer Zelebrität geworden; dem förderlich war sein Umzug nach Eisenach, wo ihn viele alte Freunde, aber eben auch bekannte Schriftsteller aufsuchten – so Hans Christian Andersen, so Hoffmann von Fallersleben, so Herman Grimm.[55] Reuters Korrespondenz lässt nicht erkennen, dass es dabei zu literaturästhetischen Gesprächen gekommen wäre.

Niederdeutsche Dichtung im Blick zeitgenössischer Literaturkritiker – Robert Prutz, Rudolf Haym, Julian Schmidt

Für Germanisten wie für Schriftsteller war in der Mitte des 19. Jahrhunderts zunächst die 1835–1842 von dem Historiker Georg Gottfried Gervinus (1805–1871) publizierte „Geschichte der poetischen National-Literatur der Deutschen" maßgeblich, eine Darstellung der Literatur unter der Leitidee von Nation und Volksgeist. Ihr Verfasser galt als Autorität;[56] mit seiner auf grundlegende politische Veränderungen zielenden Sichtweise hatte er nach dem Scheitern der Revolution von 1848 jedoch einen schweren Stand. In den restaurativen 1850er Jahren nahmen dann andere – namentlich die liberalen, von Hegel beeinflussten, als Hochschullehrer freilich unerwünschten Literaturhistoriker Robert Prutz, Hermann Hettner und Rudolf Haym – durch ihre Publikationen Einfluss auf das öffentliche Interesse an zeitgenössischer

---

53 BA Reuter 2: 464 (Kommentarteil). – Vgl. dazu auch das Kapitel „Reuter und kein Ende" in Herrmann-Winter 1995: 129–175.

54 BW Geibel – Heyse, Br. 104 vom 17. 10. 1873; ferner Br. 108 an Geibel vom 22. 9. 1874. – Ludwig Uhland hatte die Ordensannahme 1853 aus politischen Gründen abgelehnt; Heyse selbst bat 1887 um seine Entlassung aus dem Orden, da Prinzregent Luitpold, unter dem Druck klerikaler Kreise, den einstimmig nominierten Ludwig Anzengruber ablehnte (s. Rückert 2014: 41).

55 Zu den Besuchern vgl. z. B. BA Reuter 2, Br. 521 vom 12. 1. 1864 an Wilhelm Wolf sowie Br. 587 vom 20. 10. 1864 an Fritz Peters, vgl. ferner die in einer Vitrine im Speisezimmer der Reuter-Villa in Eisenach ausgelegten Visitenkarten, u. a. von Theodor Fontane, Friedrich Spielhagen, Otto Roquette.

56 Vgl. dazu detailliert Weimar 1989: 309–319, ferner Hermand 1994: 44f.; als „modernisierungsfeindlich" beschreibt Ansel (1990: 175) die Folgen des „Trivialklassizismus von Gervinus"; zum Charakter und zur Bedeutung der im Anschluss an Gervinus entstandenen literaturgeschichtlichen Werke von Robert Prutz und Hermann Hettner vgl. Weimar 1989: 319–335. – Gervinus war einer der Göttinger Sieben.

Literatur. Stark publikumsbezogen agierte zur gleichen Zeit Julian Schmidt, vor allem in den von ihm zusammen mit Gustav Freytag herausgegebenen „Grenzboten";[57] populär-wissenschaftlich trat Herman Grimm auf,[58] über Berlin hinaus berühmt nach seiner legendären Berliner Goethe-Vorlesung von 1874/75.[59]

Sowohl Klaus Groth als auch Fritz Reuter hatten sich in ihren Anfängen um Unterstützung an Gervinus gewandt, der eine Ende 1851 um „eine Ermunterung", der andere Mitte 1853 um „ein paar empfehlende Worte" gebeten – mit unterschiedlichem Erfolg: Groth konnte anschließend ein anerkennendes Schreiben von Gervinus vorweisen;[60] Reuters Brief blieb unbeantwortet. Dass die zeitgenössische niederdeutsche Literatur unter Germanisten sehr wohl thematisiert wurde, zeigt der Briefwechsel zwischen dem Literaturhistoriker Karl Goedeke (1814–1887) und Jacob Grimm (1785–1863). Am 15. Mai 1856 empfahl Goedeke Grimm die Lektüre der eben erschienenen „Norddütschen Stippstörken un Legendchen" von Ludwig Schulmann (1816–1870), einem hannoverschen Autor, und setzte hinzu, dessen Darstellung hebe „den niederdeutschen Charakter weit besser heraus als Groths hochdeutsch gedachte Gedichte, die mich in der plattdeutschen Mummerei förmlich anwidern" (BW Grimm – Goedeke, Br. 66), woraufhin Jacob Grimm einen Tag später replizierte (ebd., Br. 67):

---

57 Nach seinem Studium der Philologie in Königsberg, das er mit einer Dissertation abschloss, war Julian Schmidt einige Jahre lang Lehrer, bevor er sich dem Journalismus und der Literaturgeschichtsschreibung zuwandte. In seinen „Grenzboten"-Beiträgen tat er sich u. a. mit einer „rücksichtslosen Hebbel-Kritik" hervor (Widhammer 1972: 42); s. Schmidts Einlassung, Hebbel kennzeichneten eine „überschwengliche Selbstanbetung" und die „Idee seiner welthistorischen Mission", die ihn isoliere (Schmidt 1855: 170).

58 In einer „Phantasie zum 6. Januar 1900", dem 72. Geburtstag Herman Grimms, veröffentlichte Ernst von Wildenbruch unter dem Titel „Am Matthäikirchplatz" einen längeren Text, in dem der „Genius" von Berlin sich an den Jubilar mit den Worten wendet: „Ein Brunnenfinder bist Du, und ein Quellenforscher, und wenn Du mit dem Tranke, den Du geschöpft hast, heran trittst an die Heerstraße, dann bleiben die Menschen stehen […], in immer größerer Zahl bleiben sie stehen, um zu trinken von dem, was Du ihnen bietest; sie danken Dir Herman Grimm, in deutscher Sprache danken sie Dir, in englischer und französischer, in allen Sprachen der kultivirten Welt." (von Wildenbruch 1901: 16)

59 Darin wies Grimm auch auf Groth hin: „Klaus Groth verleiht den grobklingenden unbeholfenen Wendungen des Plattdeutschen, das in Wahrheit keinen modernen Gedanken exact wiedergeben kann, die Fähigkeit die zartesten lyrischen Empfindungen auszudrücken, als ständen in Schleswig-Holstein kostbare Gartenblumen wie Unkraut am Wege und Bauernkinder flöchten sich Kränze daraus." (Grimm 1903, 1: 207) Ferner: „Die Reize des schleswig-holsteinischen Landes sind durch Voß verewigt worden. Klaus Groth hat in neuerer Zeit hinzugefügt was von ihm etwa nicht gesagt worden war." (Ebd., 2: 152)

60 BA Groth, Br. 9 vom 27.12.1851; BA Reuter 1, Br. 208 vom 26.8.1853. – In seinem Büchlein über Klaus Groth zitiert Hobein (1865: 49) aus der Antwort von Gervinus (der habe Groths Dichtungen „eine Oase in der Wüste der Gegenwart" genannt), was zur Verbreitung von dessen Urteil beigetragen haben dürfte. Groth kondolierte 1871 Gervinus' Witwe mit der Selbstauskunft, er gehöre zu den „treuesten Verehrern Ihres vollendeten Gemahls" und habe nie verlernt, „zu ihm hinaufzublicken als zu einem Höheren". (BA Groth, Br. 151 vom 26.3.1871).

auch mir scheint es dasz Groth überschätzt wird, es [!] kam gerade in die theil-
nahme für Schleswig Holstein. An Hebel reicht er lange nicht. Groth ist sonst
ein braver, kränklicher mensch, und hält sich jetzt in Bonn auf. Übrigens musz
man einräumen, dass ins holsteinische und ditmarsische platt etwas feineres aus
hochdeutscher und selbst dänischer bildung gedrungen ist, was dem mehr abge-
schiednen und bäurischen platt in Meklenburg, Westfalen und sonst in Niedersachsen gebricht. doch eben dies schweben zwischen gebildeter und volksmä-
sziger sprache stört den reinen eindruck der letzteren.

Nach Erscheinen seines „Quickborn" war Groth mit viel öffentlichem Lob bedacht
worden, weshalb ihn spätere kritische Stimmen empörten – so die von Robert Prutz,
der 1854 die dritte Auflage des „Quickborn" zustimmend begrüßt und auf die „In-
nigkeit der Empfindung" und die „Natürlichkeit und Wahrheit des Ausdrucks" hingewiesen hatte,[61] drei Jahre später jedoch Vorbehalte äußerte. In seinem Beitrag
über „Plattdeutsche Dichtungen" erklärte Prutz nun die Hochschätzung von Groths
Lyrik für problematisch – wegen ihrer „Aufnahme fremder, specifisch hochdeutscher Culturelemente" – und zollte zugleich Fritz Reuter großes Lob, der „durch
und durch Plattdeutscher" sei: Eigentlich seien „die Reuter'schen Poesien […] für
Sprache und Denkweise unserer plattdeutschen Bevölkerung charakteristischer als
selbst diejenigen von Klaus Groth."[62] Damit war – im „Deutschen Museum", mithin
an wichtigem Ort – benannt und bewertet, was als das Groth von Reuter Trennende
ins Auge fiel. Durch seine „Briefe über Hoch- und Plattdeutsch" suchte Groth dieser von ihm als Herabsetzung empfundenen Sicht auf sein Werk entgegenzutreten
und die mindere Qualität von Reuters plattdeutschen Texten nachzuweisen, was die
bekannte „Abweisung" des so Angegriffenen provozierte.[63] Sarkastisch beschrieb

61 Dt.Mus. 1854/2: 630. – Auch in den „Grenzboten" wurde Groth wohlwollend bespro-
    chen (vgl. z. B. zu „Vertelln" Grenzb. 14: 78 sowie zu „Voer de Goern" 17: 477, hier
    mit der Bemerkung, in Groth sei „der recipirende und schöpferische Sprachsinn ganz
    vorzüglich entwickelt").
62 Dt.Mus. 1857/2: 696f. Groth sei der „zwar mit Recht so hoch Gefeierte", durch seine
    Nähe zum Hochdeutschen entferne er sich indes vom plattdeutschen Umfeld, während
    Reuter und seine Muse – „eine derbe Landmagd, etwas vierschrötig, mitunter selbst et-
    was ungeschlacht, aber kerngesund, mit prallen Gliedern, die schalkhaft verschmitzten
    Augen keck im Kreise umherwerfend" – das Plattdeutsche der Landleute zur Geltung
    brächten (ebd.). In seiner Würdigung von „Kein Hüsung" betont Prutz, dass jener derbe
    Humor „eine gewisse Weichheit der Empfindung keineswegs ausschließt" (ebd.: 698). –
    Zu Prutz' Beitrag als Auslöser von Groths Angriff auf Reuter vgl. Simons 2005: 26f.
63 Groths „Briefe" erschienen 1858 in Kiel, darin der 25. auf Reuters Dichtung bezogen
    (Groth 6: 131–133). Noch im selben Jahr veröffentlichte Reuter in Berlin seine „Abwei-
    sung der ungerechten Angriffe und unwahren Behauptungen, welche Dr. Klaus Groth
    in seinen Briefen über Plattdeutsch und Hochdeutsch gegen mich gerichtet hat" (Reuter
    VII: 567–593). Als eigentlichen Grund für die Grothschen Angriffe insinuierte Reuter
    Neid (vgl. BA Reuter 1, Br. 336 vom 21. 11. 1860 an seinen Freund Fritz Peters; BA Reu-
    ter 2, Br. 596 vom 12. 11. 1864 an seinen früheren Lehrer Heinrich Gesellius). Vgl. dazu
    auch Langhanke 2015a: 504–508.

dieser seinem Freund Fritz Peters seine Situation: „um alles Unheil voll zu machen, greift mich der alberne, eingebildete Hans Narr von Klaus Groth […] in einer wirklich unredlichen hämischen Weise an, die ich nicht stecken lassen kann" (BA Reuter 1, Br. 277 vom 24.7.1858) – und über die er sich auch später noch mokierte als den „großartigen sittlichen und poetischen Maßstab", den der Dithmarscher angelegt habe (ebd., Br. 309 vom 23.9.1859 an Friedrich Zarncke). Anfangs wurde sogar die kränkliche plattdeutsche Schriftstellerin Alwine Wuthenow in die Auseinandersetzung hineingezogen, der Groth bedeutete, er weiche nicht von seinem Urteil über Reuter ab – „sein Gesichtspunkt von der ganzen Poesie ist falsch, ja unrein" –,[64] und der Reuter nahelegte, bestimmte Formen zu vermeiden, sie habe sie „von Klaus Groth und nicht von unserm Volk gehört".[65]

Als plattdeutscher Autor verstanden und angemessen gewürdigt sah Groth sich von Rudolf Haym, in dessen „Preußischen Jahrbüchern" 1871 eine umfangreiche Besprechung des zweiten Teils des „Quickborn" erschien. Darin wurde dessen Verfasser bescheinigt, seine Dialektpoesie habe sich „kraft des souveränen Rechtes der echten Dichtung" durchgesetzt (Pr.Jbb. 27: 479); und anderen, wohl auch Reuter, habe er voraus, dass er, „mit immer gleicher Treue gegen seinen Genius und gegen die Kunst, die reine Wirkung der ausgebreiteten, die dauernde stille der lauten, aber vergänglichen" vorziehe (ebd.: 481). Hayms Fazit lautete: „Wohlan! hier ist eine Dichtung, ganz geeignet, uns deutsche Art und Sitte und Gemüthsweise von Neuem innig zum Bewußtsein zu bringen." (Ebd.: 486) Diese von einem der führenden deutschen Literaturhistoriker formulierte Einordnung seines lyrischen Œuvres entsprach sehr genau Groths eigener Einschätzung.[66] Mit Haym stand er seit 1856 – dem Erscheinen von Hayms Biographie Wilhelm von Humboldts – in lockerem Briefwechsel. Groth verstand Hayms Bewertung von 1871 nun als ein wichtiges

---

64 BA Groth, Br. 50 vom 25.2.1858. Vgl. auch den 26. der „Briefe über Hoch- und Plattdeutsch" (Groth 6: 134–137), in dem Groth mit Blick auf die Gedichte von Alwine Wuthenow die Reutersche Graphie verwirft. – Zu Alwine Wuthenows Standpunkt vgl. Bichel 2005.

65 BA Reuter 1, Br. 311 von Mitte Oktober 1859 an Ferdinand Wuthenow. – Als Herausgeber ihrer Gedichte wies Reuter in seiner Vorrede von 1857 auf den Einfluss Groths hin, dem Wuthenow ihr Büchlein („En poa Blomen ut Annmariek Schulten ehren Goahrn", hg. von Fritz Reuter, Greifswald/Leipzig 1858) mit einem elfstrophigen Gedicht „An Klaus Groth" widmete (2. Strophe: *Don dehr 'k en Schluck mal pröben / Ut Dienen Born, Klaus Groth, / Dat was, Du kannst 't mi glöben, / As kehm 'k tau'n rechten Sood*; Vers 1 in der für die 2. Aufl. von 1860 durch Reuter geänderten Graphie: *Dunn ded 'k en Sluck mal pröben*).

66 Als Herausgeber der „Preußischen Jahrbücher" bat Haym am 13.4.1859 den Publizisten Constantin Rößler, „die ‚Vertelle' [!] von Klaus Groth […] einmal nach Verdienst zu würdigen" (BW Haym, Br. 122); dem Theologen Wilhelm Schrader bedeutete er am 1.7.1865: „Meine literaturgeschichtlichen Vorlesungen nötigen mir viel moderne Leserei auf. F. Reuter und Freytag versteht sich von selbst. Dieser Tage habe ich aber auch sämtliche Dramen von Hebbel gelesen; jetzt bin ich bei O. Ludwig. Solltest du zufällig ‚Zwischen Himmel und Erde' noch nicht kennen, so lies es sofort und laß es deine Frau lesen; dagegen ist Freytag sowohl wie F. Reuter ein Quark" (ebd., Br. 188).

Indiz für „den Umschlag der Stimmung", seinen „Rivalen" betreffend,[67] dem die beiden anderen einflussreichen Literaturhistoriker, Robert Prutz und Julian Schmidt, offenkundig den Vorzug gaben.[68]

Außer auf Haym konnte Groth vor allem auf den Wiener Literaturkritiker, Hebbel-Freund und Feuilleton-Mitarbeiter diverser Zeitungen Emil Kuh (1828–1876) zählen, den er brieflich wissen ließ, ihre gemeinsamen Überzeugungen „in moralischen oder ästhetischen Dingen" seien ihm „Trost" und „Sicherung", wohingegen ihm „diese verdammte Nasenweisheit der Julian Schmidt, Prutz u. Co. ein Greuel" sei.[69] Während der Freund Wilhelm Jensen es vermied, bei Begegnungen mit Groth dessen Lebensthema – die Rettung des „Adel[s]" der Sprache", der „Noblesse" des Plattdeutschen – überhaupt zu berühren,[70] ergriffen Haym und Kuh sehr wohl Partei für Groths Auffassung und fühlte dieser sich durch deren Äußerungen bestätigt.[71]

Eine ähnlich wichtige Rolle wie letztere für Groth spielte für Reuter der „Grenzboten"-Herausgeber Julian Schmidt, dem er am 20. 3. 1861 für seine in jener Zeitschrift erschienene ausführliche und wohlwollende Rezension dankte (BA Reuter 2, Br. 347). Fast euphorisch hatte Schmidt seine Besprechung begonnen:

> Selten wird der Kritik das angenehme Geschäft, einen Dichter mit ungetheilter Freude begrüßen zu können. [...] Fritz Reuter besitzt die Eigenschaften, die einer gesunden Periode der Literatur anzugehören pflegen, den glücklichen Instinct für zweckmäßige Stoffe und die Stimmung, die denselben entspricht, er besitzt aber außerdem eine Dichterkraft von seltenem Umfang.[72]

---

67   BA Groth, Br. 155 vom 10. 8. 1871 an Emil Kuh; zu Reuter heißt es weiter: „Mir sind gewisse Dinge so antipathisch in ihm, daß die Stimmung wie Neid aussehen könnte."

68   Vgl. Groths Briefe an Haym vom 14. 6. 1856 und vom 2. 9. 1858 (BA Groth, Br. 36, 55).

69   BA Groth, Br. 105 vom 1. 9. 1865. Ähnlich negativ über Schmidt (und Gustav Freytag) äußerte er sich bereits am 19. 12. 1855 gegenüber Müllenhoff (BW Groth – Müllenhoff, Br. 58). – Die eingangs zitierte Widmung Theodor Fontanes vom 9. 9. 1854 (in einem Exemplar von „Ein Sommer in London") richtete sich an das „Tunnel"-Mitglied Richard Lucae; Schmidt und Prutz hatten das Buch abschätzig rezensiert (Fontane XX: 628).

70   Hobein gegenüber bekannte Groth: „Meine Muttersprache ist mein Heiligtum. [...] Fürs Plattdeutsche handelt es sich zunächst darum, den Adel der Sprache, die Noblesse, zu retten." (BA Groth, Br. 72 vom 1. 11. 1860) – Er respektierte indes, dass Jensen seine Meinung nicht teilte (vgl. des letzteren Bemerkung über gemeinsame Spaziergänge: „Hauptinteressen verbanden uns; daß ich seine Gleichstellung der plattdeutschen Sprache mit der hochdeutschen in Bezug auf literarische und sonstige Bedeutung als ein Übermaß betrachtete, fühlte er wohl, zur Rede gelangte es nie", zit. nach Erdmann 1907: 78f.)

71   BA Groth, Br. 155 vom 10. 8. 1871 an Emil Kuh. Überwiegend zustimmend äußerte sich auch Friedrich Hebbel (BW Hebbel III, Br. 2031 vom 1. 5. 1859 an Klaus Groth).

72   Grenzb. 20: 401. – Schmidt vergleicht Reuter, einen „Dichter von Gottes Gnaden" (ebd.: 410), mit Jeremias Gotthelf. Beiden gelinge es in der Gestaltung der Charaktere, „den Leser zu überraschen und ihn doch zugleich zu überzeugen", dabei seien die Personen – er bezieht sich auf „Ut de Franzosentid" und „Hanne Nüte" – „nicht blos lebensfähig, sondern auch lebenswürdig" (ebd.: 405). Dem Rezensenten von „Ut mine Festungstid" (wohl gleichfalls Schmidt) in Grenzb. 21: 449 gilt Reuter als „der liebenswürdige niederdeutsche Humorist, den wir den ersten jetzt lebenden Meister seiner Art in Deutschland

In seinem Dankesbrief an Schmidt vom 20. 3. 1861 betonte Reuter ihrer beider völlige Übereinstimmung sowohl in prinzipiellen Fragen – sie galten der Domäne des Plattdeutschen und seiner künftigen Entwicklung – als auch in der Beurteilung von einzelnen seiner Gedichte.[73] Einblicke in Reuters Seelenlage vermittelt ein an seinen Schulfreund Franz Foerke, Jurist und Bürgermeister in Grabow, gerichteter Brief, der mit einer Reminiszenz an frohe Jugendjahre beginnt:

> Diesmal thut's aber nicht der Frühling allein, sondern eine Anerkennung von einer Seite, die man wohl die competenteste in Deutschland nennen kann; von Julian Schmidt. – Derselbe hat sich über mich in den Grenzboten ausgelassen, fast noch in größerer Würdigung wie früher Robert Prutz. Aber das Erfreulichste für mich war ein gestern von diesem Julian Schmidt eingelaufenes, liebenswürdiges, herzliches Schreiben, mit welchem er mir seine Literaturgeschichte zum Geschenk macht. – Wenn Du wüßtest, wie so etwas einem armen Schlucker von Poeten wohlthut […]. (BA Reuter 2, Br. 349 vom 28. 3. 1861)

Während das von Prutz wiederholt ausgesprochene Lob zu keiner persönlichen Begegnung führte,[74] besuchte das Ehepaar Reuter schon im August desselben Jahres Julian Schmidt und dessen Frau in Leipzig; Reuter sprach anschließend von den Gastgebern als von „seinen besten Freunden", deren baldigen Gegenbesuch in Neubrandenburg man freudig erwarte.[75] Und er inszenierte sich als gelehrigen Schüler von Meister Julian:

> Bis auf Weiteres unterhalte ich mich mit Ihnen durch das Medium Ihrer Literatur-Geschichte und will darüber nur sagen, daß Sie mein Schulmeister werden sollen, und daß ich das Schulgeld in voller, klingender Münze der herzlichsten Dankbarkeit berichten werde. Außerdem liegen Otto Ludwig's Schriften schon auf meinem Tische […]. (BA Reuter 2, Br. 353 vom 18. 8. 1861)

---

nennen möchten". Dieser Linie folgt in Grenzb. 22: 36f. eine kurze, fraglos Schmidt zuzuschreibende Besprechung von „Ut mine Stromtid. Erster Theil". – Einzelne Passagen aus den genannten Rezensionen wurden übernommen in Band 3 von Schmidts „Geschichte der deutschen Literatur", deren 5. Aufl. der Vf. mit Fritz Reuter beschließt (Schmidt 1867: 560–562), dies mit der Kundgabe, die plattdeutsche Dichtung – Groth bleibt unerwähnt – sei eine „berechtigte Episode in dem Gesammtbild unserer Literatur" (ebd.: 562).

73 BA Reuter 2, Br. 347. – Reuter gab jene positive Besprechung noch am selben Tag an den Juristen Richard Schröder, einen seiner früheren Schüler, weiter (ebd., Br. 348); Julian Schmidt schickte er im August 1861 neben mehreren eigenen Werken auch Groths „Briefe über Hoch- und Plattdeutsch" und seine eigene Erwiderung darauf (ebd., Br. 353 vom 18. 8. 1861).

74 Prutz ist voll des Lobes in Dt.Mus. 1860/1: 817–819 zu Reuters „Ut de Franzosentid", in Dt.Mus. 1862/2: 449–466 zu dessen „Ut mine Festungstid".

75 BA Reuter 2, Br. 353 vom 18. 8. 1861 an Julian Schmidt. Die Einladung wurde am 26. 3. 1862 nachdrücklich wiederholt (ebd., Br. 377), nochmals Anfang und Ende August 1862 (ebd., Br. 389, 394).

Im Ton war diese Beziehung von Anfang an auf ein humorvolles Darüberstehen und auf Ironie gestimmt; die Anredeformel „Mein lieber Dr. Julian" verrät dies genauso wie die spöttische Rückmeldung Reuters anlässlich von Schmidts Übernahme der Redaktion der „Berliner Allgemeinen Zeitung" zum 1. Januar 1862, ihm wäre es lieber gewesen, der andere hätte sich „ferner ausschließlich dem Richteramt in dem Tartarus der deutschen Literatur unterzogen".[76] Zu Schmidts Übersiedlung nach Berlin verfasste Reuter sogar ein Gedicht „An Julian Schmidt":

> *Min leiwe Dokter Julian, / Wenn't mit en Hus sall gaud bestahn, / Denn möt dat Brod sin in den Gaden; / Ok sall en Happen Fleisch nich schaden / Nu weit ick woll, Du büst de Mann, / De Fleisch un Brod sick schaffen kann, / Indeß wenn Ein so rümmer treckt, / Denn is nich glik dat Dischken deckt, / Dunn dacht ick so: dat Gott erbarm, / Griep em en Beten unn'en Arm, / Schick em un ehr en Gauß dortau / Süs gahn s' schier hungrig hüt tau Rauh.*[77]

Als jene Zeitung nach zwei Jahren eingestellt wurde und Schmidts Rückkehr nach Leipzig im Raume stand, bedeutete Reuter ihm, nun sei sein Besuch in des Dichters neuem Domizil Eisenach hoffentlich bald zu gewärtigen (BA Reuter 2, Br. 496 vom 17.11.1863). Im Juli 1864 endlich besuchten Schmidts das Ehepaar Reuter in Eisenach;[78] wenig später brachte Schmidt gar einen Umzug Reuters nach Berlin ins Gespräch.[79] Dass der – die Ehefrauen einschließende – Kontakt zwischen diesem „Dichter" und seinem „Denker" tatsächlich sehr eng war, zeigt eine Bemerkung Reuters vom August 1864: „Ihre Freunde sind meine Freunde, und wenn ich einmal mit Lassalle zusammentreffe, so wird mir das ebenso unangenehm sein, als Ihnen am Vierwaldstätter See."[80] Damit spielte er auf eine für Schmidt sehr unangenehme, ja peinliche Schrift von Ferdinand Lassalle an, eine 1862 erschienene Satire unter dem Titel „Herr Julian Schmidt/ der Literarhistoriker/ mit Setzer-Scholien herausgegeben/ von/ Ferdinand Lassalle", die mehrere Auflagen erleben sollte. Der vorgebliche Setzer hatte Schmidts 1858 in vierter Auflage erschienener Literaturgeschichte Wendungen und Sätze entnommen, diese auf rund hundert Seiten genüsslich seziert

---

76 BA Reuter 2, Br. 357 von Ende Oktober 1861. Wenig später empfahl er einem Schulfreund das Abonnement jener Zeitung (ebd., Br. 359 vom 7.12.1861 an Karl Krüger) und bemühte sich für Schmidt um „einen Referenten aus Mecklenburg" (ebd., Br. 367 vom 27.1.1862 an Julius Wiggers).

77 Es handelt sich um einen Gedichtentwurf (Brömse 1939/40: 138).

78 Vgl. BA Reuter 2, Br. 557 vom 17.7.1864 an Pastor Wilhelm Niederhöffer, Br. 559 vom 21.7.1864 an seinen Verleger Hinstorff. Es war offenkundig ein angenehmer Besuch (ebd., Br. 564 vom 25.7.1864 an Fritz Peters).

79 Vgl. BA Reuter 2, Br. 570 vom 17.8.1864 an die Brüder Boll; vgl. dazu auch den einschlägigen Passus aus Julian Schmidts Brief, abgedruckt in den Anmerkungen ebd.: 653.

80 BA Reuter 2, Br. 573 vom 19.8.1864 an Julian Schmidt. Einen Brief an Frau Schmidt schließt Reuter mit der selbstironisch-übermütigen Grußformel: „Mit unendlicher, liebender, freundlichst hoffender, Sie baldigst im Winter sehender Sehnsucht und wünschender Grüße von Beiden zu Beiden ergebenst sich höflichst empfehlender/ Fritz Reuter" (ebd., Br. 576 vom 1.9.1864).

und sie als fehlerhaft und anmaßend entlarvt.[81] Indem Reuter sich hier augenzwinkernd auf Schmidts Seite stellte, signalisierte er ihm seine durch nichts zu erschütternde Wertschätzung.[82]

Während Groth des Öfteren als Rezensent in Erscheinung trat,[83] gefiel Reuter sich darin, Literaturkritik als ein ihm nicht zugängliches Geschäft darzustellen: Er komme bei der Beurteilung von Literatur über „die intuitiven Anschauungen" nicht hinaus und habe sich auf ein „das gefällt mir, das nicht" zu beschränken; das Begründen müsse er „Menschen von angeborener, literarischer Grausamkeit und Wildheit überlassen, wie mein lieber Freund Julian Schmidt einer ist".[84] Von letzterem hatte er in den 1860er Jahren keine abträgliche Besprechung zu fürchten; das gute Verhältnis zwischen „Dichter" und „Denker" stützte ersteren in der literarischen Kommunikation jener Jahre.

Festzuhalten bleibt: Ähnlich wie Schmidt sah auch Prutz, bestimmte Entwicklungen der „zu neuem Leben erweckte[n] plattdeutsche[n] Literatur" kritisch registrierend, in Fritz Reuter den Autor, der „den Genius seiner Sprache am tiefsten erfaßt" habe;[85] anders als Schmidt – und weniger euphorisch als Haym – würdigte er indes auch Klaus Groth als plattdeutschen Lyriker, indem er diesem, zusammen mit Theodor Storm, ein ganzes Kapitel in seiner 1859 veröffentlichten dreibändigen Darstellung der Gegenwartsliteratur widmete.[86] In deren Rahmen war für Prutz wie

---

81 Durch den Nachweis der „Abwesenheit jedes Gedankens in Folge des gebildeten belletristischen Wortgewirres" wolle er dem Publikum eine „nützliche Kaltwasserkur" gegen das Laster der „Wortberauschung" geben; Schmidt sei „vor allen Andern unbestrittener Meister in dieser Kunst" (Vorbericht des Setzers, zit. nach der 4. Aufl., Leipzig 1886: 10–12). – Vgl. das Schmidts Literaturgeschichte von 1853 geltende Urteil von Jacob Bernays, einem bedeutenden Klassischen Philologen: „Julius [!] Schmidt's Buch mag gesund sein, aber auf keinen Fall mehr als es jede Purganz auch ist. Mein Bruder hat mir in Bonn große Stücke daraus vorgelesen da hat es mir den Eindruck gemacht den ich von allen Sachen des Mannes bekommen habe, nämlich den der affichirten Philisterei." (BW Bernays – Heyse, Br. 51 vom 12.1.1854)

82 Detailliert und kundig setzte sich Prutz in Dt.Mus. (1862/2: 129–139) mit Form und Inhalt von Lassalles Satire auseinander.

83 Er hielt Rezensionen für äußerst wichtig, um die „dumpfe Menge" zu erreichen, „die durch Lesefutter verdorben wird und nur durch öffentliches Lob aus dem Schlafe geweckt werden kann" (BA Groth, Br. 150 vom 22.2.1871 an Eduard Hobein).

84 BA Reuter 3, Br. 799 vom 6.9.1867 an Gisbert Freiherr von Vincke. – Die Rolle, die Julian Schmidt im literarischen Leben jener Jahre spielte, beleuchtet auch Karl Müllenhoffs sarkastischer Hinweis auf den „wirklichen Geheimen Ober Julian" (BW Müllenhoff – Scherer, Br. 160 vom 29.5.1870).

85 Dt.Mus. 1861/2: 798; s. auch ebd. 1862/2: 24–32.

86 Prutz 1859, 1: 264–268, darin das Urteil, Groth sei „eine reife, klare, in sich selbst gesättigte und befestigte Dichternatur, voll Kraft und Grazie, stark und mild, mit festen Wurzeln den Boden der Wirklichkeit umklammernd und doch das Haupt stolz aufrecht in den Wolken gleich den Buchen seiner Heimath" (ebd.: 265). – Vgl. indes auch Prutz' spätere Einschätzung: „Klaus Groth's Dichterruhm stammt der Hauptsache nach aus dem Salon, seine ersten und eifrigsten Apostel waren nervöse Damen und gelehrte Professoren" (Dt. Mus. 1862/2: 28).

für Schmidt die plattdeutsche Dichtung nicht mehr als eine – durchaus begrüßens-
werte – Episode. Schmidt hielt die Domäne des Dialekts für deutlich begrenzt: Dieser habe „ein eignes eng umschriebenes Leben, über das er nicht hinaus kann, ohne
grade das einzubüßen, was seinen Vorzug ausmacht".[87]

Ein spezieller literarischer Diskurs – Interventionen für und gegen einen Autor

Zumindest in Ansätzen kam es in der Nachmärz-Zeit unter Beteiligung auch hochdeutsch schreibender Autoren sowie maßgeblicher Literaturhistoriker zu einem ei-
genständigen – wenngleich von Missverständnissen und Misshelligkeiten begleite-
ten – Diskurs über plattdeutsche Literatur. Angesichts eines allgemeinen Interesses
an „Volkspoesie" und einer entsprechenden Resonanz auf in den 1850er Jahren
veröffentlichte plattdeutsche Werke galt es, diese nun auch literaturtheoretisch auf
den Begriff zu bringen; dabei kam es zu dichtungsästhetischen und historisch-politischen Differenzen, wie sie sich ähnlich auch andernorts – etwa zwischen Berliner und Münchener Autoren – geltend machten.[88] Den spezifischen Rahmen dafür
beschrieb 1858 Robert Prutz in seiner Darstellung der literarischen Entwicklungen
und Zustände nach der gescheiterten Revolution von 1848: Das öffentliche Interesse
am politischen Leben sei gewachsen, das an der Literatur jedoch zurückgegangen,
mithin auch das an „literarischen Streitigkeiten und Fehden".[89]

   Groth und Reuter wechselten zwar keine Briefe, äußerten sich über einander
und über ihre Werke gleichwohl in Schreiben an Dritte und standen in indirekter Verbindung zueinander durch andere plattdeutsche Autoren – durch Eduard Hobein in
Schwerin, durch Friedrich und Karl Eggers in Berlin. Verhandelt wurden dabei vor
allem die Aspekte „richtiger Sprachgebrauch und richtige Schreibweise", „Beitrag
der Mundart zum poetischen Gehalt von Literatur", „Rezeptionsbedingungen und
Adressatenbezug". Dass einer näheren Verständigung zwischen Groth und Reuter
des ersteren Sendungsbewusstsein und des letzteren Jähzorn im Wege gestanden
hätten, wie Ludo Simons (2005: 28–31) meint, ist wohl zu eindimensional; die genannten Wesenszüge sind, so darf man aus vielen Briefen der beiden Autoren fol-
gern, Teil eines jeweils besonderen „Habitus" (vgl. Bourdieu 2011: 344), der – aus
Anlagen und Lebensumständen in Jugend und frühen Mannesjahren entwickelt –

---

87   Für Schmidt (1873: 149–184, hier: 151) gehört Reuter „unzweifelhaft zu den gefeiert-
      sten deutschen Dichtern" der Gegenwart; er beachte die Begrenztheit des Dialekts (ebd.:
      163f.). – Vgl. über Schmidt auch Rößler (1890: 767): „Hervorragend sind die Essays
      über die Schriftsteller, gegen die S[chmidt] von Anfang in ein Verhältniß der Anerken-
      nung getreten war. Es sind Fritz Reuter, Otto Ludwig, Iwan Turgenjeff."
88   So bei der schwierigen Zusammenarbeit für den zweiten Band der „Argo" (Berbig 2000:
      138–142).
89   Dt.Mus. 1858/2: 912f.; dieser Aufsatz ist zugleich das Eingangskapitel von Prutz 1859. –
      Ob Groth und Reuter jene von Prutz herausgegebene Zeitschrift regelmäßig lasen, ob sie
      sie gar abonniert hatten, ließ sich nicht ermitteln; das Blatt erreichte 1856 eine Auflagen-
      höhe von 600 Exemplaren (Berbig 2000: 115).

Lebensweise, Gewohnheiten und Erscheinungsbild sowie jeweils besondere Schemata des Wahrnehmens, Denkens und Handelns folgenreich zur Geltung brachte und der wohl in jedem Fall eine Erschwernis für den Austausch in literarischen Fragen gewesen wäre.

Einen wichtigen Part in der literarischen Kommunikation unter Niederdeutschen spielte Eduard Hobein, dessen Kontakte zu Groth freilich enger waren als die zu Reuter – möglicherweise verübelte der Schweriner Jurist letzterem dessen im Sommer 1861 geäußerte harsche Kritik an seinen hochdeutsch verfassten „vaterländischen" Gedichten, in denen Reuter „den mecklenburgischen Feudal-Staat [...] auf Kosten der Poesie" verherrlicht sah.[90] Einige Zeit später befand Hobein in der „Mecklenburgischen Zeitung", Reuter gebe im zweiten Teil von „Ut mine Stromtid" „im Grunde nur die Aneinanderreihung eines großen Anecdotenreichthums".[91] Über Groth und seine Dichtungen hingegen schrieb Hobein ein – wenngleich schmales – Buch; nach dessen Lektüre ließ der darin Gelobte den Autor wissen, in Kenntnis jenes „hübschen, geistreichen Essays" arbeite, lebe und denke er nun „freudiger".[92]

In seinem „Deutschen Museum" hatte sich Prutz da bereits mehrfach mit der jüngeren plattdeutschen Literatur befasst und manches als lediglich „in die Mode gekommen" abgetan. Für berechtigt erklärte er sie, sofern „in diesem Idiom ein Kreis von Anschauungen, eine Welt von Empfindungen zum Ausdruck gelangt, die außerhalb desselben entweder gar nicht existirt, oder doch wenigstens nicht in dieser bestimmten Färbung." (Dt.Mus. 1861/2: 798) Anhand dieses Kriteriums waren ihm die Bemühungen Hobeins, eines „Enthusiasten für das Plattdeutsche", der 1861 hochdeutsche Gedichte ins Niederdeutsche übertragen hatte, ein durch und durch „verkehrtes Unternehmen" und, soweit es aus einem süddeutschen Dialekt übersetzte Texte betraf, gar „eine Verballhornisirung sozusagen der zweiten Potenz".[93]

Der vielseitige Kunsthistoriker Friedrich Eggers engagierte sich in seinem „Literatur-Blatt" dezidiert und nachhaltig für plattdeutsch schreibende Autoren und

---

90 Diese falle nun einmal mit dem „rein menschlichen Erbarmen für den Unterliegenden" zusammen (BA Reuter 2, Br. 351 vom Juni 1861).

91 BA Reuter 2: 615 (Kommentarteil). – Reuter quittierte dies in einem Brief an Hinstorff mit: „Ich kenne die schwache Feder, aus welcher der Senf geflossen ist, und daher hat es mich nicht im Geringsten attaquirt." (Ebd., Br. 534 vom 17.2.1864) – Als Reuter Hobein Anfang 1861, auf Groth gemünzt, schrieb, wenn sich einer „als Pabst auf den plattdeutschen Petrus-Stuhl" setze, dann sei es vorbei, sah er den Schweriner Autor offenkundig noch auf seiner Seite (ebd., Br. 341 vom 24.1.1861).

92 BA Groth, Br. 100 vom 16.3.1865 an Eduard Hobein. Groth betont ebd., er sei nun Hobeins „Schuldner", und merkt an: „Nicht, als ob Sie früher meiner gewesen, ich tat nur, was mein Gewissen verlangte." – Am 22.2.1871 würdigt Groth Hobeins „Lob für treue Hingabe an eine ideale Arbeit" (ebd., Br. 150 an Eduard Hobein); als knapp zehn Jahre später dessen Gedichtsammlung „Feldflüchters" mit der Widmung „Klaus Groth toeegent" erschien, ließ dieser alle seine Beziehungen spielen, um das Werk durch Rezensionen bekannt zu machen (BA Groth, Br. 181 vom 19.11.1874 an Eduard Hobein).

93 Dt.Mus. 1861/2: 799. – Das von Prutz kritisierte Büchlein trägt den Titel „Blömings un Blomen ut frömden Gorden. Oewerdragen von Eduard Hobein"; darin u.a. der Zyklus „De smuke Möllersdochter" („Die schöne Müllerin" von Wilhelm Müller).

suchte deren Ansehen in Berliner Literatenkreisen nach Kräften zu mehren, z. B. dadurch, dass er im „Tunnel über der Spree" eigene niederdeutsche Gedichte vortrug.
Zu ihm hatte Reuter aber wohl keinen persönlichen Kontakt; als dessen Bruder Karl
im Oktober 1864 nach Eisenach reiste, um den inzwischen berühmten Autor für
die Mitarbeit an einem plattdeutschen Volkskalender zu gewinnen, gab dieser ihm
einen Korb.[94] Groth hingegen unterhielt mit den Brüdern Eggers zunehmend enger
werdende persönliche Beziehungen; als niederdeutsche Lyriker hatten diese mit dem
Dithmarscher Autor offenkundig mehr Gemeinsamkeiten als mit dem Mecklenbur-
ger, auch wenn dieser ihnen landsmannschaftlich näher stand.[95]

Weder Gervinus noch Haym, weder Kuh noch Schmidt nahmen den dritten bedeutenden *plattdeutschen Scribenten* jener Jahre, John Brinckman (1814–1870),
gebührend wahr,[96] dessen Werk die damalige Literaturkritik weitgehend ignorierte.
Einzig Prutz erkannte in Brinckman ein Reuter „verwandtes Talent".[97] Zwar hatte
sich Friedrich Eggers bereits 1855 im „Literatur-Blatt des Deutschen Kunstblattes" recht positiv über seinen Landsmann geäußert: „Was wir bei Reuter vermissen,
Gewandtheit in der poetischen Verwerthung seines Materials, das finden wir mehr
bei John Brinckman"; diese Einschätzung konnte indes leicht übersehen werden,

94 BA Reuter 2, Br. 593 vom 27.10.1864 an den Leipziger Verlagsbuchhändler Erhard
    Quandt. Reuter lehnte die Mitarbeit an Zeitschriften prinzipiell ab, vgl. seine Antwort
    auf eine Anfrage von Velhagen & Klasing, dem Verlag von „Daheim" (ebd., Br. 621 vom
    14.4.1865).
95 Vgl. die Anredeformel „Lieber, lieber Eggers" in einem Kondolenzschreiben an Fried-
    rich Eggers vom 22.1.1861 (BA Groth, Br. 74), den Hinweis auf „Freund Eggers" in
    seinem Brief an Hobein vom 1.1.1868 (ebd., Br. 124) sowie Groths Bemerkung ge-
    genüber Karl Eggers nach Durchsicht der eben erschienenen plattdeutschen Dichtungen
    der beiden Brüder: „Bin sehr mit den ‚Tremsen' zufrieden, kannte Sie und Friedrich oft
    nicht voneinander" (ebd., Br. 186 vom 31.5.1875) – der Titel „Tremsen" sollte an die
    Mutter der beiden Brüder, die Kornblumen liebte, erinnern; neben einer Fülle eigener
    Gedichte von Friedrich und Karl Eggers enthält das Buch von letzterem übertragene
    Gedichte von Robert Burns sowie ein langes Lobgedicht auf Groth („An Klaus Groth.
    To dat 25jährige Geburtsjor von sinen *Quickborn*" [S. 215–219]; *Donn gev uns Herrgott
    sinen Dichtersęgen / An unsen ollen leeben Frünt Klaus Groth* [S. 216]) und eines auf
    Reuter („An Fritz Reuter, gestorben den 12. Juli 1874" [S. 220–225], *Wer kem wol bi Di
    äver Dinen Süll / Un nem nich wat von Sęgen von Di mit?* [S. 222]) – woraus zu schließen
    ist, dass Karl Eggers nach 1864 denn doch noch in ein etwas engeres Verhältnis zu Reuter
    trat.
96 Die Bezeichnung *plattdeutsche Scribenten* verwendet Fritz Reuter in einem Brief an Jo-
    hann Meyer, dessen „Ditmarscher Gedichte. Plattdeutsche Poesien in ditmarscher Mund-
    art" 1858 in Hamburg erschienen waren (BA Reuter 1, Br. 306 vom 22.9.1859); zu
    Meyer s. auch oben Anm. 50, 51.
97 Er befasste sich 1860 mit Brinckman (Dt.Mus. 1860/1: 819); bei diesem sei ein „gesunder
    naturwüchsiger Humor" vorhanden, wenn auch nicht „so tief und so frisch sprudelnd"
    wie bei Reuter. Brinckman biete zudem auch „einige ernstere und gehaltenere Klänge"
    ohne „jene Sentimentalitäten und Subtilitäten, die wir bei Klaus Groth so häufig finden".

da Eggers in jener Rezension vor allem ein Loblied auf Klaus Groth sang.[98] Möglicherweise hätte Eggers für Brinckman werden können, was Schmidt für Reuter, was Kuh und Haym für Groth waren; doch als Eggers das Manuskript des „Vagel Grip", das dessen Autor ihm 1857 zur Begutachtung vorlegte, „buchstäblich in den Staub der Nichtberechtigung trat" – so Brinckmans Deutung des sich anschließenden Eggers'schen Schweigens –, war diese Chance vertan (BW Brinckman II: Br. vom 1.12.1859 an Klaus Groth). Brinckman konnte nicht ahnen, dass Friedrich Eggers, Herausgeber von drei Journalen, zu eben dieser Zeit mit gravierenden eigenen Problemen zu kämpfen hatte und, die bedrohliche Lebensperspektive seines völligen Scheiterns vor Augen, selbst Angehörige und Freunde um Hilfe angehen musste. Eggers und Brinckman hatten gemein, dass beide ständig mehr arbeiteten, als ihrer Gesundheit zuträglich war, und dass sie es nur selten erlebten, als Schriftsteller anerkannt und gewürdigt zu werden.[99]

Als Realschullehrer hatte Brinckman mehr als 40 Wochenstunden zu unterrichten – eine Pflicht, der er sich in steter Sorge um den Unterhalt seiner zehn Kinder gewissenhaft unterzog. Oft genug wurde er durch private und berufliche Belastungen daran gehindert, seinen literarischen Neigungen nachzugehen und seine dichterische Begabung weiter zu entfalten, für Jürgen Grambow ein Fall von „Bescheidung dicht an der Resignation" (Grambow 1996: 72; vgl. auch Siegmund/Richardt 2014: 86–91). Brinckman blieb kaum Zeit, das literarische Leben außerhalb Goldbergs und Güstrows wahrzunehmen und an ihm teilzuhaben; und mit anderen niederdeutschen Autoren auch nur in Kontakt zu treten verlangte unter Lebensumständen, zu denen nicht zuletzt auch die Zensur gehörte, erhebliche Anstrengungen. Vor Ort war Brinckman ein angesehener Schulmeister und ein gern gehörter Redner, der bei besonderen Anlässen Zeugnis von seiner Belesenheit und Bildung ablegte, so in seinen Reden über Shakespeare, Schiller und Goethe.[100] Über sein eigenes literarisches Werk urteilte er indes bescheiden-zurückhaltend. So sandte er zwar, anders als Groth und Reuter, den Fragebogen beantwortet zurück, den 1858 Karl Goedeke zur Fundierung des die Gegenwartsliteratur betreffenden Teils seines mehrbändigen

---

98 Lit.-Bl. 1855: 30; vgl. auch BW Brinckman III: 43–61; vgl. ferner die Auflistung der 1859/60 zu „Vagel Grip" erschienenen Rezensionen bei Hückstädt 1996: 61.

99 Vgl. BW Fontane – Eggers: 32–38, 41–44, 60–63 [Einleitung]. Anders als 1870 Brinckman erhielt Eggers nach seinem plötzlichen Tod im August 1872 freilich viele ehrende Nachrufe, namentlich wegen seines übergroßen Engagements im „Tunnel über der Spree"; zu seinem Auftreten und zu seiner Beliebtheit in „Tunnel" und „Rütli" vgl. ebd.: 31 („Alle mochten Eggers, Eggers mochte alle"). – Zu Verstimmungen zwischen ihm und Fontane und manch kritischer Bemerkung des letzteren über Eggers' literarisches Vermögen s. ebd.: 33–44, zu freundlich-ermutigenden Einlassungen Theodor Storms s. dessen Briefe an Eggers mit der wiederholten Aufforderung, die beiden plattdeutschen Gedichte „Dat Bleekermeten" und „De Gast" in der „Argo" zu veröffentlichen, er selber rezitiere „den Markgrafen" (gemeint ist „De Gast"), dieses „wahrhaft gute Gedicht" von Eggers, in privatem Kreise immer wieder mit großem Erfolg (BW Storm – Eggers: 37, 39f., 40f., 46, 49f., 56, 59, 63f., 66f., 68f., Zitat: 63).

100 Vgl. z.B. BW Brinckman IV: 18–35 (1864 gehaltene Festrede zum Geburtstag des Landesherrn: „Shakespeare'sche und Goethe'sche Lebensgänge").

„Grundrisz zur Geschichte der deutschen Dichtung" verschickt hatte. Doch blieben seine Angaben eigentümlich knapp, führte er unter „Schriften" lediglich „Neue Meckl. Lieder im Jahrbuch Mecklenburg für 1848" und „Der heilige Damm" sowie den im Druck befindlichen „Vagel Grip" auf.[101]

„Nur Klaus Groth und Fritz Reuter sind vollständig durchgedrungen und fast zu einem Weltruf gelangt; John Brinckman aber ist ziemlich unbekannt geblieben", befand denn auch der Philologe – und (Mit-)Herausgeber der Werke Reuters – Ernst Brandes in seinem 1897 in den „Grenzboten" (56: 118) erschienenen ausführlichen Beitrag über Brinckman.[102] Bis anerkannt wurde, dass Brinckman bedeutende Leistungen „nicht nur der plattdeutschen Litteratur, sondern der deutschen Litteratur überhaupt" erbracht und „Landschafts- und Stimmungsbilder von großer Schönheit und Tiefe" verfasst habe (Grenzb. 56: 127), dauerte es mithin fast dreißig Jahre. Indem Brandes Brinckman jedoch lediglich als einen „Stern zweiter Ordnung" gelten ließ (ebd.: 289), der es mit Reuter nicht aufnehmen könne, schrieb er jenes Urteil fort, das Reuter selber 1867 gegenüber seinem Verleger Hinstorff geäußert hatte, als er diesem davon abriet, „Kasper-Ohm" zu verlegen: „Deinen Schaden kann ich unmöglich wollen, und da sage ich Dir denn, verlege das Buch nicht"; Brinckman habe sich eine Aufgabe gestellt, der er „nicht gewachsen" sei (BA Reuter 3, Br. 771 vom 26. 3. 1867). Diese für den Güstrower nachteilige Intervention ist umso erstaunlicher, als Reuter sehr wohl wusste, wie sehr Brinckman „einer Einnahme bedürftig" war (ebd.). Weder ein „poetischer Maßstab" noch Reuters „intuitive Anschauungen" kamen hier zum Tragen, und es unterblieb auch der – angesichts ihrer gemeinsamen mecklenburgischen Wurzeln eigentlich naheliegende – Austausch über Formen humoristischen Schreibens.

Hingegen setzte sich Groth von Anfang an freundlich-entschieden für den Güstrower ein. Über Brinckmans „Kasper-Ohm" schrieb er dessen Verfasser am 2. März 1868: „Ich habe mich an Ihrem herlichen Buche so zu sagen gesund gelesen! Ich war gerade krank! Herlich! Ohne Gleichen!" (BW Brinckman II: 177) Dieser seiner so enthusiastischen Rückmeldung ließ Groth unverzüglich Taten folgen: Er rezensierte das Buch im „Kieler Wochenblatt" vom 7. März, lobte dabei kriteriengestützt Thema, Gestaltung und Sprache und schloss mit dem persönlichen Bekenntnis: „man gewinnt die Hauptpersonen so lieb, daß man am Ende wehmütig von ihnen Abschied nimmt, als von alten Freunden", ein Urteil, das er 1876 nach Erscheinen der 3. Auf-

---

101 Staatsbibliothek zu Berlin, Nachlass von Karl Goedeke, Autobiographien deutscher Dichter, DE-611-BF-1109; John Brinckman: PND 118660101, Blatt 126, vom 21. 4. 1859. – Es mochte ihn der Hinweis auf dem Fragebogen, man solle „anonym" erschienene Schriften auflisten, irritiert haben; genauer waren Brinckmans Angaben unter „Lebensskizze".

102 Brandes gab zusammen mit Wilhelm Seelmann und Conrad Borchling 1905/06 Reuters Werke in sieben Bänden heraus. – Erst in den 1890er Jahren begann eine gewisse Popularisierung der Werke Brinckmans, vor allem 1893 mit Darstellungen in verschiedenen Periodika: des Lehrers und Redakteurs Hermann Jahnke, des Schriftstellers und Literaturhistorikers Rudolf von Gottschall, des Gymnasiallehrers Albrecht Dau (s. BW Brinckman III: 64–88). – Vgl. hierzu auch die Beiträge in Schuppenhauer 2001.

lage in einer Rezension für „Die Gegenwart" nachdrücklich bekräftigte.[103] Groths Eintreten für Brinckman, das 1859 mit einer ausführlichen, sehr positiven Besprechung des „Vagel Grip" im „Altonaer Mercur" begonnen hatte (BW Brinckman III: 33–143), endete keineswegs mit Brinckmans Tod im Jahre 1870; vielmehr setzte sich Groth auch später noch nachhaltig für den Güstrower Autor ein, so im „Plattdütschen Husfründ" von 1877,[104] in dem er u. a. einige von Brinckmans Gedichten, damit sie außerhalb Mecklenburgs leichter lesbar würden, in veränderter Graphie vorstellte.[105]

John Brinckman starb mit nur 56 Jahren. Zwischen 1854 und 1870 hatte er, meist die allerersten Morgenstunden dafür nutzend, in respektheischender Arbeitsamkeit ein poetisches Werk in der Mundart seiner Heimatstadt Rostock verfasst, dem die Anerkennung zunächst weitgehend versagt blieb. Während Reuter und Groth selbstbewusst genug waren, eine breitere Öffentlichkeit mit ihrem je besonderen Standpunkt bekannt zu machen, nahm der sich bescheidende Brinckman am literarischen Diskurs jener Jahre kaum teil. Und während Hochschulen die anderen beiden niederdeutschen *Klassiker* früh auszeichneten – Groth erhielt 1855 in Bonn, Reuter 1863 in Rostock den Doktor honoris causa –, wurde Brinckmans literarisches Schaffen erst Jahrzehnte später an der Universität Rostock durch eine Dissertation gewürdigt; verfasst von dem 1889 in Schwerin geborenen Wilhelm Rust und als „Gekrönte Preisschrift" ausgezeichnet, erschien sie 1912 in Rostock.[106]

Groth und Reuter reflektierten Literatur unter den Bedingungen und im Rahmen einer Literaturkritik, die in den Jahren vor der Reichsgründung durchweg auch außerliterarische Kriterien zur Anwendung brachte, wie sie in der Rede von einer „gesunden Periode der Literatur" sowie in der Bezugnahme auf den Nationalgeist der Deutschen und auf die der Literatur übertragenen nationalen Aufgaben – nun im Sinne einer kleindeutschen Lösung – teils lediglich anklangen, teils auch kämpferisch verfochten wurden. Georg Gottfried Gervinus, um dessen Unterstützung Groth und Reuter sich in ihren Anfängen bemüht hatten, lehnte eine solche preußenfreundliche

---

103 Wiederabdruck in BW Brinckman III: 191f., 197–200. – Vgl. auch die Briefe der Witwe Elise Brinckman an Groth aus den Jahren 1870–1875 (ebd.: 300–308).

104 Vgl. BW Brinckman III: 152–161 (4., 11. und 18. 8. 1877); der „Husfründ" erschien von 1876 bis 1880 jeden Sonnabend.

105 Vgl. zur Graphie den von Eggers bereits 1855 erhobenen Befund: „Von allen […] schreibt Brinckman am meisten fürs Ohr, wird dadurch dem Auge unverständlich und macht seine Sachen schwer zu lesen" (zit. nach BW Brinckman III: 60).

106 Rust, nach seinem Studium als Lehrer in Rostock tätig, war Mitherausgeber der 1924–1934 von der „Arbeitsgruppe der Plattdeutschen Gilde zu Rostock" besorgten siebenbändigen Brinckman-Ausgabe. – Er sah Brinckman in seinen hochdeutschen Werken „nie zu einem befriedigenden Ergebnis gekommen", wohl aber in seinen plattdeutschen, unter denen die Gedichte und der „Kasper-Ohm" herausragten, obschon Reuters „Stromtid" „in jeder Weise höher einzuschätzen" sei; Brinckman stehe „seinem großen Landsmann als Erzähler ebenbürtig zur Seite, während er als Lyriker Groth mindestens gleichwertig, wenn nicht überlegen ist"; Groth habe in seinen Gedichten die Mundart „stilisiert und idealisiert", Brinckman hingegen „unmittelbar aus dem Empfinden und Fühlen des Volkes" geschöpft (Rust 1912: 80, 83).

Sicht ab; ihm waren die Bismarcksche Reichsgründung und die ihr vorangegange-
nen Kriege suspekt, weshalb er sie mit höchst kritischen Kommentaren bedachte
(vgl. Hübinger 1984: 215–219). Als er am 18. März 1871 starb, wurden seine wissenschaftlichen Leistungen kaum noch gewürdigt. Herman Grimm, der Gervinus
kurz zuvor noch scharf angegriffen hatte (ebd.: 218f.), verwies in seinem Nachruf
auf dessen „tragisches Schicksal" als eines nicht mehr Zeitgemäßen – schließlich
hätten „immer seltener die Blicke des Volkes" auf diesem am Ende einsamen und
unverstandenen Manne geruht.[107] Klaus Groth tat sich schwer damit, der Witwe
Victoria Gervinus zu kondolieren. Er ließ sie wissen, dass es seit einem Jahr einen
nicht abgeschickten Brief an ihren Mann gebe, in dem er diesem die Widmung des
zweiten Teils seines „Quickborn" angetragen habe, indes: „Ein deutscher Dichter,
der leben will, muß sich womöglich Freunde suchen, die ihm, wenn's not [tut], Brot
verschaffen können." (BA Groth, Br. 151 vom 26.3.1871) Das konnten in diesen
Tagen Rudolf Haym, Robert Prutz und Julian Schmidt; aus politisch-gesellschaft-
lichen Gründen nicht opportun hingegen war jetzt ein Bekenntnis zu Gervinus. John
Brinckman aber hätte wohl gern mehr Freunde gehabt, die ihm, dem es oft genug
„not" tat, „Brot [hätten] verschaffen können".

Quellen- und Literaturverzeichnis

Primärliteratur

John Brinckmans Plattdeutsche Werke. Hg. von der Arbeitsgruppe der Plattdeut-
    schen Gilde zu Rostock. 1. Bd. Wolgast 1924; 2.–7. Bd. Greifswald 1928–1934.
Friedrich und Karl Eggers: Tremsen. Plattdeutsche Dichtungen in meklenburger
    Mundart. Mit sprachlichen Erläuterungen und vollständigem Wörterbuche hg.
    von Karl Nerger. 2. Aufl. Breslau 1876.
Fontane = Theodor Fontane: Sämtliche Werke. Hg. von Edgar Groß und Kurt
    Schreinert. Bd. XV: Von Zwanzig bis Dreißig. Autobiographisches. Nebst an-
    deren selbstbiographischen Zeugnissen. München 1967; Bd. XX: Balladen und
    Gedichte. München 1962.
Groth = Klaus Groth: Sämtliche Werke. Bände I–VII. Hg. von Friedrich Pauly, Ivo
    Braak und Richard Mehlem. Flensburg/Hamburg 1952–1963.
Eduard Hobein: Feldflüchters. Plattdütsch Leeder un Läuschen in Meckelnbörger
    Mundort. Berlin 1875.
Reuter = Fritz Reuter: Gesammelte Werke und Briefe. Bände I–IX. Hg. von Kurt
    Batt. Rostock/Neumünster 1967.

---

107 Pr.Jbb. 27: 475, 478; selbst überzeugt von der Richtigkeit der kleindeutschen Lösung,
    befand Grimm (ebd.: 478) gar: „Wie schön, wenn es ihm vergönnt gewesen wäre, wei-
    terlebend, in der Stille vielleicht, noch sich bewußt zu werden, daß die neue Gestalt der
    Dinge glückbringend ward für sein Vaterland, dem zu Liebe ja allein er Preußen und die
    preußische Politik zuletzt mit solchem Hasse angesehn hat."

„Unterhaltungsblatt für beide Mecklenburg und Pommern" Redigiert von Fritz Reuter. Mit einer Nachbemerkung von Arnold Hückstädt. Reprint Rostock 1989.

Briefausgaben (BA), Briefwechsel (BW)

BA Groth = Klaus Groth. Briefe aus den Jahren 1841 bis 1899. Hg. von Ivo Braak und Richard Mehlem (Klaus Groth. Sämtliche Werke VII). Flensburg 1963.

BA Reuter = Fritz Reuter. Briefe. Hg. von Arnold Hückstädt. 3 Bde. Rostock 2009/2010.

Briefe an Hobein = Briefe von Fritz Reuter, Klaus Groth und Brinckman an Eduard Hobein. Veröffentlicht von Wilhelm Meyer. Berlin 1909.

BW Bernays – Heyse = Jacob Bernays. „Du, von dem ich lebe!". Briefe an Paul Heyse. Hg. von William M. Calder III und Timo Günther. Göttingen 2010.

BW Brahms – Groth = Briefe der Freundschaft. Johannes Brahms – Klaus Groth. Hg. von Volquart Pauls. Heide 1956.

BW Brinckman = John Brinckman. Briefe, Dokumente, Texte. Bde. I–IV. Erarb. u. hg. von Wolfgang Müns. Leer 2002–2009.

BW Fontane – Eggers = Theodor Fontane und Friedrich Eggers. Der Briefwechsel. Hg. von Roland Berbig (Schriften der Theodor Fontane Gesellschaft 2). Berlin/ New York 1997.

BW Fontane – von Lepel = Theodor Fontane und Bernhard von Lepel. Der Briefwechsel. Krit. Ausg., hg. von Gabriele Radecke (Schriften der Theodor Fontane Gesellschaft 5.1., 5.2.). Berlin/New York 2006.

BW Geibel – Heyse = Der Briefwechsel von Emanuel Geibel und Paul Heyse. Hg. von Erich Petzet. München 1922.

BW Grimm – Goedeke = Briefwechsel zwischen Jacob Grimm und Karl Goedeke. Hg. von Johannes Bolte. Berlin 1927.

BW Groth – Geibel = Klaus Groth und Emanuel Geibel. Hg. von Heinrich Schneider. Lübeck 1930.

BW Groth – Grimm = Groth, Klaus an Hermann Grimm (9 Briefe): Universitätsbibliothek Kassel, 340 Grimm Nr. Br 2758-2766, URL: https://orka.bibliothek. uni-kassel.de/viewer/image/1375880647109/1/ [Stand: 08.10.2017]

BW Groth – Müllenhoff = Um den Quickborn. Briefwechsel zwischen Klaus Groth und Karl Müllenhoff. Hg. von Volquart Pauls. Hamburg 1938.

BW Gutzkow – Schücking = Der Briefwechsel zwischen Karl Gutzkow und Levin Schücking 1838–1876. Hg. von Wolfgang Rasch. Bielefeld 1998.

BW Haym = Ausgewählter Briefwechsel Rudolf Hayms. Hg. von Hans Rosenberg. Berlin/Leipzig 1930.

BW Hebbel = Friedrich Hebbel. Wesselburener Ausgabe. Briefwechsel 1829–1863. Hist.-krit. Ausg. in fünf Bänden. Hg. von Otfried Ehrismann u.a. München 1999.

BW Keller – Heyse = „Du hast alles, was mir fehlt …". Gottfried Keller im Briefwechsel mit Paul Heyse. Hg. von Fridolin Stähli. Zürich 1990.

BW Müllenhoff – Scherer = Briefwechsel zwischen Karl Müllenhoff und Wilhelm Scherer. Hg. von Albert Leitzmann. Berlin/Leipzig 1937.

BW Storm – Eggers = Theodor Storms Briefe an Friedrich Eggers. Hg. von H. Wolf-
gang Seidel. Berlin 1911.
BW Storm – Fontane = Theodor Storm – Theodor Fontane. Briefwechsel. Krit.
Ausg., hg. von Gabriele Radecke (Storm-Briefwechsel 19). Berlin 2011.
BW Storm – Groth = Theodor Storm – Klaus Groth. Briefwechsel. Krit. Ausg., hg.
von Boy Hinrichs (Storm-Briefwechsel 11). Berlin 1990.
BW Storm – Keller = Theodor Storm – Gottfried Keller. Briefwechsel. Krit. Ausg.,
hg. von Karl Ernst Laage (Storm-Briefwechsel 13). Berlin 1992.
BW Storm – Schleiden = Theodor Storm – Heinrich Schleiden. Briefwechsel. Krit.
Ausg., hg. von Peter Goldammer (Storm-Briefwechsel 14). Berlin 1995.

Forschungsliteratur

Ansel, Michael (1990): G. G. Gervinus' Geschichte der poetischen National-Literatur der Deutschen. Nationbildung auf literaturgeschichtlicher Grundlage. Frankfurt a. M.
Ansel, Michael (2003): Prutz, Hettner und Haym. Hegelianische Literaturgeschichtsschreibung zwischen spekulativer Kunstdeutung und philologischer Quellenkri-
tik. Tübingen.
Aust, Hugo (2006): Realismus. Lehrbuch Germanistik. Stuttgart/Weimar.
Behrs, Jan (2013): Der Dichter und sein Denker. Wechselwirkungen zwischen Li-
teratur und Literaturwissenschaft in Realismus und Expressionismus. Stuttgart.
Berbig, Roland (1998): Regionalliteratur – ein Koreferat mit Berücksichtigung eines
fast vergessenen Autors: Friedrich Eggers. In: Soltauer Schriften 6, S. 33–45.
Berbig, Roland (2000): Theodor Fontane im literarischen Leben. Zeitungen und
Zeitschriften, Verlage und Vereine. Berlin/New York.
Bernhardt, Julia (Hg.) (2007): Der Briefwechsel zwischen Paul Heyse und Hermann
Levi. Eine kritische Edition. Hamburg.
Bichel, Inge u. a. (1994): Klaus Groth. Eine Bildbiographie. Heide.
Bichel, Ulf (2005), Wertung des Niederdeutschen im Briefwechsel zwischen Alwi-
ne Wuthenow und Klaus Groth. In: Beiträge der Fritz Reuter Gesellschaft 15,
S. 15–23.
Bichel, Ulf (2003–2013): Vor 150 Jahren. Klaus Groth im Jahre 1853/1858/1860/
1862/1863. In: Jahrbuch der Klaus-Groth-Gesellschaft 45 (2003), S. 9–76; 50
(2008), S. 1–48; 52 (2010), S. 9–34; 54 (2012), S. 13–34; 55 (2013), S. 41–64.
Bogdal, Klaus-Michael (2007): Historische Diskursanalyse der Literatur. 2. erw.
Aufl. Heidelberg.
Bourdieu, Pierre (2011): Kunst und Kultur. Kunst und künstlerisches Feld. Hg.
von Franz Schultheis und Stephan Egger (Schriften zur Kultursoziologie 4).
Konstanz.
Brömse, Heinrich (1939/40): Kleine Beiträge zur Reuterforschung II. In: Nd.Jb.
65/66, S. 133–139.
Dehrmann, Mark-Georg und Alexander Nebrig (Hgg.) (2010): Poeta philologus.
Eine Schwellenfigur im 19. Jahrhundert. Bern u. a.
Erdmann, Gustav Adolf (1907): Wilhelm Jensen. Sein Leben und Dichten. Leipzig.

Estermann, Alfred (1991): Die deutschen Literatur-Zeitschriften 1815–1850. Bibliographien, Programme, Autoren. Bd. 6. 2. verb. u. erw. Aufl. München u. a.

Grambow, Jürgen (1996): Nur eines zur Zeit. Demokratie und Dichter oder Über psychische Selbstkontrolle im Leben und Dichten John Brinckmans. In: Beiträge der Fritz Reuter Gesellschaft 6, S. 71–81.

Grimm, Herman (1903): Goethe. Vorlesungen gehalten an der Kgl. Universität zu Berlin. 2 Bde. 7. Aufl. Stuttgart/Berlin.

Haug, Christine (2012): Karl Ferdinand Gutzkow (1811–1878) und das literarische Leben des 19. Jahrhunderts. Ein Forschungsbericht anlässlich des 200. Geburtstags. In: Jahrbuch der Raabe-Gesellschaft 2012, S. 127–144.

Hermand, Jost (1994): Geschichte der Germanistik. Reinbek bei Hamburg.

Hermand, Jost (1998): Die deutschen Dichterbünde. Von den Meistersingern bis zum PEN-Club. Köln u. a.

Herrmann-Winter, Renate (1995): Notwehr ist erlaubt. Niederdeutsch im Urteil von Verehrern und Verächtern. Texte aus Mecklenburg und Pommern vom 16. bis zum 20. Jahrhundert. Rostock.

Hobein, Eduard (1865): Ueber Klaus Groth und seine Dichtungen, zum Theil aus ungedruckten Quellen. Hamburg.

Hübinger, Gangolf (1984): Georg Gottfried Gervinus. Historisches Urteil und politische Kritik. Göttingen.

Hückstädt, Arnold (1996): Groth, Reuter, Brinckman. Beurteilung ihrer frühen Werke durch die zeitgenössische Literaturkritik. In: Beiträge der Fritz Reuter Gesellschaft 6, S. 43–62.

Klausnitzer, Ralf (2005): Wissenschaftliche Schule. Systematische Überlegungen und historische Recherchen zu einem nicht unproblematischen Begriff. In: Lutz Danneberg u. a. (Hgg.): Stil, Schule, Disziplin. Frankfurt a. M., S. 31–64.

Kolk, Rainer (1991): Zur Professionalisierung und Disziplinentwicklung in der Germanistik. In: Jürgen Fohrmann und Wilhelm Voßkamp (Hgg.): Wissenschaft und Nation. Studien zur Entstehungsgeschichte der deutschen Literaturwissenschaft. München, S. 127–140.

Kosegarten, Johann Gottfried Ludwig (1858): Neue Schriften in Niederdeutscher Sprache: In: Baltische Studien 17, H. 1, S. 199–212. Online: URL: http://ub-goobi-pr2.ub.uni-greifswald.de/viewer/image/PPN559838239_AF_17/206/ [Stand: 08. 10. 2017].

Küchmeister, Kornelia (2013): „Der geteilte Groth" – Spuren der Einwirkung Karl Müllenhoffs bei der Veröffentlichung der „Hundert Blätter". In: Jahrbuch der Klaus-Groth-Gesellschaft 55, S. 65–80.

Langhanke, Robert (2014–2016): Vor 150 Jahren. Klaus Groth im Jahre 1864/ 1865/1866. In: Jahrbuch der Klaus-Groth-Gesellschaft 56 (2014), S. 55–80; 57 (2015), S. 55–82; 58 (2016), S. 71–94.

Langhanke, Robert (2015a): Zur literarischen Wiedersichtbarmachung des Niederdeutschen im 19. Jahrhundert. Konzepte und Konflikte der niederdeutschen Reliterarisierung. In: Ders. (Hg.): Sprache, Literatur, Raum. Festgabe für Willy Diercks. Bielefeld, S. 479–535.

Langhanke, Robert und Christian Volkmann (2016): Der verhinderte Panegyrikus und sein Vorbild: Anmerkungen zu Groth und Geibel. In: Jahrbuch der Klaus-Groth-Gesellschaft 58, S. 49–62.

Lohmeier, Dieter (2016): Nach dem Scheitern der schleswig-holsteinischen Erhebung: Klaus Groths „Quickborn". In: Jahrbuch der Klaus-Groth-Gesellschaft 58, S. 13–24.

Mey, Hans Joachim (1986): Herman Grimm. Eine biographische Skizze. In: Werner Moritz (Hg.): Herman Grimm 1828–1901. Marburg, S. 7–19.

Müller, Dorit (2007): „Lufthiebe streitbarer Privatdocenten". Kontroversen um die theoretische Grundlegung der Literaturwissenschaft (1890–1910). In: Ralf Klausnitzer und Carlos Spoerhase (Hgg.): Kontroversen in der Literaturtheorie / Literaturtheorie in der Kontroverse. Bern u. a., S. 149–169.

Parr, Rolf (2008): Autorschaft. Eine kurze Sozialgeschichte der literarischen Intelligenz zwischen 1860 und 1930. Heidelberg.

Petersen, Anne (2015): Die Modernität von Theodor Storms Lyrikkonzept und sein „Hausbuch aus deutschen Dichtern seit Claudius". Berlin.

Prutz, Robert (1859): Die deutsche Literatur der Gegenwart. 1848–1858. 3 Bde. Leipzig.

Rößler, Constantin (1890): Schmidt, Julian. In: Allgemeine Deutsche Biographie 31, S. 751–768.

Rückert, Ingrid (2014): Paul Heyse. Ein Liebling der Musen (1830–1914). Schatzkammerausstellung in der Bayerischen Staatsbibliothek vom 4. April bis 22. Juni 2014 (Kleine Ausstellungsführer / Bayerische Staatsbibliothek, N. R. 1). München.

Rust, Wilhelm (1912): John Brinckmans hoch- und niederdeutsche Dichtungen. Rostock.

Scheuermann, Barbara (2015): „Von einem arroganten Feinde ist er mein geschworener Freund geworden." Wilhelm Jensen als Freund von Klaus Groth. In: Jahrbuch der Klaus-Groth-Gesellschaft 57, S. 23–48.

Scheuermann, Barbara (2016): Von ‚hippischer Vollkommenheit' zu ‚warmer Lumpendecke' – Fritz Reuters *Memoiren eines alten Fliegenschimmels in Briefen an seinen Urenkel*. In: Beiträge der Fritz Reuter Gesellschaft 26, S. 10–22.

Schmidt, Julian (1855): Geschichte der Deutschen Literatur im neunzehnten Jahrhundert. Bd. 3: Die Gegenwart. 2. Aufl. London/Leipzig/Paris.

Schmidt, Julian (1867): Geschichte der Deutschen Literatur seit Lessing's Tod. Bd. 3: Die Gegenwart. 5. Aufl. Leipzig.

Schmidt, Julian (1873): Neue Bilder aus dem Geistigen Leben unserer Zeit. Bd. 3. Leipzig.

Schuppenhauer, Claus (1982): Plattdeutsche Klassiker 1850–1950. Wege zur niederdeutschen Literatur. Leer.

Schuppenhauer, Claus (Hg.) (2001): Plattdeutsch in Literatur und Gesellschaft. Eine Tagung zum 130. Todestag von John Brinckman. Leer.

Siegmund, Wolfgang und Gerd Richardt (2014): John Brinckman. Die Bildbiographie. Rostock.

Simons, Ludo (1980): Van Duinkerke tot Königsberg. Geschiedenis van de Aldietsche Beweging. Nijmegen/Brugge.

Simons, Ludo (2005): Die Kluft zwischen Klaus Groth und Fritz Reuter. In: Beiträge der Fritz Reuter Gesellschaft 15, S. 24–32.

Weimar, Klaus (1989): Geschichte der deutschen Literaturwissenschaft bis zum Ende des 19. Jahrhunderts. München.

Widhammer, Helmuth (1972): Realismus und klassizistische Tradition. Zur Theorie der Literatur in Deutschland 1848–1860. Tübingen.

von Wildenbruch, Ernst (1901): Zur Erinnerung an Herman Grimm. Berlin/Stuttgart.

Wrana, Daniel u.a. (Hgg.) (2014): DiskursNetz. Wörterbuch der interdisziplinären Diskursforschung. Frankfurt a.M.

Wülfing, Wulf u.a. (Hgg.) (1998): Handbuch literarisch-kultureller Vereine, Gruppen und Bünde 1825–1833. Stuttgart/Weimar.

Veröffentlichungen in Periodika aus der zweiten Hälfte des 19. Jahrhunderts (Digitalisate)

Argo. Belletristisches Jahrbuch.
- 1857: 15 – Klaus Groth: Plattdeutsche Gedichte.
  URL: http://digital.ub.uni-duesseldorf.de/dfg/periodical/pageview/1077009 [Stand: 08.10.2017].

Deutsches Museum. Zeitschrift für Literatur, Kunst und öffentliches Leben.
- 1854/2: 629–632, 656–660 – Robert Prutz, Literatur und Kunst.
  URL: http://www.mdz-nbn-resolving.de/urn/resolver.pl?urn=urn:nbn:de:bvb:1 2-bsb10614709-2 [Stand: 08.10.2017].
- 1857/2: 696–700 – Robert Prutz, Literatur und Kunst. Plattdeutsche Dichtung.
  URL: http://www.mdz-nbn-resolving.de/urn/resolver.pl?urn=urn:nbn:de:bvb:1 2-bsb10614715-1 [Stand: 08.10.2017].
- 1858/2: 865–883, 898–913, 936–946 – Robert Prutz, Literatur und Literaturgeschichte in ihren Beziehungen zur Gegenwart.
  URL: http://www.mdz-nbn-resolving.de/urn/resolver.pl?urn=urn:nbn:de:bvb:1 2-bsb10614717-1 [Stand: 08.10.2017].
- 1860/1: 816–821 – Robert Prutz, Literatur und Kunst. Plattdeutsche Literatur
  URL: http://www.mdz-nbn-resolving.de/urn/resolver.pl?urn=urn:nbn:de:bvb:1 2-bsb10614720-9 [Stand: 08.10.2017].
- 1861/2: 798–800 – Robert Prutz, Literatur und Kunst. Plattdeutsche Literatur.
  URL: http://www.mdz-nbn-resolving.de/urn/resolver.pl?urn=urn:nbn:de:bvb:1 2-bsb10614723-5 [Stand: 08.10.2017].
- 1862/2: 24–32 – Robert Prutz, Literatur und Kunst. Plattdeutsche Literatur.
  449–466 – Robert Prutz, Ut mine Festungstid.
  129–139 – Robert Prutz, Literarische Spießruthen.
  URL: http://www.mdz-nbn-resolving.de/urn/resolver.pl?urn=urn:nbn:de:bvb:1 2-bsb10614725-6 [Stand: 08.10.2017].

Die Grenzboten.
> URL: http://suche.suub.uni-bremen.de/remote_access.php?http%3A%2F%2Fb
> rema.suub.uni-bremen.de%2Fgrenzboten [Stand: 08. 10. 2017].

- 14 (1855) II. Sem., IV. Bd.: 77–80 – (o. Vf.) Correspondenzen. Literatur.
- 17 (1858) II. Sem., IV. Bd.: 477f. – (o. Vf.) Weihnachtsliteratur.
- 20 (1861) I. Sem., I. Bd.: 401–410 – Julian Schmidt, Fritz Reuter.
- 21 (1862) II. Sem., IV. Bd.: 448–455 – (o. Vf.) Julian Schmidt, Ein neues Buch von Fritz Reuter.
- 22 (1863) I. Sem., I. Bd.: 36–38 – (o. Vf.) Julian Schmidt, Neue Romane und Novellen.
- 56 (1897) Viertes Vierteljahr: 117–134, 278–290 – Ernst Brandes, John Brinck-man.

Literatur-Blatt des Deutschen Kunstblattes.
- 1854: 75f. – (o. Vf.) Theodor Storm, Rezension zu *Hundert Blätter* von Klaus Groth.
  URL: http://digi.ub.uni-heidelberg.de/diglit/dkbli1854/0081 (folg.) [Stand: 08. 10. 2017].
- 1855: 27–36 – (o. Vf.) Friedrich Eggers, Plattdeutsche Dichtungen.
  URL: http://digi.ub.uni-heidelberg.de/diglit/dkbli1855/0031 (folg.) [Stand: 08. 10. 2017].

Preußische Jahrbücher.
- 27 (1871): 475–478 – Herman Grimm, Gervinus.
           479–486 – Rudolf Haym, Litterarisches.
  URL: https://hdl.handle.net/2027/hvd.32044098609399?urlappend=%3Bs eq=485 (folg.) [Stand: 08. 10. 2017].

Buchbesprechungen

Timothy Sodmann (Hg.): Heliand. Der altsächsische Text/De Oudsaksische tekst. [Enschede:] Uitgeverij TwentseWelle 2012. 328 S.

Der „Hêliand" ist das bekannteste Denkmal in altsächsischer Sprache, und obwohl der genaue Entstehungsort der Dichtung und die Herkunft der einzelnen Handschriften und Fragmente weiterhin umstritten sind, ist immerhin annehmbar, dass das Werk in sprachlicher Hinsicht Verbindungen sowohl mit den östlichen Niederlanden als auch mit dem niederdeutschsprachigen Teil Westdeutschlands hat. Nicht ohne Grund hat Maurits Gysseling die Meinung vertreten, der Text sei zwar in Werden entstanden, sein Autor jedoch in den sächsischen Teilen der Niederlande – er nennt den Achterhoek – beheimatet. Obwohl seine These nicht viele Anhänger haben dürfte, braucht es daher nicht zu wundern, dass gerade im niederländisch-niederdeutschen Grenzgebiet ein internationales Hêliand-Projekt gestartet wurde, in dessen Rahmen diese Textausgabe des „Hêliand" als erste erschienen ist. Weitere Bände mit Übersetzungen des Textes in die Sprachen von Groningen, Achterhoek, Twente und Münsterland werden folgen. Der internationale Charakter des Hêliand-Kreises geht auch schon daraus hervor, dass diese Textausgabe im Prinzip zweisprachig – deutsch und niederländisch – gestaltet ist.

In der Einleitung (S. 7–18) werden knapp die Informationen zum Text gegeben: historischer Hintergrund, Dichter, Handschriften und Sprache. Mit Recht wird betont, dass der Dichter „eine solide geistliche Bildung" (S. 13) besessen haben dürfte, wie aus der Verwendung theologischer Quellen hervorgehe. Auch die Tatsache, dass der Dichter „mit großer Souveränität" (S. 15) ausgewählt habe, deute wohl am ehesten auf einen theologisch geschulten Mönch aus einem Kloster, das über eine reiche Bibliothek verfügt haben muss. Weiter wird betont, dass die Auffassung über die „Germanisierung des Christentums", die jahrelang in der Forschung vertreten wurde, einseitig sei. Eher sei die Rede von Anpassung, von einer kirchlichen „Akkomodation" (S. 17), um dem Publikum entgegenzukommen. Es sei ja ein belehrender Text gewesen, wofür der Variationsstil mit seinen Wiederholungen charakteristisch sei.

Der Text des „Hêliand" ist als Leseausgabe gedacht, enthält somit keinen textkritischen Apparat. Als Grundlage wird die Ausgabe von Behaghel und Taeger ([10]1996) genommen. Sie wurde allerdings mit der Ausgabe von Sievers und Schröder (1878/1935) und den Ausgaben der Fragmente S (Taeger 1996) und L (Schmid 2006) verglichen, was zu einigen Abweichungen führt, die S. 25–27 (S. 29–31 im niederländischen Text) verzeichnet werden. Sie betreffen hauptsächlich Unterschiede in der Rechtschreibung, z.B. *gelîco* für *gelico* in Z. 1408 (in einigen Fällen vielleicht Druckfehler im Quelltext) und kleine Ergänzungen wie *an is hugi thenkean* in Z. 302, wo auf der Basis der Ausgaben von Heyne und Sievers das Pronomen *is* hinzugefügt wurde. Auch in der Rechtschreibung wurden Änderungen vorgenommen. So werden <u> und <uu> mit <w> wiedergegeben, wenn der Laut konsonantisch ist: *gethwing, beswîcan, wâron, dwalm*. Wo es aber der stimmhaften Spirans entspricht, steht <v>: *David, Êva*. Es ist eine kleine Änderung, aber sie erleichtert tatsächlich denjenigen die Lektüre, die nicht vom Fach sind. Die lateinische Praefatio und der „Versus de poeta" werden dann auf Lateinisch abgedruckt, wobei man sich fragt, ob es sich in einer Leseausgabe für ein größeres Publikum nicht empfohlen hätte, auch hier eine deutsche bzw. niederländische Übersetzung aufzunehmen. Lateinkenntnisse sind heute nicht mehr in dem Maße vorhanden wie früher.

Die Ausgabe enthält außerdem schöne Abbildungen in Farbe. Nicht nur wird eine Seite aus der Münchener Handschrift (M) des „Hêliand" abgedruckt, sondern es wurden auch elf Miniaturen aus dem Hitda-Evangeliar (um 1000) als Illustrationen zum Text aufgenommen.

Der Band enthält eine Wörterliste, die wieder zweisprachig (niederländisch und deutsch) ist und dem Publikum somit die Möglichkeit verschafft, selbst den Text genauer zu studieren. Es folgt darauf ein Verzeichnis der Namen, die im „Hêliand" vorkommen, mit einer kurzen, heute wohl auch notwendigen Erklärung (S. 267–273). Die Bibliographie (S. 275–326) ist als Fortsetzung der Bibliographie von Jürgen Meier von 1975 gedacht und bestrebt, für die Periode 1975–2010 vollständig zu sein. Das gilt allerdings nur für Arbeiten zu „Hêliand" und „Genesis". Studien zur altsächsischen Sprache im Allgemeinen sind nur in Auswahl aufgenommen, wobei auf den Anhang von Heinrich Tiefenbach zu seiner Neuausgabe der altsächsischen Grammatik von Gallée (1993) verwiesen wird. Interessant ist auch das Verzeichnis der Übersetzungen des altsächsischen Textes (S. 286–290). Dort findet man nicht nur – wie zu erwarten – Übertragungen ins Deutsche, Niederdeutsche und Niederländische, sondern auch solche ins Französische, Spanische, Friesische und Dänische. Das Interesse reicht also weiter als man erwarten würde. Dieser schöne neue Band wird wohl das Seinige dazu beitragen, den Text einem größeren Publikum vorzustellen.

Amsterdam   *Arend Quak*

Gisbert Strotdrees: Im Anfang war die Woort. Flurnamen in Westfalen (Westfälische Beiträge zur niederdeutschen Philologie 16). Bielefeld: Verlag für Regionalgeschichte 2017. 184 S., 12 sw. Abb., 54 farb. Abb.

Die westfälische Flurnamenforschung hat durch den Westfälischen Flurnamenatlas von Gunter Müller, der nach langjährigen Vorarbeiten zwischen 2000 und 2012 erschien, ein wissenschaftliches Grundlagenwerk erhalten, dessen Bedeutung für die Onomastik im Allgemeinen, für die Niederdeutsche Philologie und für benachbarte Disziplinen kaum zu überschätzen ist. Flurnamen und Siedlungsnamen finden darüber hinaus ein anhaltendes, vielfältig motiviertes Interesse in der Öffentlichkeit. Die Details und Ergebnisse wissenschaftlicher Darstellungen sind dabei naturgemäß nicht allen Interessenten in gleicher Weise zugänglich. Für ein größeres Publikum bedarf es also einer zusammenfassenden, vermittelnden und an den durchaus unterschiedlich gelagerten Interessen von Nicht-Wissenschaftlern ausgerichteten Darstellung. Zahlreiche populärwissenschaftliche Bücher unterschiedlichster Qualität erschließen auf diese Weise die Ergebnisse naturwissenschaftlicher Forschung einer weiteren interessierten Leserschaft. Gisbert Strotdrees nimmt nun diese Aufgabe mit der programmatischen Fomulierung „Dieses Buch ist eine Übersetzung" (S. 11) für die im Westfälischen Flurnamenatlas enthaltenen Erkenntnisse in Angriff. Er versucht die philologischen Befunde mit Ergebnissen „der historischen Forschung zu Natur, Landschaft und Landnutzung" (S. 11) zu verbinden, um sie in den Zusammenhang historischer, oft untergegangener Lebensverhältnisse im ländlichen Bereich stellen zu können. An diesem Anspruch ist das Buch zu messen. Der Band beruht auf einer Artikelserie, die der Verfasser 2013/14 im Wochenblatt für Landwirtschaft und Landleben veröffentlicht hatte (vgl. S. 11) und deren positive Resonanz in der Leserschaft der Anlass war, die Beiträge zu überarbeiten und als Buch verfügbar zu machen.

Über 140 Namenelemente, die in den Flurnamen simplizisch, in Syntagmen oder als Grundwort verwendet werden, werden in acht Hauptkapiteln besprochen, die sich Sachbereichen wie dem Ackerland, dem Hof mit zugehörigem Umland, Grenzen und Wegen oder dem Gelände (Wasser, Hügel, Berge, Felsen, Wald, Bäume) widmen. Die Unterkapitel sind mit Überschriften versehen, die geschickt mit Erwartungen der Leser spielen, die durch vertraute, homonyme Wörter erweckt werden (z.B. „Von Geist ohne Spuk" [S. 20] oder „Vom Placken auf dem Land" [S. 40]), oder aber die die Neugier auf unbekanntes Wortgut oder gar eine vielversprechende Geschichte richten, etwa „Bongert, Backs und Bienen" (S. 62), „Wo liegt das Auenland?" (S. 110) oder „Wenn Bauern über Wellen gehen" (S. 118). Auch der Titel des Buchs spielt mit Bekanntem und Unbekanntem. Die Unterkapitel sind in weitere Abschnitte gegliedert und überwiegend beschreibend, bisweilen erzählend gehalten. Sie verbinden die Erläuterung von Flurnamen einschließlich ihrer sprachlichen Herkunft und ihrer räumlichen Verteilung mit Erklärungen der Verhältnisse, denen sie ihre Entstehung verdanken. Dabei legt der Verfasser großes Gewicht auf die Erläuterung der Namen vor dem Hintergrund der bäuerlichen Welt des Mittelalters und der frühen Neuzeit, deren Verhältnisse sich z.T. bereits im 19. Jahrhundert so stark zu wandeln begannen, dass einstmals durchsichtige Namen ihre Verständlichkeit schon vor langer Zeit verloren haben können. Für die Flurnamen werden stets Varianten und Beispiele aus verschiedenen Teilen Westfalens angegeben. Besonders erklärungsbedürftige Wörter wie z.B. *Schemm* und *Funder* 'Brücke, Steg' (S. 98) werden in gesonderten Textboxen erläutert. Auch Verbindungen zur Familiennamengebung und zur Siedlungsnamengebung werden hergestellt, so dass sich dem Leser eindrücklich erschließt, welche Vielfalt an sprachlichen und historischen Zusammenhängen sich zeigt, wenn man die Hintergründe eines Flurnamens erkundet, der sich z.B. in der eigenen Umgebung findet oder der einem anderswo auffällt. Quasi nebenbei, aber erfreulich deutlich wird außerdem vermittelt, auf welcher Grundlagenarbeit die präsentierten Erkenntnisse beruhen.

Seinem Anspruch, einem breiteren Publikum die genannten Zusammenhänge zu erschließen, wird der Band nicht zuletzt durch den flüssigen Stil mit griffigen Formulierungen gerecht. Vor allem aber gelingt es dem Verfasser im Ganzen, die zum Teil komplexen Zusammenhänge in der Darstellung so geschickt zu reduzieren, dass das Interesse der Leser befriedigt wird, ohne sie zu überfordern, aber auch, ohne die Darstellung für sie zu stark zu vereinfachen und die Probleme auszuklammern, die sich bei der Deutung von Namen ergeben können. Beispiele dafür sind aus unterschiedlichen Gründen nicht einfach zu fassende Elemente wie *Scheide* (S. 88f.) oder *Bracht* (S. 140f.) oder die Hinweise auf die weiten Bedeutungsspektren vieler Namenbestandteile als Ergebnis langer und regional differenzierter Prozesse des Bedeutungswandels. Zahlreiche Abbildungen (Karten, Skizzen und Fotos) in ausgezeichneter Auswahl und Qualität ergänzen den Text. Außer ihrer stets nachvollziehbaren sachlichen Funktion für den Text laden sie auch zum Blättern ein und werden so manchen Leser zu ausgiebigerer Lektüre verleiten. Das Buch eignet sich auch zum Nachschlagen, was den Interessen vieler Leser entgegenkommen dürfte. Hervorzuheben sind schließlich die hochwertige Druckqualität und die sehr ansprechende und einladende Gestaltung. Ein Quellen-, Literatur- und Bildnachweis sowie ein Register der Flurnamen erschließen den Band und weiterführende Lektüre.

Insgesamt handelt es sich um einen gelungenen Versuch der sachgerechten und anregenden Vermittlung der Forschung zu einem Thema, das einerseits in der Umgebung der Menschen präsent ist, dessen Erschließung aber andererseits die Arbeit spezialisierter Forscher und die Förderung durch öffentliche Institutionen voraussetzt. Dass die Früchte dieser Forschung in dieser Weise aufbereitet und somit auch die dahinter stehenden Anstrengungen sichtbar werden, ist dem Verfasser zu danken und sehr zu begrüßen. Dem Buch ist daher reges Interesse und eine gute Verbreitung zu wünschen. Der Preis ist so moderat gehalten, dass dem nichts entgegenstehen dürfte.

Münster *Michael Flöer*

Markus Denkler: Das münsterländische Platt (Westfälische Mundarten 1). Münster: Aschendorff Verlag 2017. 104 S.

Hier liegt ein Buch vor, das sich primär nicht an die Fachgenossen, sondern an all diejenigen richtet, die auf einen fundierten und dabei gut rezipierbaren Einblick in die Besonderheiten prominenter Sprachlandschaften abzielen. In diesem Sinne will das Buch über das münsterländische Platt informieren und dabei die Leserschaft in insgesamt 16 kurzen Kapiteln unterhalten. Man kann vorwegnehmen, dass dies dem Autor bestens gelingt. Denklers Werk bietet einen didaktisch sehr gut aufbereiteten Einstieg in die sprachliche Gemengelage der Region, unterstützt durch vielfältiges Bildmaterial, Infokästen und garniert mit Tonaufnahmen, die auf der Verlagshomepage anzuhören sind.

Zum Aufbau: Mit den ersten drei Kapiteln führt Denkler in die allgemeine Sprachsituation ein. Hier wird zunächst das niederdeutsche Sprachgebiet umrissen, bevor die engeren Grenzen des Münsterländischen thematisiert werden. Die Leser werden sich darüber freuen, dass der Autor in diesem zweiten Kapitel der naheliegenden Versuchung widersteht, die räumlichen Strukturen durch kartierte Isoglossenverläufe zu schematisieren. Stattdessen bedient er sich der schon im voranstehenden Teil eingeführten Grußformel (*gudd gaohn*), die er gleichsam als Kennvariable bestimmt, räumlich sowie sprachhistorisch konkretisiert und pragmatisch fundiert.

Ein Intermezzo begegnet mit Kapitel 4, wo Denkler den Blick von der Objektebene auf die Metaebene wendet, indem er die Sicht der Münsterländer auf ihr Sprachgebiet thematisiert. Umgehend wird jedoch wieder die eigentliche Sprachebene in den Vordergrund gerückt, zunächst abermals aus sprachgeographischer Warte. Denn nachdem in den voranstehenden Kapiteln 2 und 3 bereits die Außengrenzen des Münsterländischen bestimmt wurden, erfolgt in Kapitel 5 nun eine Binnengliederung des Gebiets auf der Grundlage einzelner Sprachmerkmale. Sodann werden mit den Kapiteln 6 und 7 lexikalische und phraseologische Besonderheiten besprochen. Hier erfährt man von der sprachgeographischen Festigkeit einzelner Wörter und Konzepte oder von den Unterschieden zwischen hochdeutschen und niederdeutschen Sprichwörtern, etwa in Hinblick auf ihre Ortsgebundenheit.

Nach diesen Einblicken in v. a. die räumliche Situation folgt eine Auseinandersetzung mit dem Abbau der Dialekte. Hier stimmt der Autor sofort einen sehr ernsten Ton an. Die biographische Notiz einer in den 1950er Jahren wegen ihres Dialekts verspotteten Schülerin trifft den Kern der Sache und führt unmittelbar zu den Zahlenverhältnissen der Dialektkompetenz, wie sie sich seit den späten 1930er Jahren belegen lassen. An dieser Stelle bezieht Denkler unpubliziertes Material mit ein, was seine Arbeit auch über den intendierten Leserkreis hinaus sehr interessant macht. Und auch die sich daran anschließende Beschreibung des Übergangs, den das Niederdeutsche von „der Sprache der Verständigung" zum „Kulturdialekt" und „Symbol für regionale Identität" vollzieht (S. 54), ist sicher eine Stärke des Buchs. Dieser Symbolcharakter ist es, den das münsterländische Platt nun gerne erfüllt, und, wie Denkler zeigt, nicht erst in der Gegenwart, sondern schon in der politischen Propaganda während der ersten Hälfte des 20. Jahrhunderts. So steht zeitversetzt die Instrumentalisierung des Dialekts in der Politik der von Politikern abgelehnten nachhaltigen Förderung der Dialekte, z. B. qua Landtagsbeschluss in der jüngsten Vergangenheit, gegenüber.

Es spricht für die Konzeption des Buchs, dass diese Teile nicht seinen abschließenden, sondern den mittleren Teil besetzen. Die Botschaft lautet: Noch vieles gibt es in den Dialekten zu entdecken und man muss gar nicht lange suchen, um Interessantes und Erhellendes zu finden. Teils handelt es sich um Historisches, wie etwa die älteste Tonaufnahme des Münsterländischen, die der Anlage des Buchs folgend ins Internet verlinkt und zudem textlich dargeboten sowie hinsichtlich ihrer sprachlichen Besonderheiten erklärt ist. Teils handelt es sich aber auch um Alltägliches, wie z. B. die präsentierten Code-Switching-Prozeduren, die für das aktuelle Sprechen besonders typisch sind und die Dynamik im Spannungsgefüge mit dem Hochdeutschen gut veranschaulichen. Immer im Vordergrund steht die Sprache selbst, in ihrer Form, aber auch in ihrer Veränderlichkeit. In drei separaten Kapiteln kommen daher nochmals eingehend sowohl grammatische Besonderheiten als auch phonologische und sogar im Anredeverhalten sichtbar gewordene pragmatische Eigenheiten zur näheren Besprechung. Hier, wie im gesamten Werk, wird der Leser aus vielerlei Perspektiven mit großer Kennerschaft informiert, sein Interesse wird geweckt, wie sicher auch seine Sympathie für das münsterländische Platt und seine Sprecher gefestigt werden.

Hervorzuheben ist noch die graphische Aufmachung. Sämtliche Karten sind unaufdringlich in einem einheitlichen Farbschema gehalten, was dem Leser einen professionellen Eindruck vermittelt. Die Infokästen leisten eine gute Gliederung und bereichern den Text um willkommene Zusätze. Ganz hervorragend sind die über QR-Code abrufbaren Internetlinks der Tonaufnahmen, die das Münsterländische auch in seiner gesprochenen Form direkt erfahrbar machen. Etwas bedauerlich ist es hingegen, dass manche Abbildungen aus Gründen des Buchformats nur schwer rezipierbar sind. Insbesondere die historische Karte 4 (Janssonius' „Monasteriensis Episcopatus") ist nicht lesbar. Hier, wie auch z. B. bei Abbildung 3, hätte sich eine Querformatierung angeboten. In einer zweiten Auflage könnte hierauf geachtet werden.

Ansonsten ist an dem Werk nur Weniges zu monieren. Etwas ungünstig mag manchem Leser erscheinen, dass die Erläuterungen zur sprachgeographischen Situation in unterschiedliche Kapitel verlagert sind, zumal sie durch das wahrnehmungsdialektologische Kapitel 4 unterbrochen sind. Dialektunkundige könnte irritieren, dass der auf S. 13 eingeführte Gruß *gudd gaohn* erst auf S. 76 seine phonetische Konkretisierung mit frikativischen Anlauten findet. In diesen Fällen hätte sich ein etwas konziseres Vorgehen angeboten. An der einen oder anderen Stelle wären ergänzende Hinweise auf die Sprachgeschichte bzw. die historische Tiefe der angesprochenen Phänomene wünschenswert.

Den sehr guten Eindruck, den man nach der Lektüre mitnimmt, können diese Punkte aber nicht schmälern. Immer wieder gelingt es dem Autor, trotz aller Wissenschaftlichkeit die Lesbarkeit seines Büchleins auch für Fachfremde hochzuhalten. Auf diese Weise legt Markus Denkler ein unterhaltsames Werk vor, mit dem er bei einem hoffentlich sehr breiten Publikum gute Werbung nicht für das Münsterländische, sondern auch für sein Fach, die Dialektforschung, macht.

Marburg   *Alfred Lameli*

Kurt Wagner: Gorch Fock und Finkenwerder. Leben, Mythos, Vermächtnis (Sutton Geschichte). Erfurt: Sutton Verlag 2016. 119 S., 126 Abb.

Der 100. Todestag des Finkenwerder Autors Gorch Fock im Mai 2016 rief eine größere Zahl an Publikationen hervor, unter die auch der vorliegende Bildband von Kurt Wagner fällt. Diese deutliche Wahrnehmung des Jubiläums eines niederdeutschen Schriftstellers, der zudem ein eher schmales, kaum noch bekanntes Werk veröffentlicht hat, erklärt sich aus der zeithistorisch begründbaren auffälligen Rezeptionsgeschichte der Texte und vor allem der Biographie ihres Autors. Gorch Focks Lebensweg wird in der Publikation des verdienten Finkenwerder Lokalhistorikers Wagner aus einer von Finkenwerder ausgehenden Perspektive in den Blick genommen. Dabei wird weniger das Ziel einer umfassenden Darstellung zu Leben und Werk von Johann Kinau, der vornehmlich unter dem Pseudonym Gorch Fock publizierte, als eine schlaglichtartige Präsentation bestimmter Eindrücke und Zusammenhänge, durch die und mit denen die Verbindung Gorch Focks zu Finkenwerder illustriert wird, geleistet. Dem lokalhistorischen Bezug gemäß gilt ein besonderer Schwerpunkt der Entwicklung des Fischereiwesens auf Finkenwerder Ende des 19. und Anfang des 20. Jahrhunderts, die auch das Leben der Familie Kinau nachhaltig prägte. Daran anknüpfend, werden Informationen zur Biographie Gorch Focks und zur Motivationen seiner literarischen Werke geboten. Seine Texte selbst werden eher nachgeordnet und kursorisch betrachtet, so dass der Band vornehmlich als bebilderte, kürzere Biographie mit kürzeren Reflektionen zum dichterischen Werk und zur Kulturarbeit des Autors für das Niederdeutsche eingeordnet werden kann.

Aufgrund der Kürze der Gesamtdarstellung, die von insgesamt 126 und damit raumgreifenden Abbildungen begleitet wird, sind in der Erläuterung der biographischen und werkbezogenen Daten bisweilen kleinere Lücken zu verzeichnen, die von Kennern der Materie und über andere Publikationen zwar leicht verfüllt werden können, aber eine durchgängige Lektüre doch erschweren. Überhaupt greifen die in der Regel eher kurzen 16 Abschnitte (eine längere Einleitung und 15 Kapitel) des Buches nicht immer gut ineinander, da es häufig zu Vorgriffen auf Informationen und dann wieder zu Wiederholungen von Angaben kommt. Es wäre besser gewesen, die grundsätzlich angelegte chronologische Abfolge der Darstellung deutlicher einzuhalten. Auch sind die Informationen ungleich gewichtet. Während die historische Situation auf Finkenwerder, die Familiengeschichte und auch die frühen Ausbildungsjahre des Autors, was im Falle der prägenden Jahre in Meiningen und Halle auch berechtigt ist, eher ausführlich berichtet werden, hätte man sich zu den Wirkungsjahren in Hamburg ab 1904, als die eigentliche Phase der hoch- und niederdeutschen Publikationen Kinaus und seiner Kulturarbeit zum Niederdeutschen beginnt, nähere Informationen und Reflektionen gewünscht, da Gorch Fock in den Jahren zwischen 1904 und 1914 eine wichtige und einflussreiche Phase der Auseinandersetzung mit dem Niederdeutschen in Hamburg, deren Ausdruck unter anderem die Gründung der Vereinigung „Quickborn" ist, maßgeblich und zudem mit erwähnenswerten eigenen Positionen und Konzepten mitgestaltete. Hinweise zur literarischen Arbeit Gorch Focks in dieser Zeit werden eher kursorisch gegeben (vgl. S. 34f., S. 38f.), und auch der Konflikt zwischen seinen idealistischen Vorstellungen zur Förderung des Plattdeutschen und der formalistischen Verbandsarbeit, der als sehr aufschlussreich gelten kann, wird nur kurz erwähnt (vgl. S. 38f.). Ausführlicher fallen die Darstellungen über die Soldatenzeit im Ersten Weltkrieg, den Tod im Skagerrag und die Beisetzung in Schweden aus. Alle biographischen Ausführungen legen besonderen Wert auf das Zusammenspiel von Johann, Jakob und Rudolf Kinau, um die Besonderheit der drei literarisch tätigen Brüder für Finkenwerder zu betonen, doch kritische Einordnungen unterbleiben auch hier. Von Interesse sind auch einige Bilder und Ausführungen zu den frühen Gedenkveranstaltungen in Hamburg, doch die Überlegungen zum „Mythos" Gorch Fock, der es immerhin in den Buchtitel schaffte, fallen mit zwölf Zeilen und der abschließenden Feststellung „ob Gorch Fock ein Mythos sei, kann jeder, der sich mit diesem Thema beschäftigt, selbst beantworten" (S. 91) nicht hinreichend aus, hier wären eine genauere Definition und Einordnung, auch des dazu abgedruckten Bildmaterials, notwendig gewesen. Geboten wird auch eine knappe Werkübersicht, versehen mit der interessanten, aber nicht weiter belegten Angabe, dass Gorch Fock „auch den Marinemalern die See und ihre Schönheit so bildhaft geschildert" habe, „daß (sic!) die fantastischen Seebilder entstehen konnten" (S. 90). Abschließende Überlegungen zum „Vermächtnis" widmen sich vornehmlich der Gorch-Fock-Halle auf Finkenwerder, seiner Grabstelle in Schweden und über eine Abbildung (vgl. S. 113) auch seinem Heimatverständnis, doch Überlegungen zum literarischen Werk bleiben an dieser Stelle aus. Auch das ist ein symptomatischer Hinweis darauf, dass die Biographie und die Rezeption des Dichters fortgesetzt interessieren, sein hoch- und niederdeutsches Werk in dieses Interesse jedoch kaum einbezogen wird. Es fällt zudem auf, dass Wagner hauptsächlich hochdeutsche sentenzenartige literarische Äußerungen von Gorch Fock zitiert, die unter anderem aus seinen Tagebüchern stammen dürften – genauere

Angaben werden dazu nicht gemacht; und ein engerer Bezug zu den niederdeutschen Dramen und Erzählungen wird nicht hergestellt.

Von Interesse ist vornehmlich das reichhaltige und beeindruckende Bildmaterial in Form von Schwarz-Weiß-Fotografien, das in der Hauptsache aus dem Archiv des Kulturkreises Finkenwerder und ergänzend aus dem Besitz von Einzelpersonen, auch von Nachkommen des Dichters, stammt. Die Bildauswahl ermöglicht einen dichten Einblick in das zeitgenössische, im Wandel begriffene Finkenwerder, und bietet auch weitere Bilder des Autors jenseits der bekannten, geradezu ikonenhaften Bilder des Marinesoldaten Johann Kinau, die, auch darüber informiert Wagner, nach seinem Tod in verschiedenen Ausführungen zum Kauf angeboten wurden (vgl. S. 67). Nicht nur Personen und Orte, auch Plakate und andere Texte sowie Dokumente von oder über Gorch Fock werden im Bild geboten, jedoch leider nicht immer in der Darstellung ergänzend zur Bildunterschrift näher erläutert. Dennoch bieten sie eine aufschlussreiche und informative Ergänzung. Auch zur äußerlich sichtbaren Rezeption des Autornamens als Namengeber für Schiffe und Institutionen wird erkenntnisreiches Bildmaterial geboten, das insgesamt in guter Druckqualität und vielfach auch ganzseitig geboten wird. Auf diese Weise bekommt die Publikation den Charakter eines Albums zu Gorch Fock und Finkenwerder.

Während eine kritische Auseinandersetzung mit Dichter, Werk und Rezeption nicht realisiert werden kann und soll, versucht der Band doch, eine Position Gorch Focks zum heimatlichen Finkenwerder herauszuarbeiten, indem zahlreiche spruchähnliche Werkzitate, die den Wert heimatlicher Orte für den Einzelnen herausstellen möchten, eingebracht werden. Diese erhalten insbesondere vor dem Hintergrund des strukturellen Wandels auf der Insel während der vorigen Jahrhundertwende Relevanz, die Gorch Fock als kritischer Beobachter miterlebte und reflektierte. Die Ergebnisse seiner späteren Kulturarbeit, wie die Mitbegründung der Finkwarder Speeldeel, werden daher besonders betont; und es wundert auch nicht, dass der geplante, aber nicht mehr ausgeführte längere Erzähltext oder Roman „Die See (Solten See)" über den Wandel Finkenwerders mehrfach Erwähnung findet (Vgl. S. 44). Eine nähere Auseinandersetzung mit dem 1912 erschienenen Erfolgsroman „Seefahrt ist not!" erfolgt jedoch nicht.

Bisweilen wären eine genauere Redaktion und Abstimmung der Textpassagen wünschenswert gewesen. Auf S. 38 scheint ein Textabschnitt zu fehlen, da zwischen dem ersten und dem zweiten Absatz kein unmittelbarer sinnvoller Zusammenhang herstellbar ist, so fehlt eine Erwähnung der *Hapag* als dem neuen Arbeitsgeber Gorch Focks ab 1907. Auf S. 41 wird das Drama „Doggerbank" in einem Abschnitt über seine Uraufführung versehentlich als Roman bezeichnet. Im Verlauf der Darstellung nehmen umgangssprachlichere und bisweilen ungenauere Formulierungen zu, so heißt es zu der Schauspielerin Aline Bußmann, dass Gorck Fock „sie einfach umwerfend [fand]" (S. 41), oder zuvor: „total verliebt heiratete er am 25. Januar 2008 seine Verlobte Rosa-Elisabeth" (S. 39). Dieses Bemühen um Unmittelbarkeit zu den Gefühlen des Autors fügt sich weniger gut in die Gesamtdarstellung ein, die insgesamt zu einem sehr darstellenden, wenig problematisierendem Stil neigt und bisweilen zudem spekulative Überlegungen zulässt (vgl. S. 62).

Auch wenn der vorliegende Band nicht als wissenschaftliche Publikation im engeren Sinne gewertet werden kann und soll, verwundert es doch, dass der Autor auf jegliche Angaben von Primär- und Sekundärliteratur verzichtet. So werden zwar immer wieder kleinere, häufig hochdeutsche Zitate aus dem Werk von Gorch Fock gegeben, doch werden sie an keiner Stelle einer Ausgabe und vielfach noch nicht einmal einer bestimmten Sammlung oder einem bestimmten Text zugeordnet. Auf diese Weise wird nicht nur der notwendige Nachweis nicht gegeben, sondern es wird auch die Möglichkeit des direkten Nachlesens bestimmter Zusammenhänge und Passagen genommen. Eine Diskussion von älterer und neuerer Sekundärliteratur zu Dichter und Werk bietet der Band bewusst nicht, und sicherlich lassen sich viele der aufgeführten Informationen auf Gespräche zum Beispiel mit Angehörigen der Familie Kinau zurückführen, doch wäre eine grundlegende Aufführung der verwendeten Quellen zur Lokalgeschichte Finkenwerders und zur Familiengeschichte der Kinaus sowie insbesondere zu Gorch Fock und seinen Texten notwendig und hilfreich gewesen.

Wagners Publikation ist durch ihr reichhaltiges und neue Eindrücke verschaffendes Bildmaterial sehenswert und sollte daher im Rahmen einer Auseinandersetzung mit Gorch Fock wahrgenommen werden. Die zu den Bildern gebotene Darstellung kann eine nähere Berücksichtigung weniger beanspruchen, da sie nur sehr ausgewählt bestimmte Stationen der Dichterbiographie erläutert und dabei kaum erkennbar neuen Informationen bietet. Auch werden kritische Einordnungen des Werks und der Rezeption von Dichter und Werk vermisst, so dass der umfangreiche und wertvolle Bildteil des Bandes vornehmlich als Ergänzung zu anderen Publikationen über Gorch Fock gewinnbringend herangezogen werden kann.

Flensburg   *Robert Langhanke*